PLAYGROUND

"Exofictions"

DU MÊME AUTEUR

L'HYPNOTISEUR, Actes Sud, 2010 ; Babel noir nº 84.
LE PACTE, Actes Sud, 2011 ; Babel noir nº 102.
INCURABLES, Actes Sud, 2013 ; Babel noir nº 123.
LE MARCHAND DE SABLE, Actes Sud, 2014 ; Babel noir nº 170.
DÉSAXÉ, Actes Sud, 2016.

Titre original :
Playground
Éditeur original :
Albert Bonniers Förlag, Stockholm
© Lars Kepler, 2015
Publié avec l'accord de Storytellers Literary Agency, Stockholm

© ACTES SUD, 2017
pour la traduction française
ISBN 978-2-330-07825-6

LARS KEPLER

Playground

roman traduit du suédois
par Lena Grumbach

ACTES SUD

Nul ne sait où nous sommes à l'instant de notre mort, nul ne sait si les lieux décrits par certaines personnes existent seulement dans le système fulgurant de nos synapses. Les témoignages de ceux qui ont connu une expérience de mort imminente font état d'images récurrentes que les scientifiques interprètent comme une réaction du cerveau au manque soudain d'oxygène lorsque le cœur cesse de battre.

Nous ne disposons d'explications neurobiologiques que depuis quelques décennies, mais les témoignages d'une remarquable constance remontent à des millénaires. Des civilisations scripturaires les plus anciennes jusqu'à la nôtre, les récits décrivent ce qui nous attend de l'autre côté avec une similarité troublante.

Le Livre des morts des Anciens Égyptiens dépeint le tribunal d'Osiris où le cœur humain est jugé à l'aune d'une plume d'autruche, symbolisant la Vérité. La mythologie classique de la Chine appelle l'Au-delà les "Sources Jaunes". Les défunts y séjournent en tant qu'esprits affamés jusqu'à ce que le souverain des ténèbres décide de leur sort. Les mythologies grecque et romaine, et certaines mythologies africaines, mentionnent la rive d'un fleuve qu'il faut traverser en bateau. Dans l'islam, tous les défunts attendent leur jugement, tandis que le christianisme évoque une antichambre de l'éternité où Jésus descend et dont Lazare revient. Le judaïsme rassemble ses morts sous forme d'ombres dans le Shéol, sans contact avec Dieu, et les anciennes croyances hindoues et nordiques permettent de mourir même dans l'Autre Monde.

De nos jours, les témoignages des personnes qui ont connu une expérience de mort imminente font souvent état de tunnels, de lumières enveloppantes, de rencontres avec des proches décédés, d'eaux sombres et de villes qui leur sont totalement inconnues.

Mythologies et témoignages peuvent évidemment s'expliquer sur un plan psychologique et neurologique. Tout au long de sa vie, l'être humain prend conscience d'environ dix nouvelles impressions par seconde tandis que ses sens en enregistrent inconsciemment plus de dix millions pendant le même laps de temps. Le cerveau possède la capacité de trier l'information et de l'organiser par segments cohérents que nous appelons habituellement des souvenirs. Nous n'avons accès qu'à une infime partie de tout ce qui est stocké dans la mémoire à long terme. La plupart des données demeureront inexplorées dans ce réservoir colossal jusqu'à l'instant de notre mort.

1

Avant de partir pour une mission périlleuse, le lieutenant Jasmine Pascal-Anderson avait l'habitude de sortir une photographie de son portefeuille et de la regarder un moment. Un pli épais barrant l'image s'était formé sur le papier brillant. Le cliché montrait le commando de son peloton. Cinq binômes de combattants et Jasmine, la seule femme, au milieu. Pour rire, les hommes posaient autour d'elle avec leurs casques et gilets pare-balles, comme s'ils lui vouaient un culte. Mark, une cigarette plantée au coin des lèvres, arborait ses lunettes de soleil roses. Lars avait tracé un trait blanc sous ses yeux et sur son nez, et Nico fermait les paupières au mauvais moment.

Sur la photo, les cheveux roux de Jasmine étaient coiffés en une tresse serrée. Elle souriait comme si c'était son anniversaire, et tenait dans ses bras sa M240 Bravo, bipied replié. La mitrailleuse était presque aussi grande qu'elle, et les muscles de ses bras constellés de taches de rousseur étaient tendus. La lourde bande de cartouches intégralement chemisées se déroulait par terre à côté de ses rangers.

Jasmine observa la photo encore un instant pour se rappeler que ses hommes avaient confiance en elle, qu'elle était responsable de leur sécurité. Elle n'avait jamais réellement peur, mais elle savait quand une mission était particulièrement risquée.

Elle était un bon chef.

Pour plaisanter, Mark affirmait souvent qu'il était normal qu'elle soit l'officier commandant puisqu'elle voulait toujours avoir le dernier mot.

— Ce n'est pas vrai, répondait-elle invariablement.

Jasmine remit la photographie dans son portefeuille, et attendit avant de bouger.

Elle avait rarement de mauvais pressentiments, mais à cet instant, bien que tout soit comme d'habitude, il lui sembla que son âme traversait une zone d'ombre.

Elle hésita, puis mit les boucles d'oreilles ornées d'une perle que sa mère lui avait données.

Bizarrement, elle se sentit rassurée.

Le groupe commando de Jasmine participait à l'opération *Joint Forge* de la Sfor que l'Otan dirigeait en Bosnie-Herzégovine, mais il avait été envoyé en mission spéciale dans la commune de Leposavić au Kosovo.

Les forces serbes s'étaient depuis longtemps retirées du Kosovo. Tel un immense reptile, les soldats avaient serpenté à travers les villes et les villages. Alors que l'opération aurait dû être terminée, des enclaves agissant de leur propre chef subsistaient dans le nord du pays.

Le groupe de Jasmine était l'un des cinq commandos chargés de vérifier *in situ* les actes de violence signalés à l'encontre de la population civile du village de Sočanica.

Les soldats ne disposaient pas de véhicules de transport de troupes, et lorsque la pluie s'intensifia, leurs jeeps eurent de plus en plus de mal à avancer. Les routes étaient devenues impraticables, le ruissellement avait emporté les accotements, le fleuve Ibar charriait une eau trouble et boueuse.

Depuis le siège du conducteur, Jasmine nota que le visage de Lars avait viré au gris pâle. Il avait ôté son casque, qu'il tenait sur les genoux.

— C'est mieux de vomir dans un sac en papier, le taquina-t-elle.

— Je me porte comme un charme, répondit-il en levant le pouce.

— On t'a gardé un peu de Misty Green, plaisanta Nico.

— Et des nouilles avec des crottes de rat, renchérit Mark, hilare.

Jasmine avait autorisé ses hommes à faire la fête la veille au soir. Prenant le prétexte du Nouvel An chinois, ils avaient fabriqué des lanternes rouges avec des sachets de pop-corn vides, avaient fait partir des grenades éclairantes dans le ciel, puis avaient suivi du regard leur descente vers le sol, accrochées à leur petit parachute, telles des étoiles filantes tombant au ralenti. Ils avaient mangé des rouleaux de printemps et des nouilles chinoises minute arrosés de cocktails à base de vodka suédoise et de feuilles de thé vert en provenance de Hangzhou – des Misty Green, comme ils disaient.

Fidèle à son habitude, Lars avait trop bu, et quand il s'était mis à vomir, Mark lui avait tenu compagnie et avait prétendu avoir ajouté des crottes de rongeur aux nouilles pour accueillir dignement l'année du rat.

Penché au-dessus du seau, Lars avait hurlé qu'il était en train de mourir, et les autres gars avaient répliqué que ce serait un honneur de mourir sous le commandement de Jasmine.

Jasmine, elle, était retournée dans sa tente et avait commencé à étudier les dernières images satellites, essayant de mémoriser le terrain pendant que, dehors, la fête continuait. Elle adorait les entendre rire, danser et chanter.

Au fil des ans, elle avait couché avec trois des hommes du commando actuel, mais c'était avant de devenir leur chef. Si elle était honnête avec elle-même, elle pourrait très bien envisager de faire de nouveau l'amour avec eux.

Évidemment, il n'en serait rien – même si la proximité de la mort rendait la solitude particulièrement tangible.

Elle avait croisé le regard luisant de Mark, et lui avait adressé un hochement de tête au cours de la soirée. Il était beau avec ses yeux coquins et ses bras musclés, et elle s'était demandé si elle ferait une exception cette nuit, ou si elle se contenterait de se masturber.

Le matin s'était levé sous un ciel anthracite, lourd de pluie.

La jeep fit une embardée. De l'eau boueuse monta jusqu'aux roues. Jasmine rétrograda, tourna le volant à gauche et grimpa lentement le raidillon.

À cinq cents mètres au sud de Sočanica, la route était totalement détruite. Jasmine décida de poursuivre à pied.

Pendant qu'elle menait le groupe vers le village en contrebas, l'odeur de graisse pour armes lui parut plus forte que jamais. Le poids de sa mitrailleuse fut soudain éprouvant. À chacun de ses pas, l'arme tirait sur sa sangle comme si elle cherchait à échapper à son sort.

Le mauvais pressentiment s'intensifia.

Mark fumait sous la pluie, et chantait *China Girl* à deux voix avec Simon. Tout était alourdi par une morne désolation : le ciel humide, les collines désertes, l'eau gris moineau du fleuve.

La radio crépita. La communication était mauvaise, mais Jasmine réussit à saisir que les deux commandos britanniques s'étaient enlisés peu après la ville de Mitrovica.

Elle décida qu'ils allaient faire une reconnaissance de terrain en attendant les Anglais, et elle guida les cinq binômes vers le village terne et déprimant.

Les perles de ses boucles d'oreilles cliquetaient contre les attaches du casque au rythme de la marche.

Dès la première maison, ils virent une petite fille à plat ventre à côté de son tricycle, le visage enfoncé dans l'herbe mouillée. Une femme enceinte était assise, adossée à la façade. Elle avait pris une balle en pleine poitrine et s'était vidée de son sang. Quelques poules blanches picoraient dans le gravier devant elle. La pluie formait des bulles en frappant les flaques d'eau.

Avant de descendre plus avant dans le village, Jasmine rassura Nico, et le laissa prier Dieu et embrasser son crucifix.

Une détonation au loin, brève comme un coup de fouet, résonna entre les maisons de la vallée.

Jasmine arrêta son groupe en haut d'un long escalier entre deux maisons, se déplaça prudemment sur le côté, et examina la place du marché, plus bas, avec ses étals de légumes et une vieille caravane. Une trentaine d'hommes de l'enclave serbe y avaient mis en rang un certain nombre de jeunes gens.

Un soldat tenait un parapluie déployé au-dessus d'un commandant arborant une grosse barbe noire, assis dans un fauteuil au tissu fleuri. La pluie n'avait pas le temps de nettoyer le sang sur le sol devant ses pieds. On força un des garçons à se mettre à genoux. Le commandant prononça quelques mots, puis l'exécuta d'une balle dans la tête.

Ils avaient l'intention de tuer tous les garçons du village.

Pendant que le cadavre était emporté, Jasmine put rétablir le contact radio avec les deux commandos britanniques. Ils s'étaient remis en route. En moins de quinze minutes, ils viendraient en renfort.

Jasmine remarqua les joues rouges du garçon suivant quand on l'obligea à s'agenouiller devant le commandant.

Parmi ses hommes, il y en avait peut-être qui pensaient que Jasmine se laissait mener par ses sentiments, mais aucun n'hésita à suivre ses ordres. Elle savait qu'en trois petites minutes, elle pourrait répartir ses cinq binômes sur des positions d'où, sans subir de pertes, ils empêcheraient les exécutions et élimineraient quatre-vingts pour cent des ennemis.

Au moment où ses soldats furent en place, elle vit à la jumelle qu'une colonne de dix voitures maculées de boue et occupées par des soldats serbes s'engageait dans la rue principale qui débouchait sur la place du marché.

Plus tôt dans la journée, lorsqu'elle les avait observés sur les images satellites, ils étaient en train de s'éloigner, dépassant déjà la ville de Lešak. Pour une raison indéterminée, ils avaient fait demi-tour, multipliant les risques pour son commando.

Elle donna pourtant l'ordre à Mark d'abattre le bourreau. Le coup partit et la balle traversa la tête du commandant. Le sang gicla sur le dossier du fauteuil.

Le chaos éclata parmi les Serbes et, en trente secondes, le groupe de Jasmine en neutralisa plus de la moitié.

Le cœur de la jeune femme battait fort. L'adrénaline fusait dans son sang et donnait à son cerveau une lucidité glaciale.

Trois soldats munis de fusils d'assaut s'abritèrent derrière un muret de brique.

Le M240 de Jasmine crépita, les cartouches creusèrent un chapelet de trous dans le mur. Un tourbillon de sang rose éclaboussa l'air.

Une dizaine de soldats s'étaient repliés dans l'hôtel de ville. La porte entrouverte battait au vent.

Les jeunes garçons, qui s'étaient jetés à terre dès le début des tirs, se levèrent quand le silence fut revenu. Effrayés et désorientés, ils se replièrent dans une ruelle à côté de la place. Un garçon maigre tenait par la main son petit frère en larmes.

La porte de l'hôtel de ville s'ouvrit à la volée. Un soldat de la milice serbe sortit du bâtiment et se lança à la poursuite des adolescents en dégoupillant une grenade à main. À côté de Jasmine, Nico tira, et son fusil de précision toucha le soldat à la tête. Celui-ci s'effondra et resta immobile jusqu'à ce que la grenade explose dans sa main, le faisant disparaître dans un nuage de poussière.

Les garçons partirent à toutes jambes en direction de la vallée. Pour leur donner de l'avance, Jasmine mitrailla la porte et les volets de l'hôtel de ville.

Quand ils eurent disparu, elle jeta un rapide coup d'œil sur la droite. Les véhicules serbes s'étaient arrêtés, puis avaient reculé pour changer d'itinéraire. Ils quittaient la rue principale et remontaient à grande vitesse une pente menant au commando de Jasmine. Ils étaient manifestement en contact radio avec quelqu'un qui les avait repérés.

Mark et Vincent souffraient tous les deux de légères blessures par balle. La situation ne tarderait pas à devenir ingérable. Jasmine ordonna à Lars et Nico de rester sur place pour couvrir les autres qui iraient se réfugier derrière la vieille église. Elle était consciente que ces deux-là seraient coupés du reste du groupe, mais il n'y avait pas d'autre option. Pour sa part, elle courut se poster en amont, déplia le bipied, et se coucha à plat ventre. Tant qu'elle avait des munitions, elle pourrait empêcher le convoi de soldats d'avancer.

La poussée d'adrénaline fit trembler ses doigts au moment d'ajuster le viseur.

Elle pouvait tirer le long des façades de tout un bloc de maisons, mais elle n'avait aucun moyen de se défendre contre une attaque venant de derrière. À cet instant, sa seule priorité était de maintenir son groupe en vie jusqu'à l'arrivée des renforts britanniques.

Pendant qu'elle tirait, elle vit Mark et ses compagnons d'armes descendre vers l'église. Un soldat serbe se précipita sur eux avec un fusil d'assaut couleur sable; Jasmine l'atteignit au torse avant de faire exploser une vieille mobylette calée contre le mur.

Elle entendit des cris derrière elle, mais n'eut pas le temps de se retourner. Pour protéger ses hommes, elle continua à tirer en frôlant les maisons. Des éclats d'un volet virevoltèrent, et une pierre d'assise saillante se brisa en mille morceaux. Elle tirait, tirait, pour maintenir l'ennemi confiné entre les bâtiments. Elle tirait et encaissait à chaque fois le recul dans l'épaule, sentant la chaleur du métal et l'odeur des gaz de combustion. La sueur coulait dans ses yeux, les détonations résonnaient dans ses oreilles. Jasmine sentit ses doigts s'engourdir avant qu'une étrange douleur commence à brûler dans son dos.

2

Jasmine Pascal-Anderson se réveilla à l'hôpital Országos Orvosi à Budapest. Elle devina une silhouette devant la fenêtre, puis reconnut Mark. Il était difficile de le distinguer dans le halo de lumière dentelé devant ses yeux. Elle tenta de parler, mais n'avait pas encore retrouvé sa voix. Il vint s'asseoir sur le bord du lit, et dit quelque chose qu'elle ne parvint pas à saisir. Il avait apporté une de ses boucles d'oreilles. Il lui tapota la joue, et fixa la petite perle au lobe de son oreille gauche. D'une main faible, elle retira le masque à oxygène humide, et se mit à respirer à pleins poumons.

— La mort ne fonctionne pas, réussit-elle à articuler en toussant.

— Jasmine, tu es en vie, tu n'es pas morte, chuchota Mark en s'efforçant de sourire.

— Les gens font la queue dans le port pour partir avec les bateaux, haleta-t-elle. Il y a des lanternes rouges suspendues partout, les panneaux sont en chinois, je ne comprends pas... Rien ne colle, je ne comprends pas...

— Ne t'en fais pas, tout ira bien, la rassura-t-il.

Une infirmière entra et demanda en anglais à Jasmine comment elle se sentait. Elle vérifia la saturation en oxygène et le tracé de l'électrocardiogramme. Jasmine regarda Mark droit dans les yeux, mais eut l'impression de contempler les images désorganisées de son propre cerveau.

— Un médecin va venir vous voir bientôt, déclara l'infirmière avant de partir.

— La triade est partout, poursuivit Jasmine en luttant contre les larmes. Je les ai vus enlever un enfant à ses parents.

— J'entends ce que tu dis, mais…

— Il n'y a pas de justice là-bas. J'ai tout vu, j'étais sur le quai, j'ai vu Nico monter à bord d'un bateau, mon Dieu…

— Nico est mort, Jasmine, indiqua Mark en caressant sa main.

— C'est bien ce que je dis, je l'ai vu au port.

— Lars aussi est mort.

— Mon Dieu, articula-t-elle en pleurant et en détournant le visage.

— Tu as fait un tas d'horribles cauch…

— Je n'en peux plus, je n'en peux plus, s'écria-t-elle, les larmes ruisselant sur ses joues. On a détruit le royaume des morts, il ne fonctionne plus, ce n'est pas juste, on détruit tout…

Elle se tut, mais sa respiration demeurait haletante lorsque le médecin entra dans la chambre. Sa fréquence cardiaque s'accéléra, la saturation chuta, et du sang sortit par le drain.

Le médecin se tenait à côté d'elle et lui annonça qu'elle allait s'en sortir, qu'elle avait eu de la chance, puis il lui parla de sa blessure et de l'opération pratiquée en urgence.

La balle était entrée dans le muscle grand dorsal, *latissimus dorsi*, avait traversé la plèvre au niveau de la onzième côte, puis avait endommagé le côlon avant de sortir par l'abdomen. Jasmine avait perdu beaucoup de sang, mais l'opération s'était bien déroulée, elle ne garderait pas de séquelles.

— Si vous étiez arrivée cinq minutes plus tard, nous n'aurions pas pu faire grand-chose, expliqua-t-il, le regard grave. Vous êtes entrée en état de choc hypovolémique, et à l'induction anesthésique, vous avez fait un arrêt cardiaque d'une minute et quarante secondes.

Après son retour en Suède, Jasmine fut soignée au Centre de psychotraumatologie à Stockholm. Assise sur un canapé vert clair dans la salle de consultation défraîchie, elle remplissait le formulaire obligatoire où elle devait parler d'elle-même et de ses problèmes. Lorsqu'elle arriva aux rubriques où elle était censée raconter ce qu'elle avait vécu, le stylo s'arrêta de lui-même.

Les images de ce qui l'attendait de l'autre côté la submergèrent. Ses lèvres se mirent à picoter, elle eut du mal à respirer en se remémorant la violence dans le port sombre, toutes les personnes qui faisaient la queue, l'odeur de fuel.

Elle porta à sa bouche une main agitée de tremblements en pensant à Nico qu'elle avait vu disparaître, les yeux baissés, sur la péniche rouillée.

Dans un fauteuil en face d'elle, une jeune femme remplissait le même formulaire. Elle écrivait lentement tandis que les larmes coulaient sur ses joues grêlées, mouillant son hijab de taches foncées.

Jasmine avala péniblement sa salive, regarda de nouveau la case où elle était invitée à raconter ce qu'elle avait vécu, envisagea de sauter ce passage, mais finit par écrire "j'ai été morte".

Pendant les trois mois suivants, elle fut traitée par neuroleptiques afin de soigner le délire psychotique qui la poussait à croire qu'elle avait bel et bien vu le royaume des morts. Mark fit preuve d'un soutien sans faille, et l'accompagna tout du long. Les prises de médicaments furent finalement espacées, mais elle participa à la thérapie comportementale et cognitive jusqu'en novembre.

Jasmine souriait avec impatience en écoutant son psychologue aux cheveux blancs lui répéter que le rêve hallucinatoire trouvait son origine dans les événements traumatiques de la fusillade à Sočanica. C'était un mécanisme de défense tout à fait naturel. Les pseudo-souvenirs de la ville portuaire chinoise provenaient du Nouvel An chinois que le groupe commando avait fêté, et les gens qui attendaient sur le quai étaient un reflet mental des garçons en attente d'être exécutés.

— Ou alors, ce que je vous ai raconté pourrait vous sauver le jour où vous mourrez, répliqua Jasmine.

Une enquête interne fut menée sur la fusillade dans le nord du Kosovo. Selon la conclusion du rapport, la conduite de Jasmine avait été exemplaire. Elle avait mis fin à un massacre, et avait sauvé la plus grande partie de son groupe en prenant la difficile décision de rester à un endroit stratégique avec quelques binômes de son équipe. On lui décerna la médaille du service méritoire de l'Otan, qu'elle refusa. Elle ne participa pas non plus à la cérémonie.

Au moment où sa contribution était récompensée, elle se trouvait dans une chambre d'hôtel, à califourchon sur un homme rencontré à la salle de gym. Il ressemblait à Nico avec ses cheveux blonds, c'était étrange et excitant de le sentir à l'intérieur d'elle.

Les cheveux roux et bouclés de Jasmine étaient emmêlés, et le manque de sommeil donnait un éclat lustré à son regard. Sur son visage flamboyant, les taches de rousseur étaient pâles comme des miettes de pain. Sa joue gauche avait rougi à force de frotter contre la barbe naissante de son partenaire.

Le grand lit s'était écarté du mur, et Jasmine observa la poussière sur la prise électrique et sur les fils des lampes de chevet.

Ce n'était pas souvent qu'elle se retrouvait à l'hôtel avec un homme, mais de temps en temps, elle en ressentait le besoin. La fugace proximité physique et le sentiment de vide qui s'ensuivait l'aidaient à se sentir en vie.

Elle ne reverrait plus jamais cet amant, elle le savait, car elle ne supportait pas de fréquenter des gens incapables de comprendre ce que ses hommes et elle-même avaient traversé par un doux jour d'hiver au Kosovo.

Jasmine avait eu de la chance. La blessure avait vite guéri, et la cicatrice de la plaie de sortie du projectile s'était estompée petit à petit pour prendre une nuance pâle, tel un pétale de rose.

Elle comprit assez vite qu'elle serait considérée comme mentalement dérangée tant qu'elle évoquerait la ville portuaire. Il valait mieux garder certaines vérités pour soi.

Elle s'installa chez Mark. Elle s'efforçait de participer aux tâches ménagères, mais passait le plus clair de son temps à traîner dans la maison vêtue d'un jean délavé aux ourlets élimés à force de marcher dessus et d'un gros pull informe qui pendait jusqu'aux fesses.

Ils entamèrent une relation basée sur le sexe. En dehors de ça, elle ne garderait par la suite que des souvenirs fugaces de cette période : les verres de tequila qu'ils frappaient sur la table. La bière tchèque et un Eminem tonitruant. Des invités apportant des fleurs cueillies dans le jardin des voisins. L'angoisse et les antalgiques. Le barbecue transformé en boule de feu par la graisse enflammée. Et le sexe alcoolisé avec Mark dans le lit froissé, à plat ventre sur le canapé en cuir, par terre dans la cuisine, ou dans l'herbe trempée de rosée au bord de l'eau.

Un mois, elle n'eut pas ses règles. Elle ne s'en inquiéta pas vraiment au début, mais au bout de deux semaines, elle alla acheter un test de grossesse.

Quand Jasmine vit les traits bleus apparaître sur la tige, elle cessa presque de respirer. Elle se rinça la figure à l'eau glacée, s'assit sur le couvercle des toilettes et sourit toute seule.

3

La vie est insaisissable, la vie est l'exception, un petit cierge étincelant entouré d'une obscurité infinie. Pour Jasmine, la grossesse représentait le pardon. Elle pensait avoir connu le plus grand choc de sa vie, mais les secousses qu'elle avait ressenties jusque-là annonçaient seulement le séisme à venir.

Les cauchemars la réveillaient encore souvent la nuit. Elle rêvait du port frontalier avec l'Au-delà, mais se gardait bien de raconter ses souvenirs.

Elle suivit un cursus universitaire en gestion des crises et des conflits internationaux, alors que Mark, lui, ne changeait en rien. Quand il rentrait de mission, les fêtes reprenaient. Le matin, Jasmine faisait le ménage, puis restait dans sa chambre avec ses livres pendant que les invités se réveillaient et prenaient leur petit-déjeuner.

Ce soir-là, elle se tenait devant le miroir et regardait son ventre, comme elle en avait pris l'habitude. Au début, elle faisait exprès d'en accentuer l'arrondi, mais cela n'était plus nécessaire désormais. Elle entamait la vingt-sixième semaine de grossesse, et elle se sentait belle. Sa peau brillait, comme frottée d'huile, et ses cheveux paraissaient plus roux que jamais. Les taches de rousseur resplendissaient sur toute sa peau, se regroupaient en nuage plus dense autour des clavicules, puis essaimaient sur ses seins, ses épaules et ses bras musclés.

Jasmine vérifia que la porte de la chambre était fermée à clé avant d'aller au lit. Elle était couchée sur le côté, les yeux fermés, mais n'arrivait pas à s'endormir. Mark et ses amis avaient mis la musique à fond. Elle entendit une femme rire et crier, des voitures tourner dans la cour, des verres se briser.

Il était plus de 4 heures du matin quand elle s'endormit, les mains plaquées sur ses oreilles.

Elle se réveilla en sursaut, le cœur cognant dans la poitrine, et se souvint du rêve des lanternes en papier rouge ornées de signes chinois or pâle. Roulant sur le dos, elle prit conscience des arabesques de fumée autour du plafonnier.

Elle attrapa aussitôt le verre posé sur la table de chevet, renversa l'eau sur un chemisier, noua le tissu mouillé devant sa bouche et son nez, puis descendit au rez-de-chaussée. La fête était finie, un profond silence régnait. À travers l'air brumeux, elle vit des gens dormir un peu partout dans un chaos de bouteilles, de sachets de chips, de cendriers débordants et de papier alu contenant des restes de shit.

Elle avança dans le vestibule, referma la porte derrière elle pour limiter la propagation du feu et s'approcha de la fumée noire qui suintait sous la porte de la cuisine.

Les larmes coulaient de ses yeux brûlants, mais grâce aux nombreux entraînements qu'elle avait suivis pour faire face au gaz lacrymogène, elle savait que la seule règle à respecter était de tenir le coup. On avait le droit de tousser, de pleurer, de vomir. Tant qu'on parvenait à s'empêcher de se frotter les yeux, on restait en état d'accomplir sa mission.

En position accroupie, elle pénétra dans la cuisine enfumée. On aurait dit que quelqu'un avait déployé un drapeau orange dans un épais brouillard.

Retenant sa respiration, elle sentit la chaleur sur son visage quand elle s'approcha de la cuisinière. Une casserole avait pris feu. Les flammes étaient montées jusqu'à la hotte et avaient embrasé le placard à épices.

Elle tendit la main, éteignit la cuisinière, longea la cloison pour arriver au placard à balais, tâta derrière l'aspirateur et trouva l'extincteur.

Le visage ruisselant de larmes, elle retira la goupille de sécurité et aspergea le feu d'une mousse aqueuse jusqu'à ce qu'il soit étouffé.

Elle lâcha ensuite l'appareil par terre. Les poumons en détresse, elle sortit dans la fraîcheur de l'aube, arracha le chemisier de son visage et aspira goulûment de grandes bouffées d'air. Puis elle retourna à l'intérieur et ouvrit toutes les fenêtres pour chasser la fumée.

Elle trouva Mark dehors dans le coin de verdure entouré de lilas, en train de fumer en compagnie d'une femme blonde. Une bouteille de whisky était posée dans l'herbe entre ses pieds nus.

— Chérie, articula-t-il en exhibant un rictus alcoolisé quand elle se planta devant lui.

— Tu me prêtes ton téléphone ?

— Bien sûr.

Il réussit à l'extirper de sa poche. Jasmine le prit, et appela les pompiers pour leur signaler l'incendie qu'elle avait réussi à éteindre, mais qui pouvait encore couver dans la charpente. L'opérateur annonça qu'il envoyait un camion sur place. Jasmine le remercia et raccrocha.

— Il y a le feu dans la cuisine ? demanda Mark.

Jasmine secoua la tête, appela sa mère, et lui demanda si elle pouvait emménager chez elle.

— Je suis un idiot, murmura Mark.

Elle lui rendit son téléphone, le regarda, observa son visage ravagé, ses yeux tristes, et le dragon tatoué qui serpentait autour du muscle relâché de son bras jusqu'à l'épaule.

Elle ne put s'empêcher de le plaindre quand elle se dirigea vers le portillon pour attendre sa mère.

Mark se trouvait en Afghanistan quand elle donna naissance à leur enfant, mais la mère de Jasmine était à ses côtés à la maternité. Sa sœur Diana prit quelques jours de congé et vint à Stockholm pour faire connaissance avec le nouveau-né et, quelque temps après, le tenir sur les fonts baptismaux.

Jasmine prénomma son fils Dante.

Elle vécut chez sa mère pendant plus d'un an. Toutes deux se relayaient pour changer les couches, et regardaient l'enfant pousser, ramper puis se redresser en se tenant aux meubles.

Jasmine obtint un remplacement comme secrétaire au ministère de la Défense, et travailla à mi-temps tout en poursuivant ses études de gestion des crises et des conflits internationaux.

Même si Mark ne revenait en Suède que pour de courtes périodes, Jasmine veillait à ce qu'il voie son fils. Les premières nuits que Dante passa chez lui, Jasmine resta dans sa voiture devant la maison jusqu'au matin. Il était toujours gentil avec le garçon, mais sa vie était très désordonnée. Quand il était en Suède entre deux missions, son quotidien se résumait aux shots de tequila avec la bande, aux barbecues derrière la maison et aux bains de mer dans le plus simple appareil.

Les remplacements au ministère de la Défense se transformèrent en poste fixe et, avec l'aide de sa mère, Jasmine acheta un appartement situé tout près de son lieu de travail et de l'école maternelle.

Parfois, elle éprouvait un grand besoin de ressentir physiquement sa propre existence, de lâcher la bride aux instincts primitifs cachés au plus profond de son corps, dans les nerfs, sous la peau. Alors, elle faisait en sorte de rencontrer quelqu'un au café de l'université et l'entraînait aux toilettes.

Elle n'atteignait pas l'orgasme, non. Peut-être, s'ils avaient pris une chambre d'hôtel... mais ce n'était pas son but.

C'était peut-être la solitude qui s'ensuivait dont elle avait envie, pouvoir chasser l'homme et fermer de nouveau la porte à clé, s'asseoir, jambes flageolantes, sur la cuvette des toilettes.

4

Cinq années de cette nouvelle vie s'étaient écoulées. Jasmine Pascal-Anderson posa les lourds sacs de provisions dans le vestibule. Dante retira son bonnet et le lança sur l'étagère. Il avait les joues rouges, et ses cheveux châtains bouclés étaient collés sur son front humide.

Jasmine s'agenouilla, l'aida à enlever ses bottes, puis ouvrit sa combinaison d'hiver et en extirpa ses bras.

— Pour les jambes, il faut que tu m'aides.

Il s'agrippa à la tête de sa mère pour ne pas perdre l'équilibre, et saisit l'occasion de tripoter sa boucle d'oreille.

— Une vraie perle, dit-il.

— Oui.

Elle réussit à sortir une jambe et lui retira sa chaussette à rayures.

— Mais tu as perdu l'autre.

— Oui, répondit-elle, et elle songea qu'en contrepartie, elle avait eu la vie sauve.

— Je vais t'acheter une super boucle d'oreille.

Dante avait hérité des longs cils de Mark et de son petit creux au menton. Il était assez grand pour son âge, comme elle-même avant la puberté.

Elle lui fit couler un bain chaud. En préparant à manger, elle l'entendit chanter la chanson de l'alphabet, scrupuleusement et avec ferveur.

Diana, la sœur aînée de Jasmine, se trouvait à Stockholm pour participer à un congrès médical, mais elle avait renoncé au dîner de gala dans le Hall bleu de l'hôtel de ville pour venir les voir, Dante et elle, et donner à son neveu un cadeau d'anniversaire anticipé.

La vie semblait stable, rien n'annonçait le danger qui approchait à vitesse grand v.

Jasmine préparait des boulettes de viande avec du bacon ciselé, des oignons et des champignons, qu'elle faisait revenir dans du beurre avant de mouiller avec du vin rouge et du fond de veau.

Elle passa le couteau de chef sous l'eau du robinet, l'essuya, puis le soupesa quelques secondes dans sa main avant de pivoter sur ses talons et de le lancer à travers la cuisine d'un mouvement agile du bras. La lumière du plafonnier fit étinceler la lame. Le couteau tourna deux fois sur lui-même avant de se planter dans la solide planche à découper largement entaillée suspendue au mur.

Jasmine baissa le feu sous la cocotte, et alla voir son fils dans le bain. Il était en train de se faire un bonnet et une grosse barbe avec la mousse.

Elle lui lava les cheveux, le sortit de l'eau, l'essuya, et eut juste le temps de lui enfiler son pyjama, celui avec des bateaux bleus et rouges, avant qu'on sonne à la porte.

— Je vais avoir cinq ans la semaine prochaine, annonça Dante à Diana dès qu'il ouvrit la porte.

— C'est vrai ? répondit sa tante en feignant la surprise.

— Salut frangine ! s'exclama Jasmine en la serrant dans ses bras. C'est comment, le congrès ?

— Assez intéressant.

Diana était rousse comme Jasmine. Si ses quelques cheveux blancs restaient dissimulés parmi les boucles flamboyantes, son visage constellé de taches de rousseur était sillonné de fines rides.

— C'est quoi ? demanda Dante en montrant le sac de Diana.

— Laisse-la entrer d'abord, dit Jasmine.

Elle prit le manteau de sa sœur pendant que celle-ci sortait un paquet fermé de jolis rubans bleus. Dante regarda sa mère et l'interrogea :

— Je peux l'ouvrir tout de suite ?

— Si tu veux.

Il arracha le papier, et lorsqu'il constata que c'était un livre, il remercia sa tante, mais regarda à peine le cadeau. Diana sortit alors un autre paquet qu'il ouvrit avec autant de précipitation. Il poussa un cri de joie en découvrant l'épée en plastique argentée.

— Ce n'est sans doute pas très pédagogique, s'excusa Diana avec une petite moue.

— Dante, qu'est-ce que tu en penses? C'est bien que les enfants jouent avec des armes, même si elles sont fausses? demanda Jasmine.

— Oui, c'est très bien!

Ils passèrent dans la cuisine. Diana et Jasmine parlaient de leur mère qui semblait avoir repris du poil de la bête. Elle continuait cependant à mettre la table pour son mari quand elle était seule à la maison. Jasmine capta le regard de Dante qui se battait contre le rideau avec l'épée.

— Va plutôt jouer dans ta chambre et... Non, attends. Il faut d'abord ramasser le papier cadeau, tu l'as laissé par terre dans l'entrée.

Jasmine leur servit du vin pendant que la sauce épaississait.

— Est-ce qu'il sait quel boulot tu faisais avant sa naissance? demanda Diana une fois Dante parti dans sa chambre.

— C'est trop tôt pour le lui dire, répondit Jasmine en retirant le couteau de la planche à découper.

Elle laissa glisser un gros morceau de beurre dans la sauce foncée, tourna doucement et vit la matière grasse s'étirer peu à peu et former un long tourbillon jaune.

— Tu as quelqu'un avec qui parler?

— Je n'ai pas le temps de parler, de toute façon, observa Jasmine en souriant.

— Sauf quand tu veux absolument avoir le dernier mot.

— Ce n'est pas vrai, rétorqua-t-elle en buvant une gorgée de vin.

— Quand tu étais petite, tu contredisais même les gens qui parlaient à la télé.

— S'ils avaient tort, oui, je ne pouvais tout de même pas les laisser dire...

— Tu le fais toujours?

— Non.

Diana éclata de rire, puis elle regarda d'un air joyeux Jasmine enlever la casserole du feu et passer la sauce au chinois.

— D'après maman, t'as un nouveau boulot en vue au ministère de la Défense, dit-elle à voix basse.

— Je ne vais pas postuler finalement.

— Ça avait pourtant l'air excitant, poursuivit Diana sur un ton léger.

— Tout le monde ne peut pas être neurochirurgien, constata Jasmine, et elle mit les boulettes de viande dans un plat en verre. Des choses arrivent, et on change… J'ai eu mon lot d'excitation dans la vie. Être secrétaire, ça te paraît peut-être ennuyeux, mais j'aime bien, je suis même une excellente secrétaire.

— Tu dois faire ce que tu as envie de faire, c'est tout ce que je voulais dire. Tu viens à bout de tout : tu as surmonté un traumatisme de guerre, tu as eu un enfant, tu as quitté Mark, tu t'es trouvé un appartement et un boulot.

— Mais je n'ai pas sauvé Lars et Nico. Si j'avais agi autrement, ils seraient encore en vie. Si j'avais…

— Tu as tout fait comme il fallait, l'interrompit Diana. C'est la conclusion des enquêteurs, on t'a décerné une médaille, tu as fait tout ce que tu pouvais pour les sauver…

— Pas dans le port.

Elle fut elle-même surprise par sa réponse. Il y avait bien longtemps qu'elle n'avait pas parlé du port, même s'il hantait toujours son esprit.

— Maman assure que tu vas bien, rétorqua Diana à mi-voix.

— Et elle a raison, je vais bien.

Jasmine regarda par la fenêtre. La nuit était déjà tombée sur le toit des immeubles, et un croissant de lune flottait derrière de légers nuages nocturnes.

— Tu as toujours l'impression que ce port existait pour de vrai ?

— Qu'est-ce que tu veux que je te réponde ? riposta-t-elle avec une grimace involontaire.

5

L'été ne tarderait pas à arriver. Les cerisiers étaient en fleur dans le parc Kungsträdgården, et les journées rallongeaient. Parfois, en rentrant de l'école maternelle, Jasmine et Dante s'asseyaient sur le muret devant l'Académie de danse et partageaient un gâteau à la crème.

Jasmine se rendait certains après-midi à la Bibliothèque royale pour étudier des textes sur l'histoire des religions, des livres sur la culture chinoise et de gros ouvrages traitant de l'art funéraire ancien.

Il lui arrivait encore de faire des cauchemars : des feux d'artifice crépitaient entre les murs d'un hutong. À l'abri des rideaux de fumée et de la lumière fluctuante, le gang de la triade traînait par les cheveux une fillette évanouie. Des enfants inertes étaient transportés sur une vieille péniche, et la lanterne rouge se balançait.

Sur le quai, des parents désespérés étaient repoussés, écartés.

Ces nuits-là, Jasmine se réveillait trempée de sueur. Elle rejoignait péniblement les toilettes sur des jambes en coton pour aller vomir. Complètement épuisée, elle prenait une douche et se lavait les dents avant de retourner au lit.

Ce matin, elle avait eu beaucoup de mal à coiffer ses boucles récalcitrantes, car la veille, elle s'était endormie les cheveux mouillés dans le lit de Dante en lui lisant une histoire.

Au moment de déposer son fils à la maternelle, une vague de stress l'envahit et grandit jusqu'à ce qu'elle arrive au ministère, la pluie tambourinant contre son parapluie.

Diana travaillait comme neurochirurgienne à Göteborg, et prenait chaque jour des décisions déterminantes pour la vie de ses patients. Jasmine, pour sa part, ne voulait plus jamais se retrouver dans ce genre de situation. Elle préférait archiver des rapports sur la politique de recrutement militaire pendant que les nuages s'estompaient de l'autre côté des fenêtres du secrétariat.

Mais le sentiment de calme était trompeur.

En réalité, les aiguilles de l'horloge tournaient trop vite. Le point de rupture approchait.

Chacune de ses décisions, chacun de ses pas prendrait bientôt un autre sens.

Vers 11 heures, elle poussa discrètement la desserte roulante dans la salle où se déroulait une réunion ministérielle, puis elle servit café et truffes au chocolat pendant qu'un représentant du MFU évoquait une future conférence de l'Unoda à Beijing sur le rôle des télécommunications dans la sécurité internationale.

À 16 heures, Jasmine remontait Regeringsgatan pour aller chercher Dante à l'école maternelle de Lärkstaden.

Il était avec les autres enfants dans la cour verdoyante. Ils revenaient d'une promenade, et portaient encore leur gilet orange muni de bandes réfléchissantes.

Dante aperçut Jasmine et courut se jeter dans ses bras. Les joues enflammées, il lui annonça qu'ils étaient des héros de l'environnement. Jasmine le suivit pour admirer les quatre sacs-poubelle que les enfants avaient remplis, puis ils rentrèrent chercher son diplôme.

Dans le vestiaire, un papa s'était avancé sans enfiler les surchaussures d'usage, et sa fille lui cria qu'il n'avait pas le droit d'entrer. Il répondit avec un certain agacement qu'ils n'auraient pas le temps de récupérer son diplôme si elle faisait des histoires. La fillette se mit à pleurer. L'homme glissa un doigt dans son nœud de cravate pour le desserrer, et Jasmine vit pâlir son visage luisant de transpiration.

— Ebba, on est pressés, s'impatienta-t-il.

Dante parlait de la dînette de fruits et légumes qu'il aimerait avoir, se souvint qu'il avait oublié un dessin, enleva de nouveau ses chaussures et retourna devant son casier.

Une armoire de séchage bruyante exhalait une légère vapeur.

Le papa stressé agrippa sa fille par la veste, puis l'entraîna vers la sortie au milieu des autres enfants et parents. Soudain, il s'arrêta, une main sur la poitrine. Il tâtonna le long du mur avant de s'effondrer au milieu des bottes et des imperméables, le dos contre une poussette. Il respirait avec difficulté.

— Papa! s'écria la fillette.

L'homme fixait le vide devant lui d'un œil vitreux. Il ne répondit pas lorsqu'une femme se pencha pour lui demander ce qui lui arrivait.

Il s'affaissa davantage. Le tapis mouillé du vestibule se plissa sous son poids, et un bac de protège-chaussures se renversa, les boules de tissu bleu clair s'éparpillant sur le sol.

Le cœur de Jasmine s'emballa. Elle ferma les yeux pendant quelques secondes, et sentit la sueur couler de ses aisselles. Elle se toucha l'oreille gauche, tout en sachant très bien que ce jour-là, elle n'avait pas mis la boucle ornée d'une perle.

Quelqu'un appela le 112. D'autres parents aidèrent l'homme à s'allonger, et déplacèrent la poussette pour qu'il puisse poser sa nuque par terre.

La tête de Jasmine tambourinait quand elle s'approcha de lui. Des fragments de souvenirs de la ville portuaire fusaient dans son cerveau. Elle fit tomber des blousons de leur crochet, et renversa une crosse de floorball sans s'en rendre compte.

Se frayant un passage parmi les gens, elle s'agenouilla à côté de l'homme allongé par terre.

— Vous arriverez bientôt dans une ville portuaire, souffla-t-elle. Suivez la foule jusqu'au quai…

Elle se pencha en avant et appuya ses coudes tremblants sur le sol humide en cherchant à capter son regard.

— Je ne me souviens pas de tout. Mais si on vous donne une plaque de métal à mettre autour du cou, vous devez…

Quelqu'un cria que l'ambulance n'allait pas tarder. Le cœur cognait dans la poitrine de Jasmine, et la panique l'envahit lorsqu'elle vit les lèvres de l'homme virer au bleu. Il ne répondit pas quand la femme en relation avec les secours au téléphone lui demanda comment il se sentait.

— Si on vous donne une plaque de métal, vous devez essayer de rejoindre le terminal, répéta-t-elle d'une voix forte.

— Ils disent que c'est mieux s'il est en position semi-assise, expliqua la femme tenant le téléphone.

— Vous devez rejoindre le terminal. Vous m'entendez?

— De quoi vous parlez? s'écria quelqu'un.

Une dame blonde tira sur le bras de Jasmine qui se dégagea aussitôt. Lorsqu'elle voulut l'attraper par sa veste, Jasmine se retourna et lui envoya un coup de coude au sternum, un coup puissant qui lui coupa le souffle et la fit trébucher.

Plusieurs personnes dans le vestiaire braillaient en même temps, mais Jasmine se remit à genoux et prit le visage de l'homme entre ses mains. Il ne respirait plus. Quelqu'un lui saisit les bras, mais elle parvint à se libérer.

— Faites attention aux gangs de la triade, dit-elle encore plus fort. Ils vont tenter de vous forcer à...

— Maman? appela Dante.

— Faites-la partir!

— Surtout, surtout, ne vous séparez pas de votre plaque! cria Jasmine quand on l'éloigna de force. Arrêtez-vous devant le terminal, lisez les dazibaos, et attendez le...

Elle perdit son sac à main, dont tout le contenu se répandit par terre : fond de teint et rouge à lèvres, crayon khôl, téléphone, clés.

6

Jasmine opposa une résistance farouche dans la voiture de police qui la conduisait aux urgences psychiatriques de l'hôpital Sankt Göran. Elle hurla qu'elle devait sauver l'homme, qu'elle devait le mettre en garde contre la triade, que le Comité central avait perdu le contrôle du port.

À l'hôpital, elle envoya valdinguer d'un coup de pied le premier infirmier, puis cassa le bras du suivant avant d'être maîtrisée et maintenue au sol et de recevoir une injection de Valium dans la fesse.

— Il a le droit de connaître la vérité, haleta-t-elle.

Dans le dossier d'hospitalisation, le médecin nota que la psychose avait été déclenchée par l'arrêt cardiaque d'un inconnu. Étant donné la violence de sa réaction et ses antécédents de traumatisme de guerre avec épisodes psychotiques, le médecin spécialisé Evita Olsson décida que Jasmine serait internée d'office, selon la loi suédoise sur les soins psychiatriques sans consentement.

Au cours des premières vingt-quatre heures, on lui fit des injections intramusculaires d'Haldol, un neuroleptique à action rapide. Après une tentative d'évasion et une fenêtre brisée, on lui fit subir trois séances de mise sous contention, et on remplaça l'Haldol par un antipsychotique, le Clopixol. Attachée sur son lit, elle hurlait à s'en briser la voix de se préparer au royaume des morts.

Au bout de deux jours, des effets secondaires extrapyramidaux apparurent. Jasmine se mit à ramper par terre, à trembler. Elle eut des crampes effroyables à la gorge, à la mâchoire et à la langue. Elle dut attendre plusieurs heures avant qu'on la mette sous Akineton.

Les premiers temps, un fort besoin d'exprimer son point de vue au personnel hospitalier, de préciser que son agitation était due à la criminalité organisée, l'agitait.

Elle tentait d'expliquer qu'elle ne s'était pas retrouvée dans cette ville portuaire chinoise par erreur. Elle était convaincue qu'il en allait ainsi pour l'ensemble de l'humanité. Toutes les religions ne pouvaient pas avoir raison sur tous les plans. C'était une évidence. Et maintenant qu'elle avait séjourné de l'autre côté, elle savait que c'étaient les représentations chinoises les plus anciennes qui étaient justes.

Après avoir passé une bonne semaine en psychiatrie, Jasmine réalisa qu'elle était considérée comme psychotique.

Alors elle serra les mâchoires, repoussa son désir d'exprimer qu'elle en savait plus sur la mort qu'aucun d'entre eux, et attendit qu'ils soient sortis de sa chambre pour les contredire.

— J'ai vu ce que j'ai vu, chuchotait-elle.

Les jours passaient, la panique s'estompait tout doucement, remplacée par la honte. Elle avait honte d'avoir effrayé tout le monde à l'école maternelle avec son manque de sang-froid.

La mère de Jasmine s'occupait de Dante. Elle s'était installée dans leur appartement, et veillait à ce qu'il arrive à l'heure à la maternelle tous les matins.

Jasmine s'obligea à maîtriser ses émotions, à se tenir correctement, à parler avec retenue et à montrer qu'elle regrettait et comprenait qu'elle était malade.

Elle avait demandé qu'on diminue ses doses de Clopixol, mais son visage crispé restait gonflé par les médicaments. Sa peau était devenue grise, et elle avait une plaie profonde sur l'arête du nez.

Elle avait évoqué à trois reprises la possibilité d'une sortie, en expliquant que des soins en secteur ouvert lui conviendraient mieux, puisqu'elle devait s'occuper de son fils.

Assise sur le bord du lit, Jasmine attendait le passage du médecin. Ses cheveux en broussaille pendaient tristement de part et d'autre de ses joues. Ses vêtements étaient informes, ses baskets blanches dépourvues de lacets.

On frappa à la porte, et Evita Olsson apparut. C'était une femme sévère et rigoureuse, à la nuque large, aux cheveux gris coiffés en chignon et aux yeux bleus calmes.

Jasmine se leva pour lui serrer la main. Elle dit quelques mots sur la pluie matinale avant de faire un geste vers la chaise libre et de se rasseoir elle-même sur le bord du lit.

— Je me sens bien maintenant, affirma-t-elle en écartant les cheveux de son visage.

— Tant mieux, je suis ravie de l'apprendre, répondit Evita Olsson en souriant et en prenant place face à elle.

Jasmine se sentit gênée. Elle se rendit compte qu'elle avait la même allure que les autres patients psychotiques du service, qu'elle sentait la sueur, et fermait les paupières trop longtemps, à cause de la sécheresse oculaire. Mais elle devait faire un effort, pour Dante. Il fallait qu'elle essaie de dire ce qu'ils avaient envie d'entendre.

— Je voulais juste vous faire savoir que je vais bien maintenant... Je ne sais vraiment pas pourquoi j'ai été si révoltée.

— À mon sens, vous essayiez d'expliquer à un homme en plein infarctus quelque chose d'important à vos yeux.

— Oui, je sais, et j'en suis vraiment désolée. J'ai eu ce rêve après avoir été blessée par balle au Kosovo...

— Vous avez rêvé de ce qui arrive après la mort, si j'ai bien compris.

— Oui. Un rêve terriblement réaliste, reconnut Jasmine, et elle se sentit rougir.

— C'est normal, acquiesça Evita Olsson en regardant ses documents. Vous avez vécu des épisodes épouvantables là-bas, et vous avez reçu un traitement contre le délire paraphrénique durant douze semaines.

— Oui... Pendant quelque temps, j'ai cru que c'était plus qu'un simple rêve, expliqua Jasmine.

— C'est intéressant... parce qu'il se pourrait effectivement que ce soit plus qu'un rêve, poursuivit Evita d'un air sérieux. Comment en être sûr ? Vous êtes peut-être au courant de quelque chose que nous autres ignorons.

— Ça finira par se savoir, convint Jasmine en souriant.

— N'est-ce pas ? dit Evita avec un petit rire, et elle se leva.

— Je pourrai bientôt rentrer chez moi ?

— Je vais voir avec le tribunal administratif.

— Je vous remercie.

Avant de quitter la chambre, Evita se tourna de nouveau vers Jasmine, et réfléchit quelques secondes avant de s'exprimer.

— Juste par curiosité… Si vous faites abstraction de mon état de médecin et de tout ce qui va avec… Je veux dire, en toute sincérité, que croyez-vous réellement ?

— Je crois que j'ai réellement vu l'autre côté, répondit Jasmine presque sans voix.

— Alors, vous séjournerez chez nous encore un bon moment, déclara Evita avec une soudaine froideur dans la voix.

Avant de quitter la pièce, elle s'arrêta un instant et observa le visage abasourdi, humilié de Jasmine.

Jasmine garda son calme et resta stoïque tandis qu'on verrouillait la porte. Elle savait qu'on l'observait par le judas de la porte et s'obligea à se montrer impassible. Les larmes lui montèrent aux yeux. Elle déglutit profondément, se leva sur des jambes flageolantes, et alla au lavabo se rincer le visage. Sa vue se brouilla. Perdant toute notion de l'espace, elle ne se rendit même pas compte qu'elle se cognait le front au bord du lavabo lorsqu'elle s'affaissa par terre.

Elle roula sur le dos, ouvrit les yeux et fixa le plafond, sa surface blanche et flottante.

Elle cligna les yeux, mais l'étrange sensation de se trouver dans un rêve persista.

Cela lui rappela un incident qui avait eu lieu pendant sa formation spécialisée.

Jasmine devait plonger sous un gros navire afin de placer des mines magnétiques sur la carène de ce dernier, sans assistance. Elle venait d'en fixer deux, et savait qu'elle pourrait retenir sa respiration encore deux minutes, bien que l'acide lactique eût déjà commencé à alourdir ses cuisses. Elle avait plongé à huit mètres de profondeur pour se glisser sous la quille lorsqu'une sensation enivrante de danger imminent l'avait saisie.

La pression de l'eau refluait l'oxygène du sang vers ses poumons dilatés.

Elle avait oublié où elle se trouvait, et avait commencé à couler en fixant les profondeurs gris sombre sans comprendre ce qu'elle voyait, avant de reprendre ses esprits.

Dans sa chambre d'hôpital, Jasmine se redressa. On venait de la berner. Ce serait la première et la dernière fois. Si elle voulait triompher d'eux, elle ne devait plus jamais mentionner la ville portuaire, à personne.

Le lendemain, ses doses de médicaments furent augmentées. Elle eut mal au cœur, et vomit. On lui en donna d'autres pour contrer les effets secondaires. Ses pieds gonflèrent à tel point qu'elle ne pouvait quasiment pas mettre de chaussures, et son mal de tête devint insupportable.

Moite de sueur, elle resta blottie dans le lit, appuya le bout de ses doigts contre ses tempes, serra les mâchoires et chuchota pour elle-même :

— Vous croyez que vous allez me briser avec ça? C'est tout ce que vous avez en stock? Moi, je joue dans la cour des grands.

7

Au bout de deux mois, les médecins décidèrent d'alléger son traitement : ils ne lui administrèrent plus que du Cipramil et du Zyprexa en comprimés. Les premiers jours, Jasmine avalait les cachets, puis elle cessa discrètement tout traitement.

La nuit, dans l'obscurité de sa chambre, elle se mit à faire des pompes et des relevés de genoux, expérimenta des enchaînements de frappes, et apprit les *Sonnets* de Shakespeare pour mettre sa mémoire à l'épreuve.

En moins d'une semaine, sa libido fut de retour. Elle pensa dans les premiers temps à Mark, et recommença à se masturber.

Il était indispensable qu'elle se prenne en main si elle voulait avoir une chance de sortir de l'hôpital. Elle se remit à soigner sa peau, à se brosser les dents, à se limer les ongles, à se laver les cheveux et à les tresser.

La routine monotone du département quatre, celui dédié aux psychoses, était d'une prévisibilité presque insupportable.

Le temps passait si lentement qu'il semblait pouvoir s'arrêter.

Assise sur le canapé vert pâle de l'espace détente, Jasmine regardait la télé. Une femme parlait de sa dépendance au sucre. Une petite carpe en tôle peinte recouverte de grosses écailles jaunes était posée sur la table, devant Jasmine. Elle prit l'objet et l'examina.

"Made in China", lut-elle, et elle jeta un regard neutre sur l'aide-soignant qui l'observait.

Jasmine se promit de sortir bientôt de cet endroit. Dante lui manquait à un point inimaginable. Elle n'osait même plus imaginer qu'ils vivraient de nouveau ensemble, comme avant.

La réalité était trop douloureuse quand elle revenait comme une lame de fond.

Sur le conseil d'Evita Olsson, le tribunal administratif avait déjà prolongé deux fois son internement d'office, mais en juillet, elle put rencontrer un conseiller juridique pour faire appel de la décision. Elle eut accès au certificat médical d'hospitalisation sans consentement et à ses dossiers d'admission.

Pour la première fois, Jasmine découvrit la femme violente que la police avait conduite aux urgences psychiatriques.

Elle eut beaucoup de mal à se reconnaître, à accepter que la femme psychotique décrite dans le dossier était bien elle.

D'après les notes d'admission, elle avait reçu des soins forcés pour ne pas se blesser elle-même ou quelqu'un d'autre.

Les larmes tombèrent goutte à goutte sur le dossier, et fleurirent en cercles gris concentriques sur les observations cliniques du médecin. Jasmine n'arrivait plus à comprendre cette panique qu'elle avait ressentie lorsque l'homme avait été victime de son infarctus.

Elle avait souffert d'une psychose soudaine.

À cet instant, son dossier à la main, il lui fut tout à coup évident que la ville portuaire n'avait été qu'un rêve.

Elle s'était trompée, et ils avaient raison.

Elle n'avait pas été internée d'office et soignée parce qu'elle racontait la vérité, mais parce qu'elle avait bel et bien perdu prise sur la réalité.

Leurs jugements étaient corrects.

Pourquoi s'était-elle accrochée à ce rêve en soutenant qu'il était réel? Par pur entêtement? Pourquoi lui avait-il fallu si longtemps pour reconnaître son erreur? Des descriptions anciennes de l'autre côté faisant mention d'eau et de bateaux se trouvaient facilement, mais il s'agissait de mythes, rien de plus.

La ville portuaire chinoise lui était apparue quand son cerveau en manque d'oxygène avait réagi par panique.

Être convaincue du contraire signifiait qu'elle avait des hallucinations, qu'elle était psychiquement malade.

Ce qui ne devait pas se produire s'était produit. Il n'y avait aucune place dans sa vie pour ce genre de fantasmes.

Son contrôle de soi était illusoire. Au fond, elle restait instable. Tout son équilibre s'était envolé pendant ces quelques minutes, au Kosovo.

Ce rêve de ville portuaire était comme un incendie derrière un mur de papier. À tout moment, le paravent pouvait s'enflammer, et le rêve investir de nouveau sa réalité.

Jasmine essuya ses larmes du dos de la main, et alla prendre le sac en forme de nounours bourré de tous les médicaments qu'elle avait recrachés. Elle en extirpa un comprimé de Zyprexa, qu'elle mit dans sa bouche et avala.

Désormais, elle prendrait docilement ses médicaments et participerait à toutes les thérapies proposées.

Avec le recul, cet été lui apparaîtrait comme le calme avant la tempête, lorsque la nature retient son souffle en vue d'une terrible épreuve.

Presque tous les jours, sa mère lui amenait Dante aux heures de visite. Avec lui, tout était facile. En général, ils mangeaient un sandwich, buvaient du jus de pomme et parlaient de ce qui s'était passé depuis la veille.

— Papa a une copine maintenant, annonça Dante un jour sur un ton sérieux.

— Elle s'appelle comment ?

— Mia.

— Elle est gentille ?

Dante hocha la tête et commença à jouer avec son Spiderman en plastique. Ses lèvres bougeaient en silence, et son visage se fit grave. Il avait les yeux verts de Jasmine, mais seule une pincée de taches de rousseur saupoudrait son nez et ses joues.

— Tu me redis quelles sont les règles quand tu es avec papa ? demanda Jasmine.

— Je n'ai pas le droit d'aller au bord de l'eau, et je ne dois pas toucher aux choses qui sont chaudes.

— Mais tu as le droit de dormir devant la télé si papa te dit que c'est permis.

— Et je dois rester dans ma chambre s'ils crient et se chamaillent.

— Mais plus personne ne se chamaille, hein ?

— Non.

— Encore une chose ? lui rappela-t-elle.

— Je dois m'amuser avec papa, dit-il avec un grand sourire.

À la visite suivante, Dante raconta que Mia l'avait retenu par les cheveux quand il avait voulu sortir dans le jardin voir son père.

— Ça t'a fait mal ? demanda Jasmine, le cœur tambourinant dans sa poitrine.

— Pas trop.

— Tu as eu peur ?

— Arrête, murmura-t-il.

De retour dans sa chambre, elle se tint devant la fenêtre et observa le toit de l'entrée des urgences psychiatriques et les murs en brique rouge à l'ombre. Elle fixa longtemps les portes vitrées de l'accueil en se disant qu'elle allait bientôt sortir par là pour ne plus jamais revenir.

Les jeudis, on tondait les pelouses. Depuis sa fenêtre, elle suivait du regard l'homme sur son petit tracteur.

C'était la conscience même d'avoir été malade, tout en ayant affirmé le contraire, qui démoralisait Jasmine et instillait le doute.

Le stress la fit frissonner quand Evita Olsson lui demanda si elle pensait le moment venu de supprimer graduellement les médicaments et de rentrer à la maison.

— À la maison ?

— Ce n'est pas ce que vous voulez ?

— Si, mais je ne sais pas si j'en suis capable.

— Je crois que si.

Un lundi, sa mère vint sans Dante. Jasmine comprit immédiatement que quelque chose clochait. Sa mère avait l'air vieille, sa bouche était tendue, des sillons creusaient son visage fin.

— Maman ? Qu'est-ce qui se passe ?

Sa mère ne put retenir ses larmes.

— Mark veut te prendre Dante, expliqua-t-elle en pleurs en lui tendant une lettre.

Jasmine lut la notification du tribunal administratif auprès duquel Mark avait fait appel de la décision d'attribution de garde. Il trouvait Jasmine inapte à s'occuper de Dante à cause de sa fragilité psychique. Par conséquent, il réclamait la garde exclusive de son fils.

— Il ne faut plus que tu parles de ces choses bizarres, dit gentiment sa mère en prenant le visage de Jasmine entre ses mains.

— J'ai souffert de psychose, mais je suis guérie maintenant, répliqua Jasmine d'une voix grave.

— Il faut que tu sois en bonne santé.

— Je n'ai plus besoin de psychotropes et...

L'angoisse germa en elle, de gros bourgeons blancs qui s'ouvraient, des pétales qui se dépliaient et la chatouillaient. Elle ne put s'empêcher de sourire à cette image.

— Tu perdras Dante si...

— Maman, j'ai parlé avec ma psychiatre, la coupa-t-elle en essayant de contrôler son expression faciale. Je vais bientôt pouvoir sortir, mais avant ça...

— Tu n'aurais jamais dû...

— Écoute, maman, l'interrompit-elle une nouvelle fois. Tu vas rentrer, maintenant, et dénicher un avocat spécialisé en droit de la famille et en conflit de garde d'enfants... Je payerai, je prendrai un boulot supplémentaire, n'importe quel job.

8

On était déjà en décembre, et le destin de Jasmine se précipitait à une vitesse vertigineuse.

Une tempête de neige en provenance de la Russie sévissait sur la Baltique et se dirigeait vers la Suède. Comme de l'acier liquide, l'eau noire de la mer reflétait les tourbillons blancs. Le moindre pin rabougri de l'archipel de Stockholm fut à moitié recouvert de neige, sur sa face exposée au nord-est. Le vent forma des congères autour des rochers et des bateaux bâchés, lança des tourbillons de flocons à l'assaut des routes, et en une seule nuit, toute la capitale se retrouva sous une couverture blanche et étincelante.

Jasmine était sortie de l'hôpital depuis le mois d'août. Cela faisait trois mois qu'elle avait réintégré son poste de travail, mais elle se sentait encore inhibée. Elle avait honte de son effondrement, et travaillait à mi-temps seulement. Elle se rendait régulièrement à la consultation psychiatrique de l'hôpital Serafimer, et prenait les médicaments qui lui avaient été prescrits.

Du fond du cœur, elle avait cru un rêve réel. Pendant plusieurs années, elle avait persisté dans son hallucination. Elle ne pouvait plus se faire confiance, elle n'était plus la personne qu'elle avait pensé être.

Jasmine était tenaillée par l'angoisse, avait du mal à prendre des décisions, demandait conseil à sa mère à tout bout de champ et avait totalement cessé de conduire.

Le conflit relatif à la garde serait arbitré au tribunal administratif peu avant Noël, et jusque-là, l'ancienne décision restait en vigueur : Dante vivait avec Jasmine. Il était joyeux, et avait recommencé à dormir dans son propre lit.

Jasmine pensa à Mark. Il savait ce qu'elle avait traversé. Il n'aurait jamais eu l'idée de lui prendre Dante simplement parce que la possibilité s'offrait à lui. Ça ne collait pas. C'était forcément Mia qui l'y avait incité. Jasmine était certaine que celle-ci était jalouse, qu'elle voulait la punir pour la relation qui l'avait unie à Mark.

Jasmine était au travail. Plus tard dans la journée, Dante et elle avaient rendez-vous chez Mark à Nynäshamn avec leurs avocats respectifs pour discuter d'un arrangement à l'amiable. La situation n'était pas sans espoir. L'avocat de Jasmine avait déniché des informations selon lesquelles Mark avait été condamné pour détention de stupéfiants et d'armes non déclarées.

Les grandes fenêtres de l'énorme bâtiment du ministère de la Défense étaient presque entièrement masquées par un rideau neigeux qui s'étalait en monceaux entre les mâts des drapeaux sur Jakobsgatan.

Durant toute la journée, Jasmine gardait la porte de son bureau fermée, le cœur battant, pendant qu'elle rédigeait des projets d'arrêtés ministériels.

Le bougeoir de l'avent électrique était allumé sur l'appui de la fenêtre et, dehors, une neige lourde tombait inlassablement dans la pénombre de l'après-midi.

Sa journée de travail terminée, elle se hâta vers les halles d'Östermalm. Des flocons agglutinés remplissaient le ciel. Un manteau blanc recouvrait la place, dissimulant les déchets de l'enseigne McDonald's échappés d'une poubelle débordante.

Elle franchit les hautes portes et se dirigea vers le traiteur-restaurant Husmans Deli, reconnaissant au passage l'odeur saturée de viande fumée et d'épices de Noël qui émanait des étals.

Sa mère et Dante étaient attablés tout au fond. Dante avait fini son steak haché. Ne restaient plus dans l'assiette qu'une pomme de terre et des traces de sauce et d'airelles.

— Je peux avoir un dessert maintenant ?

— Je ne sais pas, répondit Jasmine.

— Mamie a dit qu'il fallait qu'on te demande.

— Je crois qu'on n'a pas le temps, déclara-t-elle en jetant un regard hésitant à sa mère. Qu'est-ce que tu en penses ?

— On a tout notre temps, assura sa mère calmement. Mais c'est toi qui décides pour ces choses-là.

— Je ne sais pas... je...

— Ça va, c'est pas grave, lâcha Dante à voix basse.

Il s'essuya la bouche avec la serviette en papier, se leva de table et attrapa son épée en plastique.

Quand ils quittèrent le restaurant, sa petite main se glissa dans celle de sa mère, et une sensation funeste résonna au creux du ventre de Jasmine.

Pendant tout le trajet jusqu'à la voiture, Dante joua à attaquer les flocons virevoltants avec son épée. Le ciel était noir au-dessus du halo tourbillonnant de la ville.

— Jasmine, il ne faut pas que tu te remettes à dire des bizarreries, répéta sa mère.

— Je gère, répondit Jasmine alors que l'angoisse lui serrait la poitrine.

Sa mère avait garé sa voiture dans Sturegatan. Le siège-auto de Dante y était installé de façon permanente à l'arrière.

Jasmine posa l'épée dans le coffre, et prit la balayette pour débarrasser le pare-brise et la vitre arrière de la neige accumulée, avant de s'asseoir à côté de son fils et de vérifier qu'il était correctement attaché.

Elle lui enleva son bonnet et passa, comme toujours, la main dans ses cheveux.

En fredonnant, sa mère démarra et quitta la place de parking. On entendait à peine les pneus sur la chaussée enneigée.

Le regard perdu derrière la vitre latérale, Jasmine songea que six années s'étaient écoulées depuis le Kosovo, et pourtant, rien n'était terminé, rien n'était guéri.

Le silence régnait dans les rues et sur les trottoirs scintillant d'une blancheur immaculée. Les essuie-glaces balayaient le pare-brise, et la soufflerie diffusait une agréable chaleur.

Jasmine observa les flocons emportés par le vent. On aurait dit qu'ils cherchaient à concurrencer les tourbillons des eaux tumultueuses de part et d'autre du Riksdagshuset, le siège du Parlement suédois. Elle essaya de capturer les petits cristaux du regard et de suivre leurs trajets jusqu'au sol – tout pour ne pas avoir à penser à la rencontre imminente avec Mark et les avocats.

Il faisait chaud dans la voiture, les joues de Dante étaient toutes rouges. Ses cheveux épais formaient des boucles humides de transpiration sur son front. Il murmura quelque chose tout bas, et dessina une tête de mort sur la fenêtre embuée.

Autour de la place Slussplan, la visibilité était quasi nulle. Les flocons tournoyaient dans l'air, éclairés par les phares de la voiture. C'était comme se trouver dans une boule de verre avec de la neige artificielle en suspension.

— Mia avait un enfant avant, raconta Dante. Et elle se met...

— Attention! s'écria Jasmine.

Un homme barbu s'avançait sur l'asphalte. Il était emmitouflé dans plusieurs épaisseurs de vêtements et traînait derrière lui un sac-poubelle à moitié rempli de canettes vides. La mère de Jasmine freina. La voiture continua à glisser, le système de freinage se mit à crépiter et de violentes secousses traversèrent le plancher de la voiture.

Jasmine retint son souffle.

L'homme barbu se tint immobile, sa main gauche reposant un instant sur le capot de la voiture. Ses longs cheveux pendaient le long de ses joues. Ses yeux étaient bordés de rouge, et ses lèvres gercées. De gros flocons se posèrent sur son bonnet et sur la vieille couverture qui entourait ses épaules. Il resta là, sans bouger, à fixer la mère de Jasmine pendant un long moment avant de repartir de l'autre côté de la rue.

— Mon premier flirt depuis des lustres, remarqua sèchement la mère de Jasmine avant de redémarrer.

Le silence régna durant la traversée du long tunnel de la sortie sud de Stockholm. Les automobilistes filaient sur la voie rapide. La mère éteignit la radio et se concentra sur la conduite. Il faisait sombre, des véhicules surgissaient sans arrêt dans la tempête hivernale.

La route s'effaçait dans la neige et l'obscurité. Loin devant, les feux stop d'une voiture scintillèrent.

— Comment ça s'écrit, Dante? demanda le petit garçon.

— Tu devrais le savoir, répondit Jasmine.

— Ça commence par quelle lettre? l'encouragea sa grand-mère.

— Par un D, répondit-il, et il dessina un D à l'envers sur la vitre.

— Et ensuite?

— Nnn, tenta-t-il.

— Prononce Dante, lentement.

— Je ne sais pas faire, murmura-t-il.

— Mais essaie!

Jasmine s'impatienta. Le silence régna de nouveau, et elle vit le chagrin sur le visage de son fils. Sa mère mit les feux de croisement quand une voiture arriva en face. La neige se précipitait furieusement contre le pare-brise.

— Je suis nul, articula Dante à voix basse.

— Ce n'est pas vrai – ne dis pas des choses comme ça, chuchota Jasmine en serrant sa main.

— Tout le monde le dit.

La mère venait de remettre les feux de route lorsqu'un énorme poids lourd surgit. Il roulait à toute allure sur la route étroite. Jasmine vit sa mère saisir le volant fermement des deux mains. La conductrice s'efforçait de se maintenir sur le côté, mais les congères l'obligeaient à se déporter au milieu de la chaussée.

— Qui ça, tout le monde? demanda Jasmine.

— Tout le monde.

— Tu veux dire à la maternelle ou…

Le poids lourd passa dans un rugissement, et de la gadoue vint frapper le pare-brise. La voiture fit une brusque embardée.

— Mon Dieu, chuchota la mère.

Jasmine sentit un chatouillis sur son cou, et réalisa qu'elle venait de perdre sa boucle d'oreille. La perle scintillait dans l'interstice entre la banquette et le siège pour enfant, mais avant qu'elle ait pu l'atteindre avec ses doigts, le bijou s'enfonça davantage et disparut.

— Tu as encore perdu ta perle, observa Dante.

— Oui, je m'en suis aperçue, lui répondit Jasmine en tâtant la banquette autour du siège.

— Elle est là, je la vois !

Jasmine se pencha, tendit la main sous le siège enfant, et farfouilla parmi des miettes, des papiers de bonbons et de vieux tickets de parking. Sa ceinture de sécurité lui cisaillait le cou. Elle trouva la boucle d'oreille et la serra dans sa main. Soudain, quelque chose heurta violemment la voiture qui se mit à zigzaguer sur la route. Jasmine se cogna la joue contre la portière. Elle entendit sa mère et Dante pousser des cris affolés.

Les pneus crissèrent en roulant sur une surface irrégulière.

— Espèce de taré ! lança sa mère en se rabattant sur le bas-côté pour arrêter la voiture.

— Qu'est-ce qu'il s'est passé ? s'enquit Jasmine.

— Il m'a arraché le rétroviseur, répondit sa mère, stupéfaite, avant de défaire sa ceinture de sécurité.

— Dante ? Ça va ?

— Je me détache ? demanda-t-il.

— Non, reste comme tu es, dit Jasmine rapidement.

— Pourquoi tu te fâches ?

Sa mère était en train d'ouvrir sa portière lorsque les phares d'une énorme voiture les éblouirent. La collision fut terrible. Ils furent projetés en avant avec une force inouïe. Jasmine eut le temps de voir le sang gicler de la bouche de Dante et les éclats des vitres tourbillonner dans l'air. La voiture tourna sur elle-même, en travers. Jasmine aperçut les phares du camion d'en face, mais n'eut pas conscience du deuxième choc. Le temps s'était presque arrêté. Elle ne sentit rien, vit seulement la tôle se tordre, se comprimer et sectionner les deux cuisses de sa mère.

Tout fut noir, silencieux.

Quand elle reprit connaissance, elle pendait à l'envers comme un fœtus avant de naître. Du sang coulait à l'intérieur de son nez. Elle entendit des morceaux de verre tinter contre du métal. La ceinture de sécurité craquait et lui écorchait la peau. Elle ne pouvait pas tourner la tête, elle ne voyait pas Dante. Des voix s'élevèrent à l'extérieur, une lumière bleue clignotait, des gens couraient dans la neige profonde.

La voiture s'était retournée, et gisait sur le toit dans le fossé. Les pompiers étaient en train de forcer la portière, et Jasmine se disait qu'il était trop tard. Elle avait l'impression d'avoir la cage thoracique enfoncée, elle n'arrivait pas à respirer, elle était à bout de forces.

9

Jasmine se réveilla dans un silence total. La somnolence ondoyait dans son corps. Elle resta immobile, les yeux fermés, essayant de se rappeler ce qu'elle avait fait la veille, mais la seule chose qu'elle parvint à visualiser mentalement fut sa boucle d'oreille.

La perle blanche au creux de sa main qui ressemblait au bourgeon d'une plante, à une fleur de jasmin fermée.

Son cœur se mit aussitôt à battre plus vite.

Elle se revit enfant, revit sa mère lui parler des fleurs blanches du jasmin qui se formaient en grappes sur les branches de l'arbuste, de la senteur de ce dernier qui imprégnait les nuits d'été.

Jasmine ouvrit les yeux, cilla dans le noir et tâtonna à la recherche du lit de Dante, mais il n'y avait pas de lit.

Elle ne se trouvait pas chez elle.

Elle était allongée nue sur un banc en bois laqué, et elle ne se rappelait pas comment elle était arrivée là.

Son poing était fermé autour d'un petit objet, tellement fort qu'elle eut du mal à déplier ses doigts.

C'était sa boucle d'oreille qu'elle serrait dans sa main.

Elle posa doucement les pieds par terre. Le sol était détrempé, de l'eau tiède recouvrait le carrelage.

À l'instant où son pied entra en contact avec l'eau, elle eut la sensation d'être déjà venue ici. Comme un vieux souvenir longtemps refoulé.

Elle se trouvait dans une petite cabine, une sorte de vestiaire dépourvu de porte. Elle prit appui sur la cloison, puis sortit dans un couloir. Le bruit de ses pas dans l'eau se répercuta doucement entre les murs foncés.

À seulement quelques mètres, elle vit une lumière grise suinter au-dessus d'une porte.

Observant sa nudité, elle se rendit compte que son ventre et ses cuisses criblées de taches de rousseur scintillaient comme du marbre mouillé.

L'air était agréablement tiède et humide.

Un léger clapotis l'arrêta, elle tourna la tête. Un homme nu se lavait le visage dans une autre cabine. En s'éloignant discrètement, Jasmine découvrit une grande pièce entièrement occupée par un bassin creusé dans le sol, au fond de couleur verte. Deux femmes marchaient dans l'eau qui leur arrivait à la taille, et transportaient une petite vieille sur une civière flottante.

Elle comprit soudain. Elle était de retour dans la ville portuaire. Son rêve était tout aussi intense que lorsqu'elle avait été blessée au Kosovo.

L'angoisse fit tambouriner son cœur. Elle ne se rappelait toujours pas ce qu'elle avait fait la veille, si elle avait couché Dante comme d'habitude, puis avait regardé un thriller à la télé, ou si elle s'était mise au lit avec un livre et un verre de vin sur la table de nuit.

Elle retourna dans la petite cabine où elle s'était réveillée. Des vêtements pliés étaient apparus sur le banc, ainsi qu'une paire de chaussures en toile et un morceau de savon. Elle examina les habits à la faible lumière : un pantalon noir à sa taille et un chemisier plus clair. Ils étaient usés, mais sentaient le propre.

Elle se dit qu'elle pourrait rester là en attendant que le rêve se termine, mais une inquiétude intime la poussa à s'habiller. Ses pieds mouillèrent le pantalon quand elle l'enfila. Elle mit le chemisier, prit les chaussures et s'éloigna lentement sur le sol trempé.

À la pâle lueur qui traversait le verre opalin des hautes fenêtres en enfilade, elle vit le carrelage recouvert d'eau s'étendre loin, loin parmi des centaines de cabines. Le long des murs du couloir, l'eau coulait dans de simples rigoles en bois vers d'énormes cuves qui débordaient sur le sol.

C'était un immense établissement de bains.

En proie à une étrange agitation, elle franchit une porte et sortit sur une terrasse qui avait un jour été peinte dans un chaud coloris jaune.

Le son lointain d'une cloche de ralliement retentit. Le ciel était plombé comme à l'approche du crépuscule.

Jasmine s'appuya contre le garde-fou, respira profondément, et contempla une immense ville grouillante à l'architecture chinoise.

Un escalier donnait accès à une rue large et commerçante en contrebas, envahie par une foule dense circulant dans une seule direction. Beaucoup d'individus portaient des objets, ou poussaient un vélo. Cette marée humaine semblait sans fin. Ils étaient plus de dix mille à battre le pavé. Un déplacement de masse vers des quartiers éloignés, plus sombres.

Elle enfila les chaussures, puis boutonna le chemisier et ramassa du mieux qu'elle pouvait ses cheveux en une queue-de-cheval pendant qu'elle descendait l'escalier en bois grinçant.

Partout s'ouvraient des ruelles décorées de lanternes rouges et bordées de restaurants. Des néons jaunes formaient des signes chinois, les avant-toits des maisons se courbaient vers le haut, les murs étaient recouverts de dazibaos en lambeaux. Ça sentait l'huile de sésame et le poisson séché, le butane et les vieilles poubelles.

En se retournant, elle put constater que l'établissement de bains formait une bâtisse gigantesque avec d'innombrables terrasses, portes, volets peints et escaliers abrupts.

Dans une hâte fébrile, les gens quittaient le bâtiment, se dépêchaient de descendre en ville, et suivaient le flot humain dans la large rue surplombée d'un grand panneau représentant Mao Zedong.

Jasmine arriva en bas des marches et se joignit à la marée. Une atmosphère de catastrophe planait sur la ville. Tout le monde semblait poursuivre un seul et même but : se sauver.

Un homme au cou entièrement tatoué tenant un sac de hockey à la main lançait des cris indignés et tentait d'avancer en bousculant les autres.

L'air du soir était lourd et désagréable. Au loin, le tonnerre grondait.

Dans les hutongs sans éclairage, du linge était mis à sécher sur des fils tendus entre les maisons basses, et la faible lueur dispensée par des portes ouvertes permettait de distinguer des poubelles cabossées.

Une cigarette rougeoyante s'agitait devant un visage ovale.

Derrière Jasmine, davantage de personnes encore se bousculaient. Soudain, elle fut entraînée par la cohue. Elle suivit le mouvement et se retrouva derrière une personne qui tirait une charrette remplie de livres. Des téléphones portables jetés par terre jonchaient le parcours. Une vieille femme s'arrêta, la main plaquée sur sa bouche. Ses yeux bordés de rouge étaient humides. Plus loin en avant retentirent des sifflets. Un homme parlait en hindi d'une voix craintive. Il jouait des coudes pour se frayer un chemin, obligeant Jasmine à mettre un pied dans le caniveau, au milieu des ordures.

Son visage frôla une guirlande en papier rouge, puis elle rejoignit la file de gens, en forçant le passage devant un homme qui traînait un lourd sac de marin.

L'affluence se fit plus massive, mais Jasmine parvint à conserver sa place. Certaines parties de la ville étaient délimitées par de grosses cordes derrière lesquelles les ruelles étaient quasi désertes. Très loin, devant un bâtiment industriel aux fenêtres brisées, un homme avançait en poussant une brouette. Un néon représentant un dragon orange clignotait au-dessus d'un salon de coiffure vide.

Le flot la mena vers une grande zone portuaire. Le long du quai, des bateaux étaient amarrés par rangées, plusieurs dizaines. Des lanternes rouges se balançaient à leur poupe, au bout d'une perche. Certains ressemblaient à d'anciennes jonques, d'autres étaient des navires militaires rongés par la rouille et chargés à ras bord de caisses et de paquets.

Partout, des hommes en uniforme veillaient à ce que les gens suivent les files.

Le ciel était nébuleux, et l'eau scintillait, sinistre.

De toute évidence, on était en train d'évacuer la ville. Plusieurs milliers de personnes étaient dirigées vers les bateaux dans des couloirs formés par des cordons de sécurité.

Sur des péniches au ras de l'eau, les passagers attendaient en silence, serrés les uns contre les autres. De petits enfants aux visages fermés faisaient patiemment la queue.

Le tonnerre grondait au-dessus des terres, comme à l'approche d'un orage.

Des treuils rudimentaires chargèrent valises et bidons d'eau. Les bateaux furent rapidement remplis par les gens qui émergeaient des longs couloirs d'accès. L'odeur de fuel des moteurs emplit l'air. Plusieurs embarcations étaient pourvues de voiles en toile usée qui claquaient au vent.

Un gardien écarta une vendeuse de cigarettes. Elle tenait serrés dans une main quelques billets américains, et dans l'autre un sac en plastique sale.

Quelqu'un s'adressa au gardien en espagnol. Celui-ci se contenta de secouer la tête et de pointer un doigt devant lui, vers le quai, sur une énorme horloge à double cadran.

Les gens dans la queue se bousculèrent, et Jasmine fut obligée de suivre sa file d'attente qui serpentait derrière un entrepôt couvert de suie.

Des sifflets et des cris retentirent. Des gardiens se précipitèrent aux trousses d'un jeune homme dans un des hutongs qui montaient vers la ville. Ils le rattrapèrent, mais il se débattit, et les gardes le frappèrent sans ménagement dans le dos avec leurs matraques. Quand il tomba et tenta de s'éloigner en rampant, les gardes continuèrent à le frapper.

Les coups qui pleuvaient entre ses omoplates étaient violents. Le jeune homme bascula sur le côté, puis resta immobile en se protégeant la nuque et le visage avec ses mains.

10

La pression exercée par la foule obligea Jasmine à avancer encore. Elle était tellement serrée que sa respiration en devint douloureuse. Entre toutes ces têtes, tous ces corps, elle entrevit une chaussure de sport abandonnée dans la ruelle lorsque les gardiens traînèrent le jeune homme vers le quai.

La file d'attente de Jasmine suivait une double rangée de cordons, et contournait un bâtiment défraîchi. De l'autre côté, elle aperçut la grande horloge, une structure de métal noir haute de trois mètres.

On aurait dit le croisement entre une balance antique et l'horloge astronomique de Prague.

Tout le monde passait devant l'instrument. Les uns après les autres, les gens qui attendaient étaient admis sur la rampe en bois poli, et conduits sur le plateau de pesée.

Les deux cadrans comportaient trente aiguilles différentes et des disques tournants, sortes de cartes perforées en forme de croissant de lune. Leurs bords étaient couverts de lignes et de signes dorés, de traits de graduation et d'échelles complexes.

Un vieil homme au dos voûté reçut de l'aide pour monter sur le plateau. Il demanda plusieurs fois en français ce que tout cela signifiait.

Jasmine n'eut pas le temps de voir ce qu'il advenait de lui avant que sa file d'attente soit aiguillée dans un étroit passage. Les parois en bois étaient si hautes qu'elles interdisaient toute vue, mais elle comprit que le couloir menait à la rampe d'accès de la balance.

Elle se retrouva derrière une femme qui avait dans ses mains un bocal rempli d'hippocampes séchés.

Un gardien en uniforme délavé les fit passer tour à tour. La plupart des gens ne soufflaient mot, mais plus en arrière, une femme âgée affolée pleurait bruyamment.

Une sensation implacable de menace planait dans l'air.

En arrivant devant le gardien, Jasmine lui demanda s'il parlait anglais, mais il se contenta de lui faire signe de poursuivre vers la rampe inclinée.

— J'aimerais savoir ce qu'il se passe ici, poursuivit-elle en anglais, sans prêter attention aux personnes qui la bousculaient.

Le gardien gesticula pour qu'elle monte sur le plateau de pesage. Des voix irritées s'élevèrent derrière elle. Deux hommes à l'air extrêmement fatigué se tenaient à côté de la balance. Ils mangeaient des graines de tournesol qu'ils piochaient dans un sac en plastique froissé, et crachaient ensuite les coques par terre. En voyant Jasmine, ils firent un commentaire en montrant ses cheveux roux. L'un d'eux s'esclaffa et se caressa malicieusement la joue.

Jasmine monta sur la balance, et ne sentit même pas le plateau bouger sous son poids. Quelques aiguilles commencèrent cependant à tourner à une vitesse folle, et le disque perforé en forme de croissant monta lentement en cliquetant, puis s'arrêta.

Un lourd mécanisme se mit en branle à l'intérieur de l'immense balance. Des roues dentées tournèrent dans de sourds crépitements et, après une seconde ou deux, un petit tintement résonna dans un grand bol.

Le plus âgé des deux hommes en retira un objet : une petite plaque en métal blanc dont la surface était gravée. Cela ressemblait aux plaques d'identité que portent les soldats dans certains pays.

Soudain, le rêve suscita à nouveau chez Jasmine un sentiment de déjà-vu.

Le souvenir d'avoir vécu exactement la même situation auparavant. Jasmine était certaine d'avoir déjà rêvé de l'étrange pèse-personne géant et de la plaque qui tintait en tombant dans le bol.

Avec toute la logique inhérente aux rêves, elle sut aussitôt qu'elle devait absolument rejoindre au plus vite un endroit appelé le terminal de cabotage, et qu'elle aurait besoin d'aide pour éviter les ruelles les plus dangereuses.

L'homme regarda la plaque de métal et lut les signes d'une voix absente. Son collègue répéta les mots à une femme aux yeux cernés, en désignant différents endroits sur les cadrans avec une baguette.

La femme parcourut les lignes d'un registre, marmonna d'une voix lasse, tourna des pages, demanda quelque chose, et suivit du doigt les noms sur les listes. Elle s'arrêta, leva les yeux, et posa une question sur un ton crispé. L'homme âgé regarda d'abord Jasmine, puis la plaque.

— Quelque chose ne va pas ? demanda Jasmine en anglais.

L'homme avec la baguette fit un pas en arrière et la fixa.

Le plus âgé afficha un petit sourire tandis qu'il enfilait la plaque sur une chaîne. En prononçant quelques mots en chinois, il toucha la chevelure de Jasmine avant de passer la plaque autour de son cou.

L'angoisse se répandit en elle comme l'aquarelle dans un verre d'eau lorsqu'elle réalisa qu'elle avait peut-être de nouveau perdu contact avec la réalité. Il était fort possible qu'elle soit de retour dans le service psychiatrique de l'hôpital Sankt Göran. En cet instant, elle était peut-être attachée sur un lit, sans connaissance après un traitement antipsychotique d'urgence.

Il ne faut pas que je parle de choses bizarres en me réveillant, songea-t-elle.

Un gardien chaussé de lunettes rondes lui fit signe de s'écarter pour laisser passer les personnes qui attendaient derrière elle.

— Pas de bateau, dit-il en mauvais anglais.

— Je travaille au ministère de la Défense suédois, je voudrais un interprète et une escorte digne de confiance jusqu'au terminal de cabotage, déclara Jasmine.

L'homme acquiesça d'un hochement de tête, puis lança quelques mots à son collègue plus âgé près de la balance, qui lui répondit brièvement. Il avança un tabouret sale en plastique, insista pour qu'elle s'y assoie, puis s'éloigna d'un pas rapide.

Préférant rester debout à côté du tabouret, la main serrée autour de la corde de sécurité, Jasmine regardait défiler les hommes et les femmes.

Devant le quai, un grand panneau d'information rédigé dans des centaines de langues s'était renversé sur les cordons. Une guirlande lumineuse pendait d'un des étais. Les gens passaient sur le panneau sans y prêter attention.

Plus loin, un ferry érodé par l'eau de mer s'enfonçait dans les ténèbres. Les passagers étaient massés sur le pont où ils s'agrippaient comme ils pouvaient.

Le grondement du tonnerre se fit de nouveau entendre. Il approchait.

Le gardien aux lunettes revint accompagné d'un Chinois d'une vingtaine d'années. Le jeune homme était vêtu d'un jean et d'un tee-shirt trempé de sueur aux aisselles. Il s'arrêta devant Jasmine, l'air réjoui, et posa sa veste de survêtement sur la corde. Ses cheveux étaient pleins de sciure de bois dont il se débarrassa d'un geste de la main.

— L'administrateur dit que tu as besoin d'un interprète, déclara-t-il en suédois, utilisant le tutoiement scandinave d'usage.

— J'ai juste besoin d'aller au terminal de cabotage et qu'on m'aide à…

Du coin de l'œil, Jasmine crut apercevoir une silhouette familière, et se tut. Se tournant vers le quai, elle le scruta du regard. Sans un mot, elle planta là le gardien et le jeune homme, et se fraya un passage vers les embarcations.

Quelqu'un tenta de la retenir par les vêtements, mais elle se dégagea.

Jasmine avait l'impression d'avoir vu sa mère.

Le gardien lança derrière elle quelques mots dont elle ne tint pas compte. Elle poursuivit son chemin dans la cohue, observant le quai pendant que la foule l'entraînait.

Une femme âgée au dos bien droit se tenait près des bateaux. Ses cheveux blancs étaient rassemblés en un chignon simple dans la nuque, exactement la même coiffure que sa mère.

Jasmine ne distinguait pas son visage, et il était impossible de s'approcher davantage, si bien qu'elle essaya de se calmer et de se répéter qu'il s'agissait seulement d'un rêve. C'était un rêve, mais elle était quand même paniquée, car au fond d'elle, une petite voix semait le doute.

Ses yeux avaient dû lui jouer un tour.

Elle se déplaça latéralement, mais fut arrêtée par un cordon de délimitation. Sous la pression des gens derrière elle, elle sentit à travers le chemisier la brûlure de la corde tendue contre sa taille.

La femme qui ressemblait à sa mère monta à bord du navire militaire rongé par la corrosion. À côté d'elle, sur le pont, deux corps étaient étendus dans des draps ensanglantés. La lanterne rouge se balançait, et son reflet dans les eaux noires évoquait un feu scintillant.

Si Jasmine ne se rappelait que des fragments du premier rêve, elle se souvenait très bien que la criminalité organisée était incontrôlable, que les gangs de la triade maltraitaient et dévalisaient les gens ordinaires.

La fin du rêve lui échappait, mais en observant la zone portuaire délabrée, les grues le long du quai et les bateaux bondés, la sensation de danger qui l'envahit était physique, vive comme la flamme d'une lampe à souder.

11

Bousculant les gens, Jasmine rejoignit l'interprète, renversa le tabouret dans la foulée, prit appui sur le cordon de délimitation et croisa son regard impatient.

— Pardon, dit-elle.

— On m'a fait venir parce que je parle suédois, expliqua-t-il à mi-voix. Mais j'ai un boulot qui m'attend, j'aimerais bien y retourner.

— J'ai cru voir ma mère.

— Tu veux que je le dise à l'administrateur?

— Non, ça ira – je veux juste obtenir une escorte jusqu'au terminal.

L'interprète adressa quelques mots en chinois à l'homme en uniforme. Jasmine vit qu'il portait la même plaque qu'elle sous son tee-shirt sale. L'administrateur cracha des coques de graines de tournesol, et prit son temps pour répondre.

— Il n'y a pas d'escorte, traduisit le jeune homme.

— Qui sera responsable de ma sécurité alors?

Il soupira, écarta une mèche de son front, posa la question à l'agent du port, et reçut une réponse qui lui déplut. Quand il tenta de protester, l'agent poussa un rugissement signalant que la discussion était close. Le jeune Chinois se gratta l'oreille et regarda Jasmine dans les yeux.

— Je vais t'accompagner au terminal, conclut-il d'une voix lasse, et il récupéra sa veste sur la corde.

Le gardien les fit passer, et ils laissèrent derrière eux le quai et les gens en attente. Jasmine marchait tellement près du jeune homme qu'elle pouvait voir les petites particules de sciure accrochées à ses cils.

Ils poursuivirent le long d'une haute clôture en grillage à poules qui entourait une zone de construction navale, puis ils dépassèrent des cales sèches et des ateliers où elle aperçut des ossatures métalliques soutenues par des étais, ainsi que de grosses tentes rectangulaires dont les toiles claquaient au vent.

C'était peut-être dû au crépuscule, mais tout lui parut bizarrement détérioré et dépourvu de couleurs. Les façades et les larges toits symétriques semblaient recouverts de cendres, les visages des gens étaient gris comme du plomb.

Elle avait l'impression de se trouver dans un monde fantomatique.

L'interprète s'immobilisa et s'appuya contre le grillage grinçant. Il émit un sifflement aigu, le regard fixé sur un atelier de menuiserie. Poussés par le vent, des serpentins de copeaux de bois roulaient sur le sol. Dans la cour se dressait un début de carcasse de bateau. La coque joliment courbée reposait sur de simples tréteaux.

— On peut y aller maintenant ? demanda Jasmine.

— Détends-toi, répondit-il.

Une jeune femme en veste de survêtement rose d'une propreté douteuse sortit d'une remise et vint vers eux, un petit sourire aux lèvres. Elle s'arrêta, jambes écartées, plissa les yeux, glissa une main sous son bras pour retirer son gant, puis repoussa quelques mèches de cheveux de son visage.

Le traducteur l'interpella en chinois. Elle regarda Jasmine et éclata de rire. Il lâcha la clôture, se frotta la nuque, et se remit en marche. Jasmine le suivit en direction d'un ancien bâtiment des douanes aux vitres brisées. Les rampes et les quais de chargement pour la livraison des marchandises s'étendaient, vides, le long de la façade.

— Tu sais quels secteurs sont sûrs ? demanda-t-elle.

— Plus personne ne le sait, répondit-il en lui lançant un coup d'œil oblique.

Ils passèrent devant quelques poubelles débordant d'ordures, et poursuivirent en s'enfonçant dans la ville par une rue assez étroite aux odeurs de pierre humide.

Une fusée de feu d'artifice explosa dans le ciel en cascades grises. Une pluie d'étoiles ternes se dispersa avant de disparaître dans la brume lugubre.

Derrière une fenêtre d'usine zébrée de crasse, Jasmine aperçut au moins cinq personnes nues en train de faire l'amour sur un tapis persan. C'était tellement inattendu qu'elle douta même d'avoir bien vu. En regardant par l'autre fenêtre du bâtiment, elle ne repéra que des locaux d'ateliers déserts.

Dans une entrée d'immeuble, des bouteilles d'alcool vides côtoyaient une couverture piquée pleine de taches et un livre de poche noirci d'humidité.

Un restaurant exposait en vitrine des plats factices en plastique recouverts de poussière.

— Attends !

Son accompagnateur s'arrêta net et tendit l'oreille. Jasmine l'observa dans la pénombre. Au milieu de son visage pâle, ses yeux étaient étrangement intenses, comme des traits de pinceau de calligraphie.

— Que se passe-t-il ? chuchota-t-elle.

— On va plutôt passer par là.

Il partit à reculons, et Jasmine le suivit dans un autre hutong. Un homme maigre était accroupi par terre, les yeux braqués sur la photographie d'un enfant.

Des pas vifs résonnèrent dans la ruelle qu'ils venaient de quitter. Ils enjambèrent de vieux pots de peinture et des verres d'où pointaient des pinceaux raidis, puis ils tournèrent au coin de la rue.

Sans un regard en arrière, ils pressèrent le pas pour descendre une rue plus large bordée de magasins et encombrée de passants, bifurquèrent sous une vieille voûte en pierre, et continuèrent dans la rue transversale, plus calme. Derrière trois fenêtres, Jasmine vit des gens attablés qui jouaient à une sorte de loto.

— On dirait que c'est pour de vrai, dit-elle.

— Sans blague !

— Est-ce que tu sais au moins où tu te trouves ?

Ils s'arrêtèrent à côté d'une brouette remplie de terreau et de pots de fleurs cassés.

— Nous sommes morts, répondit-il sans détour.

— Sauf que ce n'est qu'un rêve, observa-t-elle silencieusement, et les palpitations dans sa poitrine reprirent de plus belle.

— D'accord, soupira-t-il.

Le regard de Jasmine fut attiré par une enseigne lumineuse rouge dans une ruelle, au-dessus de la terrasse d'un restaurant.

— Pourquoi est-ce qu'on arriverait en Chine une fois mort ? insista-t-elle sans esquisser le moindre sourire.

— On n'arrive pas en Chine, on arrive ici.

Il se remit à marcher, et elle lui emboîta le pas en direction de la ruelle plongée dans le noir. Le vent faisait danser des cartouches de fusées de feu d'artifice vides sur le sol.

— Mais je ne suis pas morte, affirma-t-elle à voix basse.

L'interprète lui fit signe que si. Elle formula un non silencieux, recula d'un pas et heurta une lanterne qui frôla sa joue. Le mince papier crépita, et le lampion se mit à osciller au bout de sa tige métallique.

Des cris assourdis résonnèrent, et le jeune Chinois prit la main de Jasmine. Une porte s'ouvrit devant eux, par où une jeune femme fut expulsée. Elle fit un pas en arrière pour s'élancer aussitôt à l'intérieur. Un homme la rudoya dans l'obscurité. Elle essaya de rentrer, mais l'homme sur le seuil la repoussa plus loin dans le passage étroit.

Le guide de Jasmine lui chuchota quelques mots inaudibles, et l'entraîna en direction du restaurant sous l'enseigne au néon.

Ils passèrent devant la femme qui criait des injures. Elle essuya les larmes sur ses joues, leva le menton et s'en alla.

— Il faut que je mange, déclara le jeune Chinois en se mordant la lèvre inférieure.

— Ça peut attendre, non ? protesta Jasmine.

Sans lui prêter attention, il slaloma entre les tables en plastique disposées dans la ruelle jusqu'à l'entrée du restaurant. Jasmine le suivit en hésitant, et le vit pénétrer dans une cuisine exiguë au sol souillé. Une femme âgée était en train de préparer des champignons parfumés et des pousses de bambou au wok sur un réchaud à gaz.

12

Ils étaient installés à une des tables en plastique sous un voile d'ombrage déchiré. Deux bols remplis de soupe aux nouilles fumante étaient placés devant eux. Une carpe en tôle peinte décorait la table. De sa bouche béante pointaient des cure-dents sous emballage individuel.

L'interprète affirma qu'ils pouvaient manger tranquillement puisque les autorités n'afficheraient de nouveaux dazibaos que dans deux heures.

Un souvenir traversa l'esprit de Jasmine, aussi fugace qu'un battement d'ailes de papillon, puis s'évanouit. Comme lorsqu'un bruit fort vous réveille : vous restez immobile, l'oreille tendue, incapable de dire si le bruit appartient au rêve ou à la réalité.

— Je m'appelle Li Ting… mais Ting tout court, ça suffit, dit-il en soufflant sur sa soupe.

— Je suis Jasmine.

Une jeune fille aux joues rondes, les cheveux coupés à la garçonne, débarrassa la table voisine. Ting l'observa en se grattant l'oreille.

— Tu n'as pas l'air mort, constata Jasmine.

— Non.

Elle fixa ses yeux sérieux, détourna le regard, et ne put s'empêcher de sourire un peu pour elle-même.

— Écoute… Je n'y crois pas une seule seconde, déclara-t-elle en posant ses baguettes sur la table.

— À quoi ? demanda-t-il impatiemment. Tu ne crois pas à quoi ?

— Je ne crois pas que tout cela soit pour de vrai.

— Alors, ça ne l'est pas, soupira-t-il. Tant mieux pour nous.

— Attends, je ne dis pas que toi, tu...

— Je m'en fous, de ce que tu dis !

— Pas la peine de t'énerver, répondit sèchement Jasmine.

— C'est juste que tous les gens savent ce qui leur est arrivé, comment ils se sont retrouvés ici... J'ai parlé avec beaucoup de monde, plus que tu l'imagines, expliqua-t-il avec un sourire irrité.

— Mais tu ne sais rien de moi.

— D'accord, on oublie cette conversation, trancha Ting en portant des nouilles à sa bouche. Je t'accompagne au terminal de cabotage, et je traduis ce que tu veux que je traduise.

Il mangea, les yeux baissés. L'ombre de ses longs cils tremblait sur ses joues. Une cicatrice barrait sa paupière gauche, un mince trait vertical comme sur un clown, et se prolongeait sur la joue.

Le cerveau de Jasmine chercha des incohérences sur lesquelles fonder son désaccord. C'était forcément un rêve puisqu'elle ne se rappelait pas comment elle était arrivée dans cette ville. Ses affaires personnelles se résumaient à cette boucle d'oreille que sa mère lui avait donnée.

En pensant à la perle blanche dans le creux de sa main, elle se souvint tout à coup de la voiture.

Un choc violent.

Des éclats de verre illuminés qui envahissaient la voiture. Un bruit grinçant de tôle tordue, déchirée.

Un accident de voiture.

On était en route pour Nynäshamn où on avait rendez-vous avec Mark et son avocat.

Des fragments de souvenirs incroyablement intenses. Toute la force de la collision la parcourut de la tête aux pieds. La première voiture qui percutait la leur, le franchissement de la ligne centrale, puis le deuxième choc.

Jasmine avait eu le temps de voir l'aile avant se faire broyer, de voir de la tôle se déformer, de voir du sang et du verre tourbillonner.

— Je crois… je crois que j'ai eu un accident de voiture, reconnut-elle.

Ce fut comme si une eau chaude la remplissait quand elle prononça ces mots. Un apaisement mélancolique. La tempête en elle fut suivie d'une accalmie soudaine, et la mer se retrouva lisse comme du métal liquide.

Je suis morte dans un accident le jour des premières neiges, pensa-t-elle en croisant le regard pénétrant de Ting.

— Tu te souviens de quel jour c'était ? demanda-t-il en posant ses baguettes.

— On nous a percutés, chuchota Jasmine, et elle tourna les yeux vers la ruelle.

— Quel jour ?

— Ça a une importance ?

— Énorme, pour moi.

Un voile de douleur vint ternir les yeux scintillants de Ting.

— C'était le douze décembre.

— Le douze, répéta-t-il.

— Oui.

Il opina de la tête, comme si cette date le soulageait, puis il se laissa aller en arrière. Sans véritable appétit, elle goûta aux nouilles à la saveur salée. Ting se remit à manger, un sourire s'attardant sur ses lèvres. De temps en temps, il lorgnait la fille qui faisait la vaisselle dans un seau, accroupie devant la cuisine.

— Presque tous ceux qui meurent se fondent dans ce flot humain en direction des bateaux, raconta-t-il au bout d'un moment, et il s'essuya la bouche avec une mince serviette. Je pense à eux comme à des oiseaux migrateurs, puisqu'ils n'hésitent jamais.

— Mais toi, tu restes dans la ville parce qu'on va te laisser revenir à la vie ?

— Je l'espère… Le temps est beaucoup plus long ici, les heures dans ce port ne représentent que quelques secondes dans la vie… Toi, tu es peut-être toujours dans la voiture, l'ambulance vient peut-être tout juste d'arriver sur le lieu de l'accident. Tu comprends ? Ton cœur s'est arrêté, mais il est possible qu'ils puissent encore te sauver.

Jasmine posa sa main sur son sternum et se dit qu'il devait avoir raison. Ses doigts appuyèrent comme à la recherche de la douleur à l'intérieur de son organisme. Même si elle avait l'impression que de nombreuses années s'étaient écoulées depuis la collision, elle se rappelait que la voiture était retournée sur le toit, et qu'elle-même pendait à l'envers, retenue par la ceinture de sécurité.

Sa cage thoracique lui avait paru enfoncée, et sa dernière pensée avant de manquer d'oxygène avait été pour Dante. Elle ne le voyait pas, elle ne pouvait pas voir s'il était blessé.

— Dante était avec moi dans la voiture, dit-elle en se levant.

— C'est qui, Dante ?

Jasmine sentit des frissons dans son dos. Elle répondit d'une voix plus forte :

— Mon fils. Il n'a que cinq ans, il faut que je retourne aux bateaux, je…

— Attends ! s'exclama Ting.

— Ne me touche pas !

Elle chancela, sa hanche heurta la table, et un peu de bouillon se renversa.

— Écoute-moi, tenta Ting. J'ai demandé à l'administrateur du port s'il y avait d'autres Suédois qui auraient besoin d'un interprète, tant qu'à faire. Une dizaine était passée, mais aucun enfant…

— Aucun petit garçon ?

— Non, aucun enfant.

— Ils ont pu le louper, chuchota Jasmine.

— Bien sûr, mais en général, ils installent les enfants avec leur famille dans l'établissement de bains.

— J'étais seule quand je me suis réveillée, j'en suis sûre.

— Alors il a survécu à l'accident, déclara Ting en la regardant droit dans les yeux.

— On avait mis nos ceintures, tous les deux.

— Tant mieux.

Jasmine ne parvenait plus à contrôler ses émotions, elle était trop fatiguée. Pour cacher son sourire excessif, elle enfouit le visage entre ses mains. Elle resta plantée debout devant la petite table en se répétant que Dante s'en était sorti, qu'il avait sa ceinture de sécurité.

— Je vais juste demander un peu plus de coriandre, murmura Ting.

Il quitta la table, disparut dans la cuisine, et Jasmine sortit lentement dans la ruelle crépusculaire, désormais calme. La femme qui avait pleuré était partie. Jasmine attrapa une lanterne qui balançait. Elle avait été rouge un jour, mais s'était décolorée avec le temps. Sur le papier déchiré, on distinguait encore nettement les contours des motifs calligraphiques.

Jasmine toucha le papier doré et les franges jaunes sous la boule, lâcha le lampion, et fit quelques pas dans le hutong.

Tout ça, c'est pour de vrai, songea-t-elle. J'avais raison, depuis le début.

Derrière elle, la lanterne grinçait au bout de son fil de fer. Elle poursuivit lentement le long d'un mur en brique où quelqu'un avait tagué un Pac-Man.

Elle était morte dans l'accident de voiture, et se retrouvait ici. Sa mère s'en était peut-être sortie – sinon, Dante était tout seul. Et si, de son côté, elle était obligée de rester ici, il allait devoir vivre chez son père.

Jasmine jeta un œil vers le restaurant : Ting était revenu à table.

Tous ici espèrent pouvoir repartir.

Le lampion s'immobilisa, le tonnerre grondait au loin, le sol vibra sous ses pieds.

Les doigts de Jasmine tâtèrent la plaque autour de son cou pendant qu'elle retournait au restaurant.

Abstraction faite de la cicatrice sur son œil, le visage de l'interprète était remarquablement harmonieux, comme de la pierre polie, avec des pommettes hautes et une belle bouche.

— Ça refroidit, fit-il remarquer, avant de saisir ses nouilles avec les baguettes et de les happer entre ses lèvres.

Elle prit le pot rempli de feuilles de coriandre réhydratées, en fit tomber quelques-unes dans sa soupe, les regarda flotter sur le bouillon doré, mais fut incapable de manger.

— On ne trouve pas d'aromates frais dans le port, expliqua Ting. Rien ne pousse ici.

— Je sais.

Jasmine tendit le bras pour enlever un fragment de bois de ses cheveux. Elle le regarda dans les yeux.

— Je suis déjà venue ici. J'ai fait un arrêt cardiaque il y a plusieurs années.

— Certains disent que personne n'est autorisé à revenir à la vie pour de vrai.

— Pourtant, c'est ce qui m'est arrivé – et du coup, je sais que c'est possible.

— Mais on n'est pas censé se souvenir de la ville portuaire quand on revient à la vie, il me semble.

— C'était plutôt comme un rêve.

Il souleva son bol et but. Quand il le reposa, son visage était luisant de vapeur.

— On y va ? demanda-t-elle.

— Il fait encore nuit.

— Comment tu le sais ?

— On apprend à reconnaître l'aube, l'obscurité change d'aspect, répondit Ting.

La fille sortit et posa sur la table un plat en plastique garni de petits paquets de pâte gris et fumants qu'elle appelait des *jiaozi*.

— Pourquoi tu as appris le suédois ? demanda Jasmine, en regrettant immédiatement sa question.

— Tu sais qu'on peut naître en Suède de parents chinois et…

— Je sais, c'était stupide de ma part de demander ça, l'interrompit-elle, les joues rouges de honte.

Ting fixa Jasmine comme s'il prenait plaisir à la voir gênée, se renversa sur sa chaise et attendit qu'elle veuille bien croiser son regard de nouveau. Il saisit un dumpling avec les baguettes et souffla dessus – elle perçut une odeur d'huile de sésame – avant de l'enfourner.

— Je construisais des bateaux de course en bois, j'avais mon propre chantier naval à Vaxholm, raconta-t-il tout en mâchant.

— Alors, nous sommes presque voisins – moi, j'habite au centre de Stockholm.

— Mon grand-père y tient une boutique, dit-il en se balançant sur sa chaise.

— Où ça ?

— Du côté de la rue Olof-Palme.

Il prit un autre ravioli.

— Il y a une grande concentration de magasins asiatiques dans ce coin-là, ajouta-t-il.

— Je sais, j'y vais quand je veux du bon bok choy ou de la ciboule.

Ting jeta un coup d'œil vers la cuisine où des flammes léchaient le wok.

— Mon grand-père est ébéniste.

— Il s'appelle comment, son magasin ?

— Li Kun Mugong, répondit-il, la bouche pleine.

— Ce qui veut dire ?

— *Mugong* veut dire ébénisterie et Li Kun, c'est mon grand-père… Quand j'étais petit, j'allais toujours dans sa boutique après l'école. Je me cachais sous le comptoir pour ne pas avoir à l'aider. Je restais blotti là, je dessinais, je gravais des signes dans le bois.

Il sourit pour lui-même, et lorsqu'il ferma les yeux durant quelques secondes, le trait sur son œil gauche forma une croix avec ses cils noirs.

— Et tu t'es retrouvé ici comment ? demanda-t-elle.

— J'ai une insuffisance cardiaque de naissance, on devait m'opérer le douze décembre, répondit-il en lui accordant un bref regard. Mon dernier souvenir est celui d'une infirmière anesthésiste super sexy qui se penche sur moi et me dit de compter à rebours à partir de…

Des cris affolés s'élevèrent au loin, et Ting scruta la ruelle. Un autre client se dépêcha de finir son repas et quitta le restaurant.

— Rien de grave, je pense, indiqua Ting sans pour autant avoir l'air rassuré.

13

Dans la ruelle, les cris s'approchèrent. Jasmine se leva, mais elle ne voyait rien. Un enfant pleurait et hurlait quelque chose d'une voix terrorisée.

— Viens, chuchota Ting, et il posa trois dollars sous son assiette.

Ils quittèrent la table et s'éloignèrent, enjambant un vieux bidon d'huile moteur Castrol.

Jasmine se retourna : la serveuse récupéra l'argent sur la table, mais laissa les bols et se dépêcha de rentrer et de fermer la solide porte en bois de la cuisine.

Un groupe d'hommes avançait dans la ruelle.

L'enseigne du restaurant s'éteignit.

Ting et Jasmine se retirèrent sous un porche assez bas devant une porte métallique close. Impossible d'aller plus loin, une haute palissade bloquait l'autre bout du hutong.

— La *hei shehui*, chuchota-t-il. La triade…

Débouchant de la rue plus lumineuse, un homme bien charpenté en pantalon de camouflage apparut, traînant avec lui un homme âgé. Une fille maigre d'environ six ans courait derrière eux en sanglotant de détresse.

Ils s'arrêtèrent dans l'obscurité juste après le restaurant.

Les lanternes rouges au-dessus des tables étaient toujours allumées. Leur lueur vacillante dansa un instant sur leur visage.

Un individu de haute stature à la démarche étrangement inclinée vers l'avant les suivait. Il avait surgi comme une silhouette se découpant dans l'entrée du hutong. Il marchait lentement et s'arrêta devant une fenêtre pourvue de grilles.

Il redressa le dos, et la lumière grise diffusée à travers la vitre l'éclaira jusqu'au niveau du cou. Jasmine ne put distinguer son visage, mais il était vêtu d'un complet-veston brun d'aspect satiné, et ses cheveux blancs étaient coiffés en arrière. Il poussait devant lui une très vieille femme en fauteuil roulant, qui tenait une paire de jumelles de théâtre dans sa main fripée et portait sur ses épaules une fourrure de vison élimée.

D'autres hommes étaient postés plus loin. Ils surveillaient l'entrée de la ruelle.

Ting tira Jasmine près de lui. Ils firent leur possible pour se tapir dans l'ombre, mais une dizaine de bouteilles d'alcool vides occupaient presque tout l'espace.

L'homme au costume brun laissa la femme en chaise roulante, et alla dire quelques mots à la petite fille. Celle-ci secoua obstinément la tête. Il rugit, la tira par les cheveux et la fit tomber. Le vieillard l'interpella d'une voix suppliante. Dans la pénombre, Jasmine entrevit l'homme s'approcher de la maison, lever les yeux et lancer une corde autour de l'attache rouillée d'une enseigne.

— Ne regarde pas, conseilla Ting à mi-voix.

Une des lanternes du restaurant bougea avec le vent, et éclaira la corde qui se balançait devant la façade. L'homme en costume brun en attrapa le bout et fit un nœud coulant tandis que le petit vieux joignait les mains et le suppliait, encore et encore. L'autre ne lui prêta aucune attention, et hurla de nouveau après la petite fille.

— Qu'est-ce qu'il dit? chuchota Jasmine.

— Qu'ils vont tuer son grand-père si elle n'échange pas son visa, répondit Ting.

Le vieil homme cria quelque chose à sa petite-fille et reçut un coup sur la bouche. Il tituba et vint prendre appui contre le mur.

La fillette pleura.

La lumière rouge ondoyait lentement.

L'homme répéta ses paroles, puis passa le nœud coulant autour du cou du vieillard tout en pointant son index vers le ciel. Son acolyte hissa à un mètre du sol le vieux qui se mit à osciller devant la façade. Son front heurta une bordure, du sang coula.

Le grand lissa sa cravate froissée d'un rapide geste de la main, reboutonna sa veste brune et montra de nouveau le ciel.

Son visage était plongé dans le noir, mais ses dents scintillèrent lorsqu'il sourit.

La lumière instable de la lanterne glissa sur le sbire qui tenait la corde. Les jointures de ses doigts blanchirent quand il recula pour hisser plus haut le vieil homme. Celui-ci perdit ses sandales, essaya de s'agripper au mur et parvint à glisser ses doigts derrière la corde. Sa respiration était saccadée, il toussa.

La fillette hurla après les hommes.

Le meneur éloigna brutalement le vieillard du mur. Ce dernier se mit à balancer en agitant les jambes. L'enseigne au-dessus de lui trembla, et du mortier se détacha de la façade. Un filet de sang glaireux pendait de sa bouche.

Avec son bras, Ting plaqua Jasmine contre la porte en tôle. La sueur coulait sur ses joues.

La fillette était à genoux, elle pleurait à chaudes larmes.

Les mouvements du vieil homme se firent plus lents. Ses jambes tressaillaient faiblement, ses bras pendaient mollement le long du corps.

L'homme de haute taille passa la main dans ses cheveux blancs et dit quelque chose à la petite fille, qui acquiesça en silence. Il tourna le pouce vers le sol. Celui qui tenait la corde la lâcha d'un coup. Le vieux tomba comme une masse et heurta violemment le sol. L'une de ses jambes était complètement tordue. Il roula sur le côté et cogna sa tête contre une des tables en plastique. La fillette se précipita sur lui, tira sur le nœud en pleurant, parvint à le défaire et supplia son grand-père de lui répondre. Le vieillard toussa du sang qui coula sur son menton. La corde avait écrasé son larynx, et il ne put émettre que des râles. Il s'était manifestement fracturé la jambe : elle décrivait un angle peu naturel, et le muscle de la cuisse était secoué de spasmes.

Soudain, l'homme se tourna vers la cachette de Jasmine et Ting. Un éclat scintilla dans son œil lorsqu'il sortit un couteau incurvé, petit comme un doigt plié.

Ting appuya sur la porte d'un coup d'épaule, prit la plaque qu'il avait autour du cou, l'inséra dans l'interstice entre la porte et son cadre et la bougea délicatement. Un petit frottement se fit entendre.

L'homme au couteau tendit l'oreille, et lança *xiaojie* d'une voix douce et engageante. Il semblait guetter un mouvement dans l'obscurité.

Passant de nouveau sa main sur sa cravate froissée, il se dirigea vers eux. Ting colla sa joue contre la porte, engagea davantage la plaque dans la fente et la fit doucement glisser vers le haut.

L'homme arrivait au milieu de la ruelle, il n'allait pas tarder à les découvrir. Jasmine se rencogna autant que possible au fond du porche en se faisant toute petite. Sa jambe frôla une des bouteilles vides. Elle la sentit sur le point de se renverser, et se contraignit à une immobilité totale.

L'homme en pantalon de camouflage cria à son chef qu'ils devaient partir, mais celui-ci l'ignora. La transpiration coulait dans le dos de Jasmine, la chatouillait. Elle s'efforça de respirer de façon régulière lorsqu'elle se pencha pour attraper la bouteille.

La plaque de Ting s'était coincée dans l'interstice. Il essaya de la dégager, sans y parvenir.

Jasmine se mit dos à la porte et appuya de tout son poids. La bouteille près de sa jambe se renversa, entraînant toutes les autres. Un tintement de verre s'éleva, et l'homme tourna vivement les yeux vers le porche.

— Essaie encore, chuchota-t-elle en se collant à la porte.

14

Deux bouteilles roulèrent dans la ruelle. L'homme fit signe d'approcher à un garçon qui tenait une machette à la main. La serrure émit un petit bruit sec lorsque Ting parvint enfin à la déverrouiller grâce à sa plaque. La porte s'ouvrit sur un espace sombre, où ils s'engouffrèrent, avant de refermer silencieusement derrière eux.

Jasmine comprit qu'ils se trouvaient dans un immense dépôt de vêtements. De lourds habits suspendus sur des cintres les frôlèrent quand ils avancèrent. Elle avait les jambes en coton et tremblait de la tête aux pieds. Elle essaya de retenir ses larmes, mais en fut incapable, et les sanglots prirent le dessus.

Je n'ai jamais été psychotique, songea-t-elle. Je suis à nouveau morte, je me trouve dans la ville portuaire, ils ont pendu le vieil homme pour de vrai.

— Mon Dieu, soupira-t-elle, et elle s'arrêta.

Ting se retourna et, sans un mot, la prit dans ses bras. Jasmine ferma les yeux et écouta les puissants battements dans la poitrine de Ting, essayant d'analyser ce qui venait de se produire dans la ruelle.

— Je crois savoir où nous sommes, murmura-t-il contre ses cheveux avant de la lâcher.

Il prit sa main et l'entraîna entre les rangées de vêtements, qui se mirent à balancer sur leur passage. Jasmine baissa le visage pour se protéger les yeux. Elle sentit les différents tissus contre son front et ses joues tandis qu'elle avançait derrière Ting.

La progression se fit peu à peu plus aisée. Il y avait moins de vêtements, et au bout d'un moment, ils débouchèrent dans un local obscur muni de velux couverts de suie.

Le sol était jonché de flyers piétinés aux caractères verticaux tracés à l'encre de Chine. Au bas des feuilles, un tampon en forme de papillon faisait office de signature.

— Il y a une porte là-bas, souffla Ting.

— Donne-moi juste quelques secondes, supplia Jasmine.

Elle s'arrêta, sécha quelques larmes sur ses joues, et tenta de se ressaisir.

— On a tout notre temps, répliqua-t-il.

Devant elle, par terre, étaient entreposés trois vieux postes de télévision, et plus loin, elle remarqua un rickshaw sans roues soutenu par deux poteaux. Des outils et des pièces détachées étaient éparpillés partout.

— Ils l'ont pendu, parvint-elle à articuler quand elle se sentit capable de maîtriser sa voix.

— Ils voulaient forcer la fillette à…

— Mais nous sommes déjà morts!

— Pas complètement. Nous sommes peut-être sur le point de mourir, mais nous existons, nous sommes conscients de notre propre existence.

— Alors, nous pouvons mourir ici, dans le port?

— Les hommes de la triade voulaient obliger la petite fille à échanger son visa avec celui de la vieille femme… et le grand-père a essayé de les arrêter.

— Je les ai déjà vus auparavant, mais je ne comprends pas…

— Ça, ça s'appelle un *qianzheng*, dit Ting en montrant sa plaque de métal. C'est le visa pour mon corps… mon corps qui vit toujours.

— Oui, je m'en souviens un peu… mais je ne sais pas comment ça fonctionne.

— Quand on t'a pesée sur le quai, il s'est avéré que tu appartiens au minuscule groupe de gens qui peuvent encore revenir à la vie. C'est pour ça qu'on ne t'a pas laissée monter à bord d'un bateau, expliqua-t-il patiemment. Tout le monde ici est dans la même situation… Nos sorts ne sont pas fixés, alors on doit attendre, il n'y a rien d'autre à faire… Au fil des ans, on est devenus assez nombreux puisqu'on a le droit d'attendre indéfiniment.

— Même si, en fin de compte, on ne peut pas être sauvés ?

— C'est difficile à savoir, mais à un moment donné, on réalise qu'il est trop tard.

— Et dans ce cas, certains veulent revenir dans l'enveloppe corporelle d'un autre, dit Jasmine en glissant sa plaque sous son chemisier.

Le métal contre sa peau lui fit l'effet d'une goutte d'eau froide entre ses seins.

— Mais il devrait être interdit de s'attribuer le visa d'un autre, reprit-elle en commençant à traverser la pièce à côté de Ting.

— Théoriquement, on ne peut pas voler les visas, ils sont nominatifs. Mais il est possible de les échanger, si les deux parties sont d'accord.

— Pourquoi quelqu'un voudrait-il échanger sa propre vie ?

— Peut-être pour sauver son grand-père, répondit Ting d'un ton acerbe.

— Mais c'est complètement tordu – il faut que les autorités arrêtent ça !

— Tout le monde dit que c'était bien pire avant, que la criminalité organisée a baissé, mais il y a encore beaucoup de gangs qui sévissent…

— Il faudrait changer la loi ! le coupa-t-elle.

— Oui, mais il semblerait que, globalement, le système fonctionne. Il est alourdi par la bureaucratie, mais il fonctionne.

— Comment peux-tu dire qu'il fonctionne alors que la vieille femme qu'on a vue dans le fauteuil roulant paie ces hommes pour pouvoir repartir sous les traits de la petite fille et vivre une nouvelle vie qui…

— Les autorités ne peuvent rien faire si la fille dit qu'elle veut changer de visa de son plein gré.

— C'est la faute aux extraterrestres ! les interrompit une voix de basse en anglais.

Jasmine fit volte-face et aperçut un grand gaillard aux épaules rondes dans la pénombre, derrière le rickshaw. Son crâne était dégarni, il avait une grosse barbe et tenait une tartine au jambon dans sa main droite.

— Le taxi est en panne, Grossman ? demanda Ting. Ou il a simplement besoin d'un peu d'amour ?

— Simplement besoin d'un peu d'amour, répondit l'homme. Et toi, tu me dois encore vingt dollars et une paire de chaussettes Hugo Boss.

— Dis bonjour à Jasmine.

— Bonjour, Jasmine.

— Bonjour.

— Vous vous êtes brusquement retrouvée ici, sans crier gare – pas vrai ? lança-t-il en s'approchant d'elle. Vous ne comprenez pas comment c'est arrivé – et c'est bien normal, puisque vous avez été aspirée dans l'espace par des extraterrestres.

— Vous avez des preuves ?

— Si j'étais mort pour de vrai, j'aurais rencontré Jésus, n'est-ce pas ? lui rétorqua-t-il en brandissant la tartine dans sa direction.

— Peut-être, répliqua-t-elle de façon neutre.

— Mais je n'ai pas rencontré Jésus. Donc, je ne suis pas mort.

— Grossman, on est pressés, indiqua Ting.

— Je sais, il paraît qu'on doit aller au terminal, s'asseoir dans la salle d'attente et garder un œil sur les dazibaos.

— Il faut que je rentre retrouver mon fils, nous avons eu un accident de voiture, fit savoir Jasmine, et de nouveau, une crainte glacée la traversa.

— Il s'en est sorti, ajouta Ting sur un ton étrangement sec.

— C'est-à-dire… je ne sais pas s'il est blessé, il peut être grièvement atteint, poursuivit Jasmine en forçant sa voix à rester stable.

— Mais il avait sa ceinture de sécurité, souligna Ting en la fixant droit dans les yeux.

— Oui, mais je…

Elle se tut brusquement en comprenant que Ting ne voulait pas qu'elle parle de Dante. Elle regarda autour d'elle et repéra un petit homme qui se retira parmi les ombres, au fond du local.

— Allez au terminal, dit Grossman. Allez-y, n'hésitez pas, mais comprenez une chose… Toutes les guerres sont des arnaques, et les extraterrestres se cachent à l'intérieur de gens ordinaires.

Ting commença à se diriger vers un quai de chargement vétuste avec sa rampe mécanique. Jasmine le rattrapa en courant, la plaque autour du cou sautillant sur sa chaîne. Marchant l'un à côté de l'autre, ils passèrent devant quelques palettes chargées de cartons sous un film de protection, et poursuivirent le long d'un mur de brique au-dessus duquel flottait un fanion rouge. À droite, à travers une porte vitrée sale, elle vit un vestiaire avec des rangées d'armoires métalliques pourvues de cadenas. Une femme entre deux âges était assise sur un banc. Elle avait les yeux humides et sa bouche était à moitié ouverte. Elle portait une vieille veste militaire, mais elle était nue de la taille jusqu'aux pieds. Un homme plus jeune aux cheveux décolorés était agenouillé devant elle, le visage enfoui entre ses cuisses écartées. Bien qu'elle vît que Jasmine la regardait, elle ne broncha pas, se contentant de poser la main sur les cheveux de l'homme.

Ting ouvrit une lourde porte métallique, et ils sortirent dans une rue commerçante. Une légère pluie tambourinait sur une marquise élimée garnie de franges grises. Les gens ouvraient leurs parapluies, et des bâches en plastique furent étalées sur les marchandises.

Ils avancèrent dans la rue, au milieu des charrettes et des vélos à la peinture écaillée.

— Maintenant, je ne sais plus qui croire, dit-elle d'un air sérieux.

— Comment ça?

— Grossman était assez persuasif, expliqua-t-elle en souriant.

— N'est-ce pas? renchérit Ting avec un éclat de rire.

Un homme ivre titubait. Quand il passa sous une enseigne au néon rouge, on aurait dit que son dos prenait feu.

J'étais pendue à l'envers dans la voiture quand mon cœur s'est arrêté, pensa Jasmine en contemplant la rue luisante de pluie. Je me souviens du bruit des bris de verre, mais je ne me rappelle pas avoir entendu Dante.

Elle toucha la plaque autour de son cou et se répéta que Dante avait sa ceinture de sécurité. Je sais qu'il l'avait, pensa-t-elle. Il était attaché sur son siège-auto, je n'ai rien à craindre, je sais qu'il va bien.

Ils pénétrèrent dans une partie de la ville où les maisons paraissaient plus anciennes, plus traditionnelles, avec de larges toits courbés vers le haut. Ils dépassèrent plusieurs cuisines de rue bâchées. Une femme munie d'un parapluie buvait du thé dans un mug en plastique. Les gouttes crépitaient contre les housses en plastique.

En remontant sur le trottoir, Ting tendit à Jasmine un sachet de brioches chaudes, parsemées de sucre.

— Merci, quand est-ce que tu les as achetées ?

— On me les a données, répondit-il joyeusement.

Ils mangèrent chacun une brioche en continuant à descendre la rue. Certaines fenêtres étaient visibles, garnies de rideaux défraîchis, mais sur la plupart des façades, les volets étaient fermés.

Au coin d'une rue, quelques personnes entouraient un homme qui proposait une sorte de tombola. Il ressemblait à un joueur d'orgue portatif quand il tournait la manivelle de sa boîte cylindrique décorée.

Un raclement métallique et un cliquetis se firent entendre lorsque trois petits disques surgirent d'une fente. Ils étaient peints de différents sinogrammes du jeu de société *xiangqi*. Un cheval rouge, un chariot noir et un garde rouge apparurent. Un des hommes qui attendaient soupira de déception et balança sa casquette par terre.

— Tu t'es décidée ? Je veux dire… si tout ça n'est qu'un rêve, on n'est peut-être pas obligés d'aller poiroter au terminal, proposa Ting en retenant un sourire.

— Je veux revenir à la vie, rétorqua Jasmine, au risque d'enfoncer des portes ouvertes.

15

La pluie avait cessé, mais le ciel était lourd et gris, et l'odeur d'asphalte mouillé planait encore sur la ville. Trois personnes attendaient devant un vendeur de hot-dogs et sa grande marmite. L'homme prit dans une petite boîte un billet de banque à l'effigie de Mao, sortit une saucisse de l'eau frémissante avec une pince, et la posa sur le billet avant de l'inonder de ketchup.

— Il utilise un billet de cent yuans pour servir une saucisse! s'exclama Jasmine qui n'en croyait pas ses yeux.

— C'est pour rire… Il a dû mettre la main sur des cartons de faux billets, tu sais, ceux qui servent d'offrandes aux défunts, expliqua Ting quand ils le dépassèrent. Les billets funéraires restent des faux billets, ici aussi, mais les gens trouvent ça rigolo…

De l'autre côté de la rue, un temple jaune et rouge resplendissait entre les bâtiments ternes. Devant sa porte, des bâtons d'encens étaient enfouis dans de gros récipients remplis de cendre. Des bouffées de fumée montaient le long d'un mur doré. Un garçon mince d'une douzaine d'années balayait énergiquement le large escalier. Son visage sale était tellement maigre que les pommettes apparaissaient, saillantes, sous la peau. Jasmine croisa le regard du gamin et lui tendit le sachet avec les brioches qui restaient.

— Elles sont super bonnes, dit-elle.

Sidéré, l'enfant prit le sachet et regarda le contenu, ravi.

Des cris s'élevèrent. Ting et Jasmine poursuivirent leur chemin en rasant les murs, laissant derrière eux un enfant qui fouillait une poubelle débordante.

Cinq jeunes gens munis de bâtons importunaient un petit homme coiffé d'un chapeau. L'un d'eux portait un crucifix en or à côté de sa plaque de visa. Il cria quelque chose en espagnol et poussa l'homme, qui perdit son chapeau. Les gens s'écartèrent. L'homme les supplia en montrant des billets de dollars entre ses paumes jointes. Un des jeunes, aux cheveux châtain clair bouclés, fit un pas en avant et le frappa sur la joue, un coup violent qui le fit tomber. Il se rattrapa avec les mains et s'affaissa sur le côté.

Du sang coulait de son oreille.

Le jeune homme posa un pied sur sa poitrine, le fit rouler sur le dos, ouvrit sa chemise et vérifia son visa.

Des sifflets résonnèrent, mais avant que les policiers arrivent sur place, les jeunes s'étaient dispersés aux quatre vents.

Ting tint Jasmine par la taille, et l'entraîna dans la rue. Un homme avec un cache-œil s'écarta de leur passage en faisant un geste bizarre.

Devant un étal, une belle femme d'une cinquantaine d'années vendait des bonbons qui ressemblaient à des billes de verre multicolores. Ting laissa ses yeux s'attarder dans les siens, et quand ils l'eurent dépassée, ils l'entendirent émettre un sifflement perçant.

— Tu flirtes avec tout le monde, remarqua Jasmine en souriant.

— Pas du tout.

La rue commerçante aboutissait à une place pavée. À travers la pénombre brumeuse, Jasmine entraperçut un jet d'eau au milieu de l'esplanade. Autour de la place se dressaient de grands bâtiments administratifs aux vitres brisées.

— Si tu veux échanger ton visa avec celui de quelqu'un d'autre, l'Office des transports se trouve là, plaisanta-t-il en désignant du doigt un édifice.

Ils s'avancèrent sur la place, et Jasmine s'aperçut que ce qu'elle avait pris pour un jet d'eau était en réalité un être humain – un homme maigre attaché par le cou à un poteau en métal oxydé.

— Ce grand bâtiment, là, poursuivit Ting, c'est le Tribunal populaire de première instance. Là-bas, c'est le Comité central, et plus loin, l'Inspection disciplinaire et...

Il se tut et arrêta Jasmine.

Un officier en uniforme gris, accompagné d'un garde, se dirigeait droit sur l'homme entravé. Il lut quelques lignes écrites sur un papier, puis le garde s'avança et frappa le condamné sur le dos avec une tige de bambou.

Les sept coups furent assenés sans un bruit. Toute la scène, douce et limpide, était silencieuse comme dans un rêve.

Quand ils eurent terminé, le garde et l'officier retournèrent vers les grands bâtiments en abandonnant le prisonnier sur la place.

— Le tribunal a commencé à statuer sur des punitions pour l'exemple à l'encontre de la triade… C'est assez brutal, mais cet homme-là fait partie du sommet absolu de la hiérarchie, expliqua Ting.

— Pour l'exemple ? Qu'est-ce que ça change ? Ils semblent être partout.

— Moi non plus, je ne crois pas que ce soit la bonne méthode, mais ils ne savent plus quoi faire, les policiers ne sont pas assez nombreux.

Ting prit de nouveau la main de Jasmine et lui fit traverser la place en direction d'une bâtisse qui ressemblait à la salle d'attente d'une gare ferroviaire.

Il manquait tout le mur pignon du grand terminal, des briques endommagées pointaient des bords effondrés, mais par ailleurs, la salle paraissait intacte. Des gens attendaient, dans le hall mais aussi à l'extérieur. Un peu plus loin avaient été dressées des tentes, toiles grises et déchirées que la brise faisait mollement ondoyer.

Quand elle se trouva à l'intérieur, elle reconnut aussitôt l'endroit. Le sol en dalles usées venait d'être lavé. La salle était pourvue de dix longs bancs en bois, tous occupés. Certaines personnes avaient des bagages, quelques-uns s'étaient allongés pour se reposer, mais la plupart attendaient, le regard vissé sur les cinq guichets ou sur un mur recouvert d'affiches portant des caractères chinois et des portraits imprimés.

Elle n'était donc pas folle. Tous ses souvenirs étaient authentiques.

Au milieu de la peur et du chagrin, l'éclair fulgurant d'un triomphe brut jaillit en elle.

Une odeur d'humidité minérale flottait dans l'air, exactement comme la première fois.

Elle suivit Ting devant les dazibaos où il essaya de repérer son propre visage parmi toutes les photos.

— Ça fait combien de temps que tu attends ? demanda-t-elle à mi-voix.

— Trois semaines, répondit-il sans trahir le moindre sentiment.

— Trois semaines ?

Ting arrêta un homme à la mine renfrognée qui vendait des mignonnettes d'alcool. Il marchanda le prix qui passa à un dollar, acheta une petite bouteille de Glenfiddich, dévissa la capsule et but.

— J'ai rencontré une femme qui a attendu deux ans et demi avant que sa photo surgisse, raconta-t-il en balançant le petit flacon vide dans un coin. Je ne sais pas à quoi ça correspond dans la vie... Beaucoup de gens patientent dans le terminal pendant des semaines, avant de comprendre que ça risque d'être long et de s'installer en ville. Au bout du compte, toute la ville, toutes ces maisons ne sont en réalité qu'une extension de la salle d'attente, qui s'est développée à l'infini pour pouvoir accueillir tout le monde.

Il se pencha vers elle pour repousser une boucle de cheveux derrière son oreille. Le contact éveilla un délicieux frisson qui lui chatouilla la nuque. Une réminiscence trouble surgit instantanément : son premier baiser sur une terrasse balayée par le vent.

Jasmine suivit Ting jusqu'aux guichets. Un seul était ouvert, occupé par un administrateur aux cheveux rares et fins, portant un uniforme gris aux manchettes élimées. Une grande femme dont les épaules étaient couvertes d'un châle lui parlait à voix basse sur un ton suppliant. Elle essuya des larmes sur ses joues, mais il réitéra son refus, et elle finit par retourner s'asseoir sur le banc.

Jasmine chercha dans ses souvenirs sans parvenir à se rappeler ce qu'elle était censée faire. De nouveau, elle eut l'impression de se trouver dans un rêve étrange.

— Qu'est-ce que je dois dire ? demanda-t-elle à Ting.

— Tu dois juste t'enregistrer.

Ting se pencha vers le guichet et parla à la place de Jasmine. L'administrateur remonta ses lunettes sur son nez, il avait l'air terriblement fatigué. Il marmonna quelques mots, et Ting se tourna vers Jasmine.

— Il a besoin de voir ton visa.

Elle l'enleva, puis le donna à l'agent après une légère hésitation. Sans un regard pour elle, il retourna la plaque et recopia les caractères sur un formulaire.

— Au fait, qu'est-il écrit dessus ?

— *Long life, happiness,* répondit Ting.

Jasmine ne rit pas à sa blague, mais elle lui fut reconnaissante de ses efforts pour la réconforter. L'employé lui rendit sa plaque. Ses doigts tremblaient quand elle la passa de nouveau autour du cou.

Le guichetier remplit le feuillet, puis apposa un tampon sur le document ainsi que sur une mince feuille rose. Il signa les deux papiers et donna la feuille rose à Jasmine, qui le remercia et suivit Ting à un comptoir attenant au guichet.

— Ici, tu dois écrire ton nom de famille, dit-il. C'est indiqué *zuji*, ce qui signifie le lieu d'origine de tes ancêtres… Et ici, tu écris tous tes prénoms et ton lieu de naissance…

— D'accord, répondit-elle à voix basse.

Elle commença à remplir les cases verticales. Ses mains ne cessaient de trembler, elle eut peur de faire une erreur.

Le tonnerre gronda de nouveau, le sol sous leurs pieds se mit à vibrer. Les gens eurent l'air inquiet, mais ils restèrent à leur place.

Une fois l'imprimé rose rempli, Ting emmena Jasmine à un photomaton sans rideau qui semblait dater des années 1960. Elle tourna le tabouret pour régler la hauteur, et eut juste le temps de s'asseoir avant que le flash l'éblouisse.

Elle attendit la photographie devant la cabine, le papier de soie rose à la main. Un courant d'air venant de l'extérieur replia le document sur sa main avec un léger frémissement.

16

Quand elle se représenta au guichet, toujours accompagnée de Ting, l'administrateur fit de nouveau glisser ses lunettes sur son nez, examina la feuille rose, commença à recopier les signes sur le formulaire, puis s'arrêta et prononça quelques mots. Ting se pencha en avant et répondit, mais l'homme lui opposa une fin de non-recevoir et posa son stylo.

— Qu'est-ce qu'il y a encore ? demanda Jasmine.

— Il dit que ton nom de famille est trop long.

— Je m'appelle Pascal-Anderson – je ne vois pas comment ça peut être trop long.

Ting se pencha encore pour parler à l'administrateur, mais celui-ci s'entêta à rejeter sa demande et lui rendit le papier rose.

— Dis-lui que c'est mon nom, un point c'est tout, indiqua Jasmine.

— J'ai essayé, mais il va finir par se fâcher.

— Qu'est-ce que je dois écrire alors ?

L'administrateur ne la regarda même pas, il leur fit signe de déguerpir.

— Il n'est pas trop long, déclara Jasmine à voix haute en anglais, puis elle fit un pas en arrière.

De nouveau, Ting se pencha vers le guichetier, montra la photographie de Jasmine et lâcha une phrase en chinois qui le fit réagir.

Il ôta ses lunettes et dévisagea Jasmine pour la première fois, avant de baisser les yeux d'un air amusé. Ting dit encore autre chose, alors l'homme éclata de rire et rougit. Il s'accorda un petit instant pour se ressaisir, avant de remettre ses lunettes et de regarder le papier rose. Sans un mot de plus, il remplit toutes les cases. Il lorgna de nouveau Jasmine, sourit un peu pour lui-même, puis se leva et emporta les documents dans le bureau attenant.

— Qu'est-ce qu'il se passe ?

— Tu es enregistrée, répondit Ting en souriant. Maintenant, il n'y a plus qu'à attendre. Moi, en général, je viens ici une fois par jour, mais c'est sans doute un peu exagéré.

Ils s'approchèrent du mur bigarré où des photos de milliers de personnes avaient été collées les unes sur les autres au fil du temps.

— Qu'est-ce que tu lui as dit, à l'administrateur ? demanda Jasmine au bout d'un moment.

— Oh, rien, répondit Ting, en se dirigeant vers la sortie.

— Qu'y avait-il de si drôle ?

— Je lui ai juste raconté une blague.

— Sur moi ?

Il s'arrêta, afficha un sourire gêné, puis croisa son regard.

— Je lui ai expliqué que les rousses sont un peu pénibles, mais de vraies tigresses au lit, lâcha-t-il enfin.

— Des tigresses au lit ? répéta-t-elle, abasourdie.

— Et j'ai ajouté que ton visage se couvre de petits points quand quelqu'un te branche sexuellement.

— Ou alors ce sont juste mes taches de rousseur, dit-elle sèchement.

— C'était une blague.

— Très mature, soupira-t-elle.

— Non, mais…

— Mais ça t'a amusé.

— Non, c'était complètement naze, répondit Ting avec un rire joyeux et sans fin.

— En effet, ronchonna-t-elle, mais elle sourit quand même.

Le sol du hall était pratiquement sec, et ils louvoyèrent entre les bancs pour regagner l'obscurité de la place. De minuscules flocons de suie volaient dans l'air, provenant d'un petit feu dehors. Une femme vendait des pains au maïs qu'elle sortait de leur emballage sous vide et faisait cuire sur la mince flamme d'un réchaud à gaz.

— Tu as faim?

— Je veux juste rentrer chez moi, répondit Jasmine à voix basse.

— Ça peut prendre des semaines, des mois.

— Et comment on fait pour subsister?

— On va à la distribution de soupe, là-bas, dit Ting en pointant son doigt.

— Et on dort ici sur les bancs, je suppose?

— On ne dort pas.

— Si ça prend des semaines avant qu'on...

— Personne ne dort ici, l'interrompit-il. C'est comme ça. Le jour ne se lève jamais vraiment dans ce port, et personne ne dort, ne serait-ce qu'une seconde.

— Pourtant, j'ai vu des hôtels...

— Ils servent à autre chose. Tu sais, cette ville est aux frontières de l'éternité... On a du temps à revendre. Du coup, on se livre à des jeux, on boit, on baise.

— Un vrai paradis, ironisa-t-elle.

Ils prirent la direction des rues commerçantes.

— J'aime bien construire des bateaux en attendant, ajouta Ting au bout d'un moment. J'y trouve mon compte, et c'est bien payé...

Titubant sur des chaussures à talons, une jeune femme ivre vêtue d'une minijupe et d'un gros pull vint faire une accolade à Ting et l'embrasser sur la bouche.

— Je te présente Anna, dit-il en anglais.

— Salut, Anna.

— Tu viens? À moins que? demanda la femme en tirant sur son bras.

— Vas-y, suggéra Jasmine à Ting en suédois.

— Je préfère rester avec toi.

— Tu es mignon, vraiment, répondit Jasmine en souriant et en remontant la fermeture de la veste de Ting jusqu'au cou. Mais moi, je suis adulte, et j'aime les hommes adultes.

Elle ignorait pourquoi elle le gardait ainsi à distance. Peut-être parce qu'il avait si manifestement envie de la séduire sans rien savoir d'elle. Peut-être parce qu'il lui faisait penser à elle-même quand elle était prise d'un impérieux désir sexuel qui lui donnait envie de coucher avec n'importe qui, sans anticiper les éventuelles conséquences.

Anna lâcha Ting et s'éloigna d'un pas chancelant.

— Je suis adulte, dit-il en regardant Jasmine longuement.

— Je parlais de gens qui se comportent comme des adultes, s'entêta-t-elle.

— Pardon d'essayer de plaisanter. Pardon de te trouver attirante, pardon de t'aider à…

Ting se tut brusquement en entendant une grosse cloche retentir. Il se tourna vers le terminal, puis de nouveau vers Jasmine. Le rire avait déserté son visage.

— Ils vont coller un nouveau dazibao, expliqua-t-il, et il revint sur ses pas.

Dans la salle d'attente, tout le monde se redressa sur les bancs, abandonnant valises et sacs en plastique pour s'approcher du mur. Ceux qui avaient attendu dehors affluèrent. Des gens apparurent soudain sur les escaliers des bâtiments officiels. Hommes et femmes accoururent par centaines des rues de l'autre côté de la place. L'espoir vibrait soudain dans l'air.

Ils entrèrent dans le terminal, mais le hall se remplit en un instant, et ils furent freinés par la foule qui se bousculait pour mieux voir.

Un homme chargé d'un escabeau et d'un seau de colle sortit du bureau, et le silence se fit. Tout le monde l'observait, on s'écarta pour lui laisser le passage. Il s'arrêta devant le mur, grimpa sur l'escabeau et colla sans se presser une mince feuille de papier par-dessus les anciennes. Il effaça les plis avec une large brosse, puis redescendit. Les gens poussèrent de tous les côtés pour s'approcher de la photo avant de retourner à leur place, déçus.

Ting entraîna Jasmine plus près. Le plafonnier se refléta dans la colle humide. Ils essayèrent de s'approcher sur le côté. Soudain, tous les regards se braquèrent sur eux. Tous dévisagèrent Jasmine en lui faisant de la place. Un couloir saturé de chuchotements s'ouvrit dans la foule jusqu'à la photo de la personne qui allait revenir à la vie.

17

C'était, sans la moindre hésitation, le visage de Jasmine Pascal-Anderson sur le dazibao. Des caractères chinois entouraient la photographie qu'elle venait de faire dans le photomaton.

Ting se tenait à côté d'elle, fixant l'image. Dans son visage devenu blême, ses yeux étaient noirs comme du charbon.

— Ting, qu'est-ce que je suis censée faire ? demanda Jasmine, et elle entendit elle-même la frayeur dans sa voix. Je ne me rappelle rien de tout ça.

— Tu vas retourner chez toi.

Les personnes qui avaient d'abord reculé commencèrent à s'approcher d'eux. Jasmine remarqua un homme de petite taille qui dissimulait un couteau à la hanche.

Elle ne comprit pas les paroles de Ting, mais elle le suivit encore une fois devant les guichets.

Il avait toujours l'air ébranlé tandis qu'il échangeait quelques mots avec l'administrateur maussade. L'homme lui indiqua le petit côté de la salle d'attente. Deux gardiens étaient assis de part et d'autre d'une porte fermée.

— Je t'accompagne jusqu'à la porte, mais ensuite, tu devras te débrouiller seule.

Une femme leur bloqua le passage. Elle poussa devant Jasmine une petite fille avec de minces tresses, qui ouvrit de grands yeux. La femme lui parla d'un ton suppliant tout en essayant de sourire.

— Qu'est-ce qu'elle veut ? demanda Jasmine.

— Elle croit que tu peux l'aider, elle veut que tu touches sa fille.

Jasmine posa sa main sur la joue de la petite. La fillette l'attrapa et essaya de la retenir, mais la jeune femme se dégagea et poursuivit son chemin, escortée par Ting.

Les gardiens se levèrent à leur approche. L'un d'eux avait un vieux pistolet de l'armée dans un étui, l'autre serrait une longue matraque entre ses mains.

Ils la scrutèrent, et contrôlèrent le visa autour de son cou. Il était en ordre, tout était en ordre. Le garde au pistolet sortit une clé qu'il glissa dans la serrure. Le mécanisme émit de petits clics en tournant dans la porte massive.

— Qu'est-ce qu'il se passe ?

— Ils ouvrent la porte qui mène aux sources, dit Ting presque sans respirer.

— Je dois entrer par là ?

— C'est la seule chose que tous ces gens, ici, attendent, répondit-il gentiment, et il repoussa une mèche du front de Jasmine dans un geste doux.

La foule se bousculait derrière elle, affluant de tous côtés pour tenter de l'apercevoir, de la frôler, elle, mais aussi sa plaque de visa. Le gardien muni de la matraque les repoussait pendant que l'autre ouvrait la porte. Ting tendait les bras pour essayer de tenir les gens à distance, faisant écran avec son corps.

— Je peux faire quelque chose pour toi si je retourne à la vie ? demanda Jasmine.

— On n'a pas le temps de parler – tu dois entrer maintenant...

Il reçut un coup violent dans le dos et fut propulsé contre elle. Elle enleva rapidement sa boucle d'oreille avec la perle et la lui donna. L'enfermant dans sa main, il la regarda d'un air grave.

— Merci, chuchota-t-elle.

— On prendra un café ensemble quand je serai de retour à Stockholm, lui promit-il.

Jasmine le regarda dans les yeux, puis se détourna. Une femme parvint à attraper ses cheveux, mais lâcha prise lorsque Jasmine franchit la porte et descendit les deux marches d'un petit escalier.

La porte se ferma derrière elle, on tourna la clé, plusieurs tours puissants.

Elle était seule dans l'arrière-cour de la salle d'attente cernée de hautes façades aveugles. Des tuiles cassées et quelques bouteilles de bière sales étaient entassées contre un mur.

Droit devant elle se trouvait une ouverture entre deux bâtiments, mais une tôle ondulée couronnée de barbelés en interdisait l'accès. Elle traversa la cour et aperçut sur le sol une trace formant un demi-cercle devant la plaque de tôle. Apparemment, il était possible de l'ouvrir à la manière d'une porte.

Elle essaya de la tirer vers elle, mais la tôle restait bloquée. Avec le pied, elle écarta un peu de sable. De la poussière tourbillonna, des petits cailloux raclèrent le sol. Elle parvint à entrebâiller suffisamment la plaque pour se glisser, entendit les boutons de son chemisier frotter contre le métal, puis déboucha sur un terrain gravillonné.

Quinze mètres plus loin, une fillette d'une dizaine d'années, les cheveux couverts d'un foulard, ratissait le gravier en lignes parfaites.

Derrière elle, une petite maison en bois était accolée à la paroi rocheuse. Le toit était jaune avec des coins pointus recourbés vers le haut. Les jalousies des trois fenêtres étaient baissées, mais l'étroite porte était ouverte. Jasmine reconnut la maison, comme on se souvient du fragment d'un rêve.

Le passage du râteau sur le gravier produisait un léger crépitement. Le visage de la petite fille était sérieux, son regard intelligent. Quand elle eut fini, elle posa son outil et fit entrer Jasmine dans la maison.

À l'intérieur, une vieille femme passait des serviettes à la vapeur au-dessus d'une cuisinière à gaz.

En découvrant la pièce, les souvenirs de Jasmine affluèrent, mais c'était une autre femme la première fois, une femme morne entre deux âges.

Une ardoise remplie de caractères tracés à la craie était accrochée au-dessus d'un autel des ancêtres, où brûlaient des bâtons d'encens. La fillette lut à voix basse les signes gravés sur la plaque de Jasmine tout en comparant avec le texte de la tablette. La vieille femme s'avança et scruta les yeux de Jasmine, puis elle lui ôta son visa et défit la plaque de la chaîne. Elle donna la plaque à la petite fille qui alla la glisser par la fente d'une trappe en bois sur le sol.

Toutes deux menèrent Jasmine à une table basse, lui retirèrent ses vêtements et ses chaussures, peignèrent ses cheveux et la frictionnèrent avec les serviettes brûlantes. Elles comptèrent ses doigts et ses orteils et frôlèrent toutes ses cicatrices. La fillette s'attarda avec le bout des doigts sur la grande marque laissée dans son dos par la balle du Kosovo, comme si elle la reconnaissait.

Jasmine se sentait de plus en plus fatiguée, au point d'avoir du mal à fixer son regard.

La vieille femme lui parlait à voix basse et examinait régulièrement ses yeux, de très près comme un médecin.

Jasmine les remercia et essaya de leur dire qu'elle avait besoin de dormir, qu'elle apprécierait de pouvoir s'allonger sur le banc un moment.

Elles continuèrent à la nettoyer avec les serviettes chaudes tandis qu'elle restait immobile, les yeux fermés.

La petite fille prononça quelques mots sur un ton qui la poussa à ouvrir les yeux. Elle prit la main de Jasmine et l'entraîna vers une mince porte coulissante faite de papier de riz tendu sur un cadre. Le papier ondulait délicatement, on pouvait deviner l'obscurité de l'autre côté.

Sans un bruit, la vieille femme tira la porte sur le côté, et une puissante odeur de roc et de minéraux les accueillit. La fillette aida Jasmine à descendre une marche avant de retourner rapidement fermer la porte derrière elle.

Jasmine continua précautionneusement jusqu'en bas de l'escalier, et s'arrêta au contact d'un sol mouillé. De l'eau tiède coulait sur le carrelage d'un grand hall.

Les murs étaient revêtus d'anciens azulejos portugais. Le motif bleu clair sur fond blanc n'avait pas résisté à l'usure du temps, il était impossible de distinguer les dessins.

Elle poussa plus loin.

La faïence murale craquelée n'était posée que sur quelques mètres, puis la roche nue prenait le dessus. La grotte était étroite et se terminait en pointe vers le haut. L'obscurité aurait dû y être totale, mais une lumière indirecte semblait émaner de l'eau même.

Le ruisseau tiède devint plus profond avant de s'écouler par une grande fente, un passage où l'eau poursuivait son itinéraire en bas de marches taillées dans le roc.

Les jambes de Jasmine obéirent aux flots qui l'entraînaient.

L'eau avait poli le sol de la grotte, le rendant doux comme du marbre.

La fatigue la submergea, amplifiée par le murmure aquatique et l'écho du clapotis dans la grotte profonde.

Plus loin, le ruissellement prenait une teinte dorée, comme un cours d'eau de montagne. La surface animée scintillait, couleur topaze.

Jasmine avait tellement envie de dormir qu'elle dut ordonner à ses yeux de rester ouverts.

Il doit bien y avoir un endroit pour s'allonger, quelque part, pensa-t-elle. Or, tout n'était que parois rocheuses et flots étincelants.

Elle pénétra encore davantage dans les galeries inondées, descendit des escaliers et longea des couloirs, de l'eau jusqu'à la taille. Elle marchait, marchait, jusqu'à oublier qu'elle marchait. Impossible désormais de déterminer si elle montait ou descendait.

Elle ferma les paupières un instant, tout en continuant sa progression.

Le ruisseau était très profond maintenant, elle eut l'impression de flotter ; elle marchait, mais n'était pas sûre que ses pieds touchent le fond.

L'eau merveilleuse l'enveloppa entièrement. Jasmine s'abandonna au sommeil, se laissa dériver au gré du courant chaud et sourit de se savoir si légère.

18

Jasmine perçut la douleur comme un coup de massue en pleine poitrine, et une morsure de serpent, rapide comme l'éclair, droit au cœur.

Elle était secouée de spasmes, ses poumons étaient en feu, la chaleur irradiait jusque dans ses doigts, mais elle ne pouvait pas crier. La vue gênée par un masque à oxygène plein de sang, elle fixa des flocons de neige bleus et clignotants qui tombaient du ciel, pendant qu'elle entendait les hurlements de sirènes d'ambulances.

— On a un pouls, on a un pouls, lança un homme, qui se mit à appuyer sur sa cage thoracique en comptant à voix haute.

— Préparez la canule laryngée…

Le masque à oxygène glissa sur le côté du visage de Jasmine. Elle voyait maintenant que ça fourmillait de gens autour d'elle, de véhicules d'urgence, et que la neige était rouge de sang. Un homme en tee-shirt avec l'inscription "Motörhead" se tenait à quelques pas d'elle, la main plaquée devant sa bouche. On aurait dit qu'il pleurait.

Non loin, on découpait à la meuleuse une voiture accidentée – des gerbes d'étincelles jaillirent en une large courbe.

Elle essaya de lever la tête, mais ne vit Dante nulle part.

Tout près d'elle, une femme parlait dans un radiotéléphone crépitant. Jasmine entendit certains mots : contusion cardiaque, choc cardiogénique, adrénaline IV.

Un conducteur d'ambulance aboya un ordre tout en essuyant la poussière et le sang de ses yeux.

Jasmine ne put distinguer ce qu'il criait. Une substance chaude coulait sur sa joue et s'insinua dans son oreille.

À son réveil, elle était allongée sur le dos dans une pièce blanche. De l'air frais frôlait sa peau, comme de la vapeur d'eau, avec une forte odeur de médicament.

J'ai mal, pensa-t-elle, sentant ses yeux se remplir de larmes. Des fragments de souvenirs lui revinrent à l'esprit. Elle comprit qu'elle avait eu un accident de voiture, mais ses pensées se dérobaient sans cesse.

Elle ferma les yeux et se rappela qu'elle avait tenu sa boucle d'oreille dans sa main fermée. Elle visualisa de petits bouts de verre rouge, brisés, qui tourbillonnaient lentement dans l'air.

Un médecin entra. Jasmine parvint à focaliser son regard et à le fixer droit dans les yeux. Il s'avança dans la chambre et glissa ses lunettes dans sa poche de poitrine.

— Pour commencer, je peux vous annoncer que vous êtes en vie, lui dit-il en souriant.

Elle remua les lèvres, essaya de poser une question sur Dante, mais seul un chuintement sortit de sa bouche. Le médecin s'arrêta devant son lit. Elle nota que si ses yeux bleus exprimaient de l'intérêt, ils n'étaient pas chaleureux.

— Vous avez eu un accident de voiture – est-ce que vous vous en souvenez?

Elle hocha la tête.

— Votre cœur a été comprimé lors de la collision, votre pouls battait, mais avant que les ambulanciers aient pu vous sortir de la voiture, vous avez fait un arrêt cardiaque.

Il remit ses lunettes, consulta son dossier, et observa Jasmine un bref instant avant de poursuivre, avec dans la voix quelque chose qui ressemblait à de l'autosatisfaction.

— Mais vous êtes revenue, après trois défibrillations, un milligramme d'adrénaline et trois cents milligrammes de Cordarone.

Une poche de liquide de perfusion était suspendue à un pied métallique brillant. Le sérum physiologique tombait goutte à goutte dans le tuyau en plastique du réglage de débit. Une tubulure grise menait le liquide jusqu'à un point douloureux au pli du coude de Jasmine.

— Selon l'ancienne définition, vous avez été morte pendant près de deux minutes et...

Un choc terrible avait fait tournoyer la voiture sur elle-même, du sang et du verre avaient volé dans l'air. Elle se rappela le bruit de tôle froissée, le manque d'oxygène.

— Dante, chuchota-t-elle.

Le médecin observait un tableau lumineux, il ne l'écoutait pas. Une ride s'était formée entre ses sourcils, et il fit une grimace de mécontentement en voyant sa fréquence cardiaque accélérer.

— On vous a bien soignée, constata-t-il de son filet de voix, on va maintenir la surveillance de votre rythme cardiaque pendant une semaine, mais tout indique que vous allez vous remettre.

— Dante...

Jasmine gémit et essaya de se tourner sur le côté pour se lever du lit, mais elle se sentait si lourde qu'elle eut l'impression d'être attachée.

Le médecin la regarda enfin.

— Vous essayez de me dire quelque chose? demanda-t-il.

Elle reposa sa tête sur l'oreiller, s'efforça de respirer calmement, et s'humecta les lèvres avec la langue avant de parler.

— Ma mère... elle s'occupe de Dante?

Le médecin hocha la tête sans répondre.

— Il faut dire à maman que je vais bien.

Les yeux bleus du médecin étaient tellement sérieux qu'elle sentit son menton commencer à trembler. Quelque chose n'allait pas. Quelque chose n'allait pas du tout.

19

Dès que le médecin fut parti, Jasmine tendit la main vers la sonnette et appela l'infirmière pour prendre des nouvelles de son fils et de sa mère.

— S'il vous plaît, supplia-t-elle d'une voix faible. J'ai juste besoin de savoir qu'ils vont bien.

— Je suis désolée, je ne suis au courant de rien, répondit évasivement la femme avant de repartir, et Jasmine sut qu'elle mentait.

Elle se rappela que sa mère avait emmené Dante aux halles d'Östermalm pour qu'il ait le ventre rempli avant d'aller à Nynäshamn rencontrer Mark et les avocats.

Dante avait fini tout son steak haché, et pourtant, je ne l'ai pas laissé prendre un dessert, songea-t-elle. On était trop pressés, et il neigeait.

Elle était en train de visualiser la neige qui tombait, les cristaux blancs dans la douce obscurité, quand on frappa à la porte.

Un homme de haute taille avec une moustache grise à la gauloise entra dans la pièce. Sa peau était ridée comme s'il s'était trop exposé au soleil. Vêtu d'un jean et d'un blouson assorti, il sentait la fumée de cigarette.

— Jasmine ? dit-il en tirant une chaise près du lit.

— Oui.

— Je m'appelle Gabriel Popov, je suis psychologue, annonça-t-il en s'asseyant. Pouvez-vous me dire comment vous vous sentez ?

Elle acquiesça, et les larmes lui montèrent aux yeux, floutant le visage ridé de l'homme. Elle avala sa salive et s'efforça de parler, sans y parvenir. Elle avait mal à la poitrine tant les mauvais pressentiments accéléraient son rythme cardiaque, et l'angoisse lui donna des nausées.

— Je peux revenir plus tard, si vous préférez, ajouta-t-il.

Jasmine secoua la tête, mais sa bouche tremblait trop pour articuler le moindre mot.

L'homme plissa le front et l'observa d'un regard calme, presque curieux.

— Où sont maman et Dante ? chuchota-t-elle.

La vague de peur la submergea, plus froide, plus puissante qu'aucune autre frayeur qu'elle ait connue dans sa vie.

— J'entends votre question, je l'entends… mais je voudrais que vous commenciez par raconter vos souvenirs de l'accident.

— Je ne veux pas parler de ça, je veux juste voir mon fils, chuchota-t-elle d'une voix aussi râpeuse que du papier de verre.

— Je comprends, dit Gabriel, et ses yeux s'assombrirent. Jasmine, je suis terriblement désolé… Votre mère est morte sur le coup… et votre fils est très grièvement blessé.

— Mais il est vivant ?

— On vient de l'emmener au bloc.

— Qu'est-ce qu'il a ? On va l'opérer de quoi ?

— D'une rupture de la rate qui a entraîné une hémorragie massive…

— Il ne faut pas le laisser mourir, l'interrompit-elle, et elle agrippa le bord du lit pour se redresser.

Gabriel tenta de la maintenir en position couchée, mais elle l'écarta brutalement. Le pied à perfusion se renversa en entraînant la poche de sérum, et le cathéter dans son pli de coude s'arracha.

— Écoutez-moi, dit Gabriel d'une voix ferme. Votre fils est sous anesthésie, il est transfusé et…

— Il faut qu'il survive, haleta Jasmine.

Elle tenta de glisser vers le pied du lit, mais son corps était lourd comme un tissu détrempé.

— Qu'essayez-vous de faire, là, Jasmine ? demanda Gabriel en lissant sa moustache.

Le mal au cœur l'empêcha de déglutir. Une boule dure et douloureuse enflait dans sa gorge. Elle se rappela avoir retrouvé la boucle d'oreille avec la perle juste avant la collision. Puis le sang qui giclait de la bouche de Dante, la tôle qui se tordait et se déchirait.

— Je sais bien comment ça se passe, répondit-elle, comme engourdie. Pour vous, Dante n'est qu'un patient, un parmi d'autres, mais pour moi... il est tout ce que j'ai, je ne peux pas vivre sans lui.

— Vous avez l'impression de ne pas pouvoir faire confiance à l'équipe qui l'opère ?

— Je ne sais pas. Comment pourrais-je ? Il faut que je leur parle...

— Ça sera difficile avant l'opération.

— Je ne connais même pas le nom du chirurgien.

— Il s'appelle Johan Dubb. C'est le chef de service, il est spécialiste en chirurgie thoracique.

— Est-ce qu'il a déjà opéré des enfants ?

Le cœur de Jasmine battait à tout rompre, elle en sentait l'écho jusque dans sa gorge. Elle se pencha légèrement en arrière pour rassembler ses forces avant de tenter de se redresser à nouveau, n'ayant qu'une chose en tête : sortir du lit, trouver ce chef de service et lui faire promettre de lutter pour la vie de Dante comme s'il était son propre enfant.

Gabriel donna l'alerte juste quand elle parvint à se mettre sur le côté. Une infirmière arriva précipitamment. Dans sa bouche mi-ouverte, Jasmine vit scintiller de petites dents irrégulières. Son épaule était si douloureuse qu'elle dut fermer les yeux, mais elle entendit l'infirmière dire qu'ils allaient l'aider à se détendre.

— Il faut que je voie mon fils...

L'infirmière se campa derrière elle, expliqua ce qu'elle allait faire, baissa doucement le pantalon de pyjama de Jasmine et la piqua à la fesse.

— Qu'est-ce que vous me donnez ? demanda-t-elle presque sans voix.

Gabriel quitta la chambre en murmurant. La femme remonta le pantalon et l'aida gentiment à se réinstaller dans le lit. Jasmine ferma les yeux et respira plus lentement tandis que les douloureux battements de son cœur se calmaient.

20

Jasmine restait allongée, immobile, tandis qu'une vague bouillonnante de chaleur chimique l'inondait. Quand elle fermait les paupières, des images affreuses flamboyaient dans l'obscurité, et elle se souvint des lumières rouges qui scintillaient dans les eaux noires du port.

Elle se rappelait très nettement la plaque de métal rebondissant contre son cou quand elle courait, ainsi que la sensation creuse de perte et de solitude absolue.

Elle s'humecta la bouche, ouvrit les yeux, cligna deux, trois fois, et s'aperçut que Gabriel était de retour dans la chambre.

— J'ai parlé avec Johan Dubb, expliqua-t-il avec prudence. Il n'aura malheureusement pas le temps de passer vous voir avant l'opération… ils ne peuvent pas attendre davantage. Mais je lui ai dit que vous vous inquiétez. Il m'a répondu qu'il est spécialisé en chirurgie pédiatrique… C'est rassurant, non ?

— Oui, mais…

— Apparemment, il a passé deux ans à Hong Kong pour se former dans la clinique de chirurgie thoracique sans doute la plus prestigieuse du monde.

— J'aurais juste voulu le regarder droit dans les yeux.

Gabriel s'assit sur une chaise. La veste en jean se tendit sur son ventre, manquant de faire sauter les boutons couleur bronze.

— Si j'ai bien compris, il va retirer la rate de Dante et ligaturer l'artère, dit-il avec simplicité.

— Je ne comprends pas, chuchota Jasmine, la bouche toute sèche. Il pourra vivre sans rate ?

— Oui, absolument, il pourra vivre sans rate, même si…

— Alors il va guérir ? Il guérira ? Vous me le promettez ?

— Johan Dubb est très confiant, ce n'est pas une opération difficile… Vous n'avez pas à vous inquiéter.

Elle se renversa de nouveau sur son oreiller, ferma les yeux et pria Dieu de sauver Dante. Les larmes baignèrent ses joues égratignées, ruisselèrent dans ses cheveux roux. Dante devait vivre, à tout prix. C'était la seule chose qui comptait, tout le reste rentrerait dans l'ordre.

Dante devait vivre.

L'idée de sa mort était comme un gouffre béant.

Étendue sur le dos, elle sentit une fatigue enveloppante la submerger. Le sommeil approchait – telle une voile de bateau blanche qui se déployait –, mais elle résista, répétant qu'elle voulait rencontrer le médecin de Dante et le regarder droit dans les yeux.

— L'opération va prendre plusieurs heures, l'avertit Gabriel.

— Je voudrais attendre devant la salle d'opération, insista-t-elle d'une voix rugueuse.

— Jasmine, vous savez que l'infirmière vient de vous donner un tranquillisant, un anxiolytique… Vous allez dormir, et en vous réveillant, ce sera le matin, et vous pourrez voir Dante.

— Je ne veux pas dormir, bafouilla-t-elle.

— Dante aura besoin de vous demain, mais là, maintenant, vous ne pouvez rien faire pour lui.

Jasmine croisa son regard patient, ouvrit la bouche pour protester, mais n'en eut pas la force. Au lieu de quoi, elle se dit que, dès qu'il serait parti, elle sortirait du lit.

La somnolence douce et chaude l'angoissait. Le sédatif l'apaisait trop, l'emmitoufla dans un faux contentement et l'éloignait de la réalité.

Ses pensées retournèrent vers Dante, vers ses yeux hésitants quand il avait essayé d'écrire son prénom sur la vitre embuée de la voiture.

Elle avait l'impression que les secondes précédant l'accident remontaient à des années.

Et en même temps, elle retrouvait physiquement la sensation de refermer ses doigts autour de la perle.

Elle l'avait tenue dans sa main quand elle s'était réveillée, là-bas.

La ville, pensa Jasmine, et une sensation houleuse l'envahit. La ville portuaire.

Elle rouvrit les yeux, et fixa Gabriel qui était toujours assis à son chevet.

— Que se passe-t-il ? demanda-t-il.

Elle ne répondit pas, mais se souvint subitement de tout : le quai, les bateaux, les files d'attente, la nourriture qu'elle avait mangée, le sourire désinvolte de Ting.

Ça existait pour de vrai. Elle n'avait pas déliré.

Pendant son arrêt cardiaque, elle s'était trouvée dans la ville crépusculaire avec des milliers de personnes qui attendaient, sur le long quai, d'obtenir une place à bord d'un bateau.

— Ne partez pas, murmura-t-elle.

— Vous ne pouvez pas lutter contre le sommeil.

Elle songea à la poussière accumulée sur les lanternes en papier terni, aux feuilles de coriandre dans le bouillon jaune et à l'homme qui avait été fouetté sur la place devant le tribunal.

— Il y a une chose que j'aimerais savoir, dit-elle en passant la langue sur ses lèvres. Vous avez dû rencontrer beaucoup de patients victimes d'un accident.

— Oui.

Jasmine ferma les yeux un petit instant, et vit mentalement le feuillet de soie rose que le vent rabattait sur sa main.

— Il faut que je vous pose une question.

Elle savait qu'elle ne devait en aucun cas parler du port, si elle ne voulait pas se retrouver de nouveau enfermée dans le service psychiatrique. Elle se força à ouvrir les paupières, vit le visage du psychologue, les rides d'expression et les cernes sous les yeux.

— Vous avez un instant ?

— J'avais l'intention de sortir fumer une cigarette, avoua-t-il en sortant un paquet de sa poche.

— Tout à l'heure, chuchota-t-elle.

— C'était quoi votre question ?

— Avez-vous déjà rencontré des personnes qui ont été mortes ?

— Qui ont fait un arrêt cardiaque, vous voulez dire ?

— Que racontent ces gens ? De quoi se souviennent-ils ?

— Vous pensez à des choses comme une lumière au bout d'un tunnel ?

— Par exemple.

— Certaines en ont effectivement parlé.

— Ce sont toujours des tunnels ?

— Se voir de l'extérieur, c'est assez fréquent, se contenta-t-il de répondre en reniflant son paquet de cigarettes.

— Rien d'autre ? murmura Jasmine en fermant de nouveau les yeux.

Ses paupières étaient lourdes. Elle eut l'impression que quelqu'un posait ses mains chaudes sur sa cage thoracique pour la plonger dans le sommeil.

— Dormez maintenant, conseilla Gabriel.

— Mais vous en pensez quoi, vous ? demanda-t-elle en ouvrant les yeux. D'où viennent tous ces mythes sur l'Au-delà ?

Il s'était levé et se dirigeait vers la porte.

— Je suppose que dans toutes les cultures, on a toujours essayé de trouver un sens à la mort.

— Vous pourriez aller voir Dante, s'il vous plaît ?

— C'est trop tôt, répliqua-t-il patiemment en posant sa main sur la poignée de porte.

— J'ai besoin d'avoir de ses nouvelles, le supplia Jasmine.

— Je comprends bien, mais pas avant demain matin, les médecins ont été clairs sur ce point.

Il croisa son regard, lâcha la poignée et retourna s'asseoir à côté du lit.

— Vous êtes tenu au secret professionnel, n'est-ce pas ? chuchota-t-elle.

— Bien entendu, répondit-il doucement.

21

Des mèches de cheveux, moites de transpiration, collaient aux joues de Jasmine. Elle lutta contre le sommeil, prit de profondes inspirations, cligna des yeux et essaya de déglutir.

Elle savait que le calmant altérait sa capacité de jugement, mais elle se sentit malgré tout en état de poser une question sans trop se dévoiler.

— Mon cœur s'est arrêté deux fois, commença-t-elle d'une voix rauque. Et les deux fois, j'ai rêvé que je me trouvais dans une ville portuaire avec des enseignes chinoises et des bateaux – c'est bizarre, vous ne trouvez pas?

— Si, répondit-il avec un petit sourire.

Comme elle n'arrivait pas à contrôler un léger trémolo frêle dans sa voix, qui trahissait son trouble, elle se tut un moment avant de poursuivre :

— Vous avez déjà rencontré quelqu'un qui a fait allusion à une ville portuaire? Qui a laissé entendre que l'Au-delà ressemblerait à un port en Chine?

— Non, jamais.

— Vous croyez qu'on se retrouve à un endroit précis après la mort?

— Ce que je crois a-t-il de l'importance pour vous?

— Je veux savoir, c'est tout, dit-elle en fermant les yeux. Vous avez parlé avec de nombreux patients qui se sont trouvés entre la vie et la mort.

— Le cerveau est un organe complexe, répliqua Gabriel doucement. Il est capable de créer des mondes fabuleux en seulement quelques secondes…

— Oui.

— Mais je ne crois pas à un royaume des morts, poursuivit-il avec sincérité.

— Et l'âme, vous y croyez ? L'âme n'existerait pas selon vous ? demanda-t-elle en se forçant à ouvrir les yeux et à les garder ouverts.

— La vie existe, c'est un fait, répondit-il en glissant une cigarette entre ses lèvres.

— Il paraît que le corps perd vingt et un grammes à l'instant de la mort.

Il se leva et plissa le front.

— Je sais que je vous déçois maintenant, mais il n'y a aucune preuve scientifique d'une perte de poids.

— Très bien, chuchota-t-elle.

— Et même si nous perdons du poids, la perte est si infime qu'elle pourrait s'expliquer par une sudation accrue à l'instant de la mort, ou par un reflux de liquide de perfusion dans la tubulure.

— Vous vous trompez peut-être.

— Je ne dis pas que l'Au-delà n'existe pas, je dis seulement qu'on ne dispose d'aucune preuve... pas le moindre petit indice scientifique... D'un autre côté, on ne peut pas prouver l'amour non plus... ni expliquer l'apparition de la vie.

— Je n'aime pas les psychologues, dit-elle à mi-voix.

— Moi non plus.

— C'est comme si la ville était recouverte de cendre provenant d'une éruption volcanique... et peuplée d'ombres, des ombres couleur de plomb, murmura-t-elle en pensant à la gestion bureaucratique du port, où chacun accomplissait sa tâche tout en étant mort. On est sur la frontière, mais il n'y a pas de vie. Même si certains sont là depuis si longtemps qu'ils semblent imaginer qu'ils sont vivants... ils essaient de maintenir une justice, mais... mais ils ont oublié la vie... que la vie c'est tout et... alors il n'y a pas de justice...

Les lèvres de Jasmine continuèrent à bouger même après qu'elle eut cessé de parler. Elle resta immobile, songea aux bateaux, à la mort qui diluait l'existence jusqu'à ce que les individus deviennent invisibles. Elle entendit Gabriel quitter la chambre, fermer doucement la porte.

Si Dante s'en sortait, elle ne parlerait plus de la ville portuaire, à personne à part lui. Il était hors de question qu'elle s'expose encore à une hospitalisation sous contrainte.

En aucun cas, elle n'avait compté sur une vie après la mort. Elle ne se considérait pas comme particulièrement croyante, n'allait que très rarement à l'église, n'était même pas sûre de l'existence de Dieu. Pourtant, elle était incapable de chasser de ses pensées ce qu'elle avait vécu durant sa mort clinique.

Plus que jamais, elle avait l'impression de s'y être réellement trouvée.

Elle pouvait encore sentir la plaque autour de son cou qui battait contre sa poitrine à chacun de ses pas. Elle se rappelait parfaitement comment Ting se grattait l'oreille, plissait ses yeux vers elle et parlait la bouche pleine.

La léthargie finit par l'envelopper des plumes douces et humides qui la protégeaient du monde extérieur.

Elle dormit d'un sommeil pantelant jusqu'à ce qu'un chant lointain lui fasse dresser l'oreille. Elle devina des voix claires d'enfants, mais lorsqu'elle ouvrit les yeux, elles avaient disparu. L'hôpital était plongé dans une tranquillité nocturne. Jasmine ferma les paupières et se rendormit quelques secondes avant d'entendre de nouveau les voix.

À grand-peine, elle tourna la tête et observa le couloir par la porte à moitié ouverte.

Tout était calme, puis elle vit des lueurs dansantes se projeter sur les murs.

Les flammes se reflétèrent dans les gonds et les poignées des portes du couloir.

Un chant à plusieurs voix s'éleva, des voix d'enfants s'approchèrent, résonnant telles des clochettes.

Lorsqu'elle parvint à distinguer la mélodie, elle comprit que c'était la traditionnelle procession de la Sainte-Lucie. Des jeunes filles vêtues de blanc venaient apporter la lumière au cœur de l'obscurité de l'hiver. C'est donc qu'on était le treize décembre, au petit matin. La nuit était finie.

Une jeune fille, la tête ceinte d'une couronne de bougies allumées, passa devant sa chambre, suivie d'une file d'enfants, également vêtus de blanc, qui portaient une bougie à la main.

Il fallait qu'elle se lève pour aller voir Dante.

Le chant disparut, la nuit revint.

Jasmine tendit la main, chercha la sonnette afin d'appeler une infirmière, sans la trouver. Sa main retomba. Elle avait la bouche sèche et sentit qu'elle avait besoin de se reposer un instant avant de sortir du lit.

Lorsqu'elle se réveilla, sa sœur était assise à son chevet. Depuis toujours, Diana était la plus sérieuse des deux, la plus sage. Jasmine remarqua la ride profonde qui s'était creusée sur son front. Les taches de rousseur sur sa peau blanche étaient pâles, semblables à des étoiles en plein jour.

Si le ciel était noir derrière les fenêtres, le couloir, en revanche, était baigné de lumière.

Quand Jasmine et Diana étaient petites, leur mère les habillait à l'identique, et tout le monde les prenait pour des jumelles. Les sœurs elles-mêmes se rendaient compte de leur ressemblance frappante. Or, difficile d'être plus différentes que Diana et Jasmine.

Diana avait toujours été mûre et concentrée, avait toujours paru adulte, alors que deux ans seulement la séparaient de sa petite sœur. Quand Jasmine n'était encore qu'une adolescente butée, Diana était en fac de médecine, et quand Jasmine faisait la guerre au Kosovo et s'envoyait des shots de tequila jusqu'à 5 heures du matin, Diana sauvait des vies pendant les gardes qu'elle enchaînait à l'hôpital Sahlgrenska à Göteborg.

— J'ai apporté des brioches de la Sainte-Lucie, dit Diana en brandissant un sachet de chez 7-Eleven.

— Maman est morte.

— Je sais.

Les lèvres de Diana commencèrent à trembler, et un voile couvrit ses yeux.

— J'ai pris le premier avion…, ajouta-t-elle.

— Tu as demandé des nouvelles de Dante?

Diana opina de la tête et fit glisser une boucle de cheveux brillants derrière son oreille, un geste que Jasmine connaissait depuis toujours.

— L'opération s'est bien passée, répondit-elle d'une voix assourdie. Je ne l'ai pas encore vu, mais j'ai parlé avec le chef de service. Il m'a dit que Dante se porte aussi bien que possible.

Jasmine ébaucha un sourire de soulagement et essuya les larmes de ses joues en hochant la tête.

— J'ai appelé Mark dès que j'ai atterri, poursuivit Diana. Son portable était éteint, mais j'ai laissé un message.

— Diana, il faut que je te demande… En général, est-ce qu'on rêve quand on est sous anesthésie ?

— Ils t'ont endormie en urgence avec un anesthésique qui s'appelle Ketalar, expliqua sa sœur en tirant un peu sur la manche de son pull.

— Et alors ?

— Le Ketalar a un puissant effet hallucinogène. Du même ordre que le LSD et la PCP.

22

À chaque pas, la douleur faisait trembler ses membres. La sueur coulait dans le dos de Jasmine. Des sanglots d'angoisse cherchaient sans cesse à monter jusqu'à ses lèvres.

Diana la suivait avec un fauteuil roulant, mais Jasmine tenait à marcher. Elle allait bien, elle le répétait sans cesse.

Dans l'unité de soins intensifs pédiatriques, les murs et les plinthes portaient de longues éraflures laissées par les civières amenées en urgence de la plate-forme d'atterrissage des hélicoptères ou de l'entrée des ambulances.

Devant la chambre de Dante, elle fut obligée de s'arrêter et de prendre appui sur le mur avec la main. Elle jeta un regard prudent par la vitre de la porte. Dans la pénombre, on distinguait une toute petite forme humaine sur le lit.

Elle avisa un chariot de ménage, se pencha au-dessus de la poubelle et essaya de vomir, sans toutefois y parvenir.

— Reste là, chuchota-t-elle à sa sœur avant d'ouvrir la porte.

Une odeur douceâtre de désinfectant et de produit flottait dans la pièce. Le cœur cognant dans sa poitrine, Jasmine s'approcha du corps menu. Le bras de Dante reposait sur le drap, sa main détendue posée à côté de sa hanche. Le mince avant-bras portait encore les traces de sa décalcomanie en forme de tête de mort.

— Dante?

Elle ne perçut aucune respiration, mais il lui semblait voir son ventre se soulever. Un tube pénétrait sa peau au niveau du pli du coude. Des appareils émettant une faible lumière enregistraient toutes ses fonctions vitales.

Jasmine s'avança dans la chambre, mais elle sentit l'hésitation la gagner. Elle ralentissait ses pas à mesure qu'elle découvrait dans quel état il était.

Les cheveux de son fils étaient rasés, les plaies de son crâne avaient été refermées avec des agrafes, son œil gauche disparaissait presque sous une boursouflure noircie.

— Mon chéri, chuchota-t-elle.

Les doigts de Dante tressaillirent, et il s'étira doucement en se réveillant. Il la dévisagea de son œil intact, avala sa salive et se passa la langue sur les lèvres.

— Maman, j'ai eu peur quand tu n'es pas venue, dit-il d'une voix faible.

Elle prit doucement sa petite main dans la sienne.

— Il ne faut pas avoir peur.

— Tu étais à ton travail ?

— Je voulais être près de toi, j'ai essayé, mais ce n'était pas possible.

Elle se tut en entendant combien sa propre voix était frêle, combien elle paraissait effrayée. Les pleurs refoulés menaçaient de déborder. Elle s'assit à son chevet, lui caressa les joues, s'efforça de sourire.

— Dis-moi comment tu te sens.

— On a oublié mon épée dans la voiture de mamie.

— Oui.

— J'aimerais l'appeler, chuchota-t-il.

— Mais comment tu te sens, mon chéri ?

— Je me sens bien, maman.

Derrière elle, Jasmine entendit la porte s'ouvrir. Un homme en blouse blanche entra, accompagné de Diana.

— Il a du cran, votre petit bonhomme, dit le médecin en adressant un clin d'œil à Dante.

— Comment va-t-il, réellement ? demanda Jasmine sans lâcher les doigts de son fils.

Le médecin chef Johan Dubb avait les cheveux courts, un visage mince et symétrique sillonné de rides profondes. La fatigue qu'on lisait dans ses yeux laissait penser qu'il n'avait pas dormi depuis plusieurs semaines.

— Nous avons pratiqué une splénectomie avec ligature de l'artère qui fournit du sang à la rate, autrement dit l'artère splénique, déclara-t-il sur un ton impersonnel.

— Ça veut dire qu'on peut vivre sans rate ? demanda Jasmine d'une voix faible, et elle vit Diana confirmer d'un hochement de tête.

— Absolument, répondit le médecin.

Jasmine se rendit compte que le sourire qu'elle arborait était incontrôlable ; elle aurait pu tomber à genoux pour le remercier.

— La seule chose qu'il risque, c'est une septicémie. Il faudra être très vigilant.

— On fera très attention, lui promit Jasmine.

Dante fit un petit signe de la main pour saluer Diana. Il toussota, et Jasmine eut l'impression de le voir pâlir. Elle se faisait sans doute des idées, mais elle toucha malgré tout son front. Il était frais, un peu humide.

— Il est chaud ? demanda le médecin.

— Non.

Diana s'approcha immédiatement de son neveu, et prit son pouls sans cacher son inquiétude. Quelques mèches rousses et bouclées lui tombèrent devant les yeux, elle se mordit la lèvre. Dante était blanc comme un linge.

— Dante, tu te sens mal ? demanda Jasmine.

Il secoua la tête, mais commença à se tortiller comme si le lit était inconfortable.

— Tu as mal quelque part ?

— Arrête, maman, souffla-t-il.

— Il faut que tu nous dises comment tu te sens, insista Diana.

Dante la fixa d'un regard bizarrement intense. Il ouvrit la bouche pour parler, mais aucun son n'en sortit. Une jeune infirmière aux cheveux aile de corbeau ramassés en chignon entra dans la chambre. Du coin de l'œil, Jasmine eut le temps de voir Diana échanger un regard grave avec le médecin, et une terreur glacée la saisit.

— Prenez-lui la tension ! ordonna le médecin.

L'infirmière parla gentiment à Dante pendant qu'elle lui mettait le brassard. Jasmine n'avait pas lâché sa main. Des pensées irrationnelles tournoyaient dans sa tête. Elle fut obligée de s'appuyer sur la chaise pour ne pas tomber. Le visage concentré, l'infirmière glissa le stéthoscope sous le brassard du tensiomètre et écouta attentivement. Puis elle fit un signe au médecin.

— Qu'est-ce qu'il se passe? demanda Jasmine. Diana, dis-moi!

— Dante? dit le médecin sans un regard pour elle. Ça fait comment quand tu respires?

— C'est super difficile, chuchota le petit garçon.

Il prit une profonde inspiration et essaya de se retourner comme s'il voulait échapper à quelque chose.

— Qu'est-ce qu'il se passe? répéta Jasmine sans parvenir à dissimuler son affolement.

— Tu peux respirer? demanda Diana en tapotant les joues de Dante. Est-ce que tu sens l'air arriver dans tes poumons?

Dante fit oui de la tête, mais ses lèvres étaient quasiment grises. Il ouvrit la bouche, montra sa gorge avec le doigt, puis se mit à tousser de nouveau.

— Pourquoi il n'arrive pas à respirer? s'écria Jasmine d'une voix suraiguë.

— Ça va aller, maman, haleta-t-il.

— Préparez un écho-doppler, dit rapidement le médecin à l'infirmière.

— Pourquoi? C'est quoi, un écho-doppler?

— Laisse-le travailler maintenant, lui conseilla Diana à voix basse en la prenant par le bras.

— Une simple échographie du cœur, répondit le médecin sans la regarder.

— Mais pourquoi?

Diana fit sortir Jasmine de la chambre. Elle ne voulait pas s'en aller, mais elle comprit qu'elle n'avait pas le choix. Avant que la porte se referme, elle se retourna et vit les frêles jambes de Dante secouées de spasmes.

23

Une infirmière introduisit une sonde dans la narine de Dante pour l'oxygène. Il continuait à se tortiller, son visage restait grisâtre.

Jasmine se trouvait à l'extérieur de la salle d'opération, mais elle put assister, derrière une vitre, à la réalisation de l'écho-doppler cardiaque. Johan Dubb semblait sourire tout seul en observant l'écran de contrôle. Les rides de ses joues se tendirent comme l'aurait fait une chemise trop petite. Les mains de Jasmine étaient glacées, le sang battait à ses tympans. Ses jambes semblaient sur le point de se dérober sous elle.

Diana sortit du bloc et vint la rejoindre. Elle avait pleuré, ses yeux vert clair étaient rougis et luisants. La nervosité créa une mince fissure dans sa voix lorsqu'elle expliqua à sa sœur que les médecins avaient détecté un hémopéricarde.

— C'est une hémorragie minime d'une artère coronaire. Mais ça comprime le cœur, ça l'empêche de fonctionner normalement. C'est pour ça qu'il a du mal à respirer.

— Qu'est-ce qu'ils vont faire ? chuchota Jasmine, sentant la panique la prendre d'assaut avec la fureur d'un terrible orage.

L'infirmière fit à Dante une injection par voie fémorale, et Jasmine contempla le corps tremblant de son fils.

— Ils vont enlever le sang, ça s'appelle une ponction péricardique… Ils vont enfoncer une grosse aiguille sous la partie gauche de la cage thoracique, pour atteindre le péricarde.

— Ils vont encore l'endormir ?

— Ils n'ont pas le temps, répondit Diana en suivant le regard de Jasmine en direction de la vitre. C'est urgent, ils doivent immédiatement mettre en place un cathéter.

Une autre infirmière badigeonna rapidement le torse de Dante avec un produit couleur rouille. Le liquide coulait jusqu'au sol. Le médecin s'approcha, observa Dante, palpa ses côtes. C'était peut-être un reflet dans le verre, mais elle eut l'impression que ses yeux étaient bizarres – comme recouverts d'une pellicule.

— C'est dangereux, ce qu'ils…

— Ne regarde pas maintenant, l'interrompit Diana.

Le cœur de Jasmine battait à tout rompre. Elle resta devant la fenêtre avec Diana pour voir une mince tige d'acier pointue être introduite dans le thorax de son fils. Le médecin sembla d'abord forcer le passage entre les côtes, puis l'aiguille entra plus aisément. Un filet de sang rouge clair suinta autour de la piqûre. Dante avait peur, les larmes coulaient le long de ses joues. Jasmine agita la main pour qu'il la voie et se concentre sur elle, mais ses yeux effarés erraient dans la salle sans trouver de réconfort.

En voyant la petite main de Dante trembler, elle pensa à sa propre hésitation au restaurant où il n'avait pas eu son dessert. Peut-être l'accident n'aurait-il pas eu lieu si elle avait osé prendre une décision, si elle avait été plus détendue et lui avait commandé une glace.

— Ça se passe bien, on dirait, annonça Diana avant de retourner dans la salle d'opération.

Dante ne bougeait plus, son ventre se soulevait au rythme de sa respiration rapide. Jasmine regarda sa sœur qui parlait avec le médecin.

Les infirmières fixèrent un tuyau le long du thorax de Dante.

Jasmine était à bout de forces, mais elle demeura plantée devant la vitre pour tenter d'interpréter l'expression de leurs visages.

Derrière le médecin, le reflet d'un instrument chromé dansait sur le mur à côté d'un tableau électrique avec des prises spéciales.

Jasmine ferma les yeux et se répéta que le médecin avait l'air serein, qu'il savait ce qu'il faisait. Dante allait se rétablir. Je le sais, se dit-elle. Il faut qu'il se rétablisse. Il n'a que cinq ans.

Elle rouvrit les yeux en entendant Diana revenir.

— Les médecins n'ont pas remarqué l'hémorragie de l'artère coronaire parce que…

— Comment ont-ils pu la louper? l'interrompit Jasmine. Ce sont des spécialistes, non?

— Parce que tous les symptômes d'une lésion de ce type sont masqués par la grosse hémorragie provenant de la rate, expliqua Diana.

— Il faut qu'ils réussissent! Ils ont évacué le sang maintenant? Dis-moi qu'ils l'ont évacué!

— Absolument, répondit Diana, mais l'inquiétude pesait toujours sur son visage.

— Alors, il arrive de nouveau à respirer?

— Oui, il respire. Et avec un peu de chance, l'hémorragie va se résorber d'elle-même.

— Comment ça, de la chance? Ils ont dit ça? Ça veut dire quoi? Il va se rétablir, oui ou non?

Des rides soucieuses plissaient le front de Diana lorsqu'elle se tourna vers la fenêtre et, soudain, Jasmine la perçut comme la femme mûre qu'elle était, avec ses premiers cheveux blancs et son visage qui, à force d'être sérieux, n'affichait que trop rarement ses jolies fossettes.

— Ils sont indécis… Ça saigne encore trop, finit-elle par dire en regardant Jasmine dans les yeux. Ils envisagent de programmer une autre opération pour cette nuit.

— Pourquoi est-ce qu'ils attendent la nuit? Je ne comprends pas. C'est risqué, comme opération?

— Ils sont très compétents dans ce service, esquiva sa sœur.

— Dis-moi la vérité, Diana. J'ai besoin de savoir ce qui se passe.

— Voilà ce qu'il en est… L'hémorragie provient d'une artère coronaire qui s'appelle la circonflexe… Elle court sur la face postérieure du cœur.

— Mais il est possible de la ligaturer? Hein?

— Oui, c'est possible. Le problème, c'est qu'on n'a pas accès à la face postérieure du cœur pendant qu'il bat.

— Qu'est-ce que tu essaies de me dire ?

— Ils seront obligés de provoquer un arrêt cardiaque pour...

— Ils vont arrêter le cœur de Dante ?

— Jasmine, il faut que tu comprennes que...

— C'est hors de question, la coupa Jasmine.

Elle tourna le regard vers la vitre donnant sur la salle d'opération. Le sang en train d'être évacué du péricarde de Dante remplit le fond d'une cuvette en inox.

Le champ de vision de Jasmine se brouilla et s'obscurcit. Elle ne se rendit pas compte qu'elle tombait avant de heurter le sol, entraînant une chaise dans sa chute.

Quand elle ouvrit les yeux, son regard s'accrocha à une baguette de plastique qui pendait au plafond, mettant à nu un faisceau électrique.

Diana était agenouillée à ses côtés. Jasmine voulut lui dire qu'elle allait bien, mais elle tremblait trop pour articuler le moindre mot.

Il ne faut pas qu'ils arrêtent le cœur de Dante, il ne faut pas, il ne faut pas.

Elle referma les yeux, entendit d'autres personnes arriver, et sentit qu'on la soulevait sur une civière qu'on fit rouler dans un couloir équipé de portes automatiques.

Jasmine resta immobile pendant qu'on l'examinait et lui faisait des prélèvements. On lui parla, mais elle n'eut pas la force de répondre. Elle attendait l'instant où elle serait seule avec sa sœur.

D'après Diana, l'anesthésique qu'on lui avait administré après l'accident provoquait des hallucinations, mais la ville portuaire qu'elle avait vue n'avait rien d'une illusion.

Son séjour là-bas avait été cohérent et chronologique.

Elle avait parcouru chaque fragment de souvenir à la recherche de failles, de raccourcis inhérents aux rêves ou de métamorphoses dont se sert le délire. Mais tout se tenait.

C'était irréfutable.

Elle n'avait pas rêvé, elle n'avait pas eu de phase psychotique.

Elle avait peut-être bel et bien vu l'antichambre de la mort. Comme la première fois, au Kosovo.

Elle avait l'impression que c'était un souvenir bien réel, comme si elle s'y était trouvée physiquement.

Je suis une femme moderne, se dit-elle.

Que les psychiatres aient qualifié son vécu de psychose, de suites d'une blessure de guerre, n'avait rien d'étonnant, mais ils ne pouvaient pas tout savoir.

Elle était sûre de ce qu'elle avait vu.

Une larme coula sur sa joue, et s'insinua dans son oreille.

Elle déglutit, se força à respirer plus calmement et décida comment agir dès que ces gens auraient quitté sa chambre.

Son cœur battait la chamade rien qu'à cette idée.

Car elle disposait d'un moyen concret de prouver l'existence de la ville portuaire.

24

Jasmine ouvrit les yeux et vit une pâle lumière d'hiver filtrer par le carreau sale de la fenêtre.

Il fallait qu'elle le fasse, il fallait qu'elle soit assez forte pour le faire.

Li Ting avait raconté que son grand-père possédait une ébénisterie à Stockholm, rue Olof-Palme.

Je vais y aller, pensa-t-elle. Je vais trouver son magasin et demander à voir Ting. Si tout ce qu'il m'a raconté est vrai, je me suis réellement trouvée dans la ville portuaire pendant mon arrêt cardiaque.

Elle sentit le goût de sang dans sa bouche en réalisant qu'elle avait effectivement une possibilité de démontrer qu'elle avait raison.

La pensée était vertigineuse.

Si le port du royaume des morts existait vraiment, si tout le monde y accédait au moment de mourir, Dante allait s'y retrouver, seul, cette nuit, quand ils arrêteraient son cœur pour l'opérer.

Des dispositions spéciales existaient peut-être pour aider les enfants qui arrivaient seuls? Mais si ce n'était pas le cas? Comment pourrait-il rejoindre le terminal de cabotage et comprendre la bureaucratie si compliquée?

Dante savait à peine écrire son propre prénom.

Jasmine pensa à la petite fille qui pleurait dans la ruelle et au grand homme en costume brun qui la rudoyait pour qu'elle donne son visa à la femme en fauteuil roulant.

Elle avait fréquenté des soldats pendant de nombreuses années, et à deux, trois reprises, elle avait croisé des individus particulièrement dangereux.

Le grand homme ressemblait à ce genre d'individus, même si elle n'avait pas aperçu son visage. Elle avait reconnu le calme caractéristique de ses mouvements, la violence fruste, l'égocentrisme.

La police, les procureurs, les juges luttaient tous pour empêcher la triade de s'emparer entièrement de la ville. Mais depuis que la criminalité organisée y avait trouvé un ancrage, il n'y avait plus de justice dans la mort.

Dante n'aurait aucune chance s'il arrivait dans le port. La triade le prendrait, lui ferait peur et l'obligerait à se séparer de son visa.

Elle entendit sa sœur dire aux aides-soignantes qu'elles pouvaient partir, qu'elle s'occuperait personnellement de la suite. Dès que la porte se fut refermée, Jasmine se força à se dresser sur ses coudes.

— Signe-moi un bon de sortie, dit-elle à Diana.

— C'est beaucoup trop tôt.

— Mais je vais bien, je n'ai rien et je dois…

— Tu viens de t'évanouir, l'interrompit sa sœur. Tu t'en souviens ? On ne te laissera pas sortir avant plusieurs jours.

— Je t'entends, je comprends, insista Jasmine. Mais je dois me renseigner sur quelque chose.

— Je ne peux pas le faire à ta place ?

— Je ne t'ai pas parlé de tout ce que j'ai lu, de ce que j'ai trouvé à la bibliothèque, comme les sépultures de nos Vikings par exemple, débita Jasmine sur un ton surexcité. Dans tout le Nord, les Vikings ensevelissaient leurs morts dans des embarcations en bois… Rien qu'à Uppsala, ils ont découvert dix-neuf tombeaux… Les bateaux mesuraient dix mètres de long, il y avait de la place pour huit rameurs, des armes… Et sur le site de Sutton Hoo en Angleterre, ils ont exhumé un énorme bateau-tombe qui…

— Qu'est-ce que ça prouve ?

— Rien.

— Jasmine, je t'écoute, mais je…

— Je sais que je suis pénible, mais rien ne m'oblige à rester à l'hôpital, n'est-ce pas?

— Et voilà, c'est comme d'habitude, soupira Diana en s'asseyant. Je ne sais pas pourquoi tu me parles alors que tu t'es déjà décidée...

— Parce que tu dois m'accompagner.

— Jasmine, je suis prête à t'écouter si tu manges d'abord un morceau, dit-elle en regardant longuement sa sœur.

— Je n'ai pas le temps de manger.

— Tu vas t'évanouir de nouveau.

— Je n'ai pas faim. Tu peux regarder s'il y a des vêtements que quelqu'un aurait laissés?

— C'est quoi, ce truc que tu dois absolument trouver?

— S'il te plaît, ce sera vite fait. Je suis obligée, je dois le faire, ne serait-ce que pour ne plus y penser.

— C'est censé me rassurer, ça?

25

Elles roulaient dans la voiture de location de Diana, au milieu de l'intense circulation de Stockholm. L'odeur de sièges neufs et de plastique se mêla à celle, humide, provenant des vêtements usagés de Jasmine. De petits flocons de neige désorientés voltigeaient. Les chasse-neige avaient formé de hauts remblais qui rétrécissaient la chaussée. La surface souple de la route tonnait sous les pneus.

Jasmine finit son sandwich et le jus d'orange que Diana avait achetés, puis elle baissa le pare-soleil et s'observa dans le petit miroir. Ses cheveux flamboyants étaient rassemblés en une queue-de-cheval. Elle avait fait de son mieux pour dissimuler sous une couche de maquillage les bleus et les plaies sur son visage.

— Tu avais quand même un peu faim, constata Diana avec un léger sourire.

— Non, répliqua Jasmine de façon puérile.

Diana loupa l'embranchement de l'avenue Sveavägen, bifurqua dans la rue suivante et fut obligée de s'arrêter pour attendre le déchargement d'une livraison. Avec une infinie lenteur, le camion abaissa sa plate-forme chargée de marchandises emballées.

— Je peux descendre ici, suggéra Jasmine.

— Ce sera bientôt fini. Je comprends que tu aies envie d'être très vite de retour au chevet de Dante, mais il ne faut pas que tu te mettes tant de pression.

Elle jeta un coup d'œil dans le rétroviseur et recula. Un taxi derrière klaxonna furieusement. Jasmine fit un petit coucou au conducteur quand leur voiture grimpa par-dessus un talus de neige puis sur le trottoir, et s'engagea dans la Kamma-kargatan.

— Est-ce que je pourrais juste dire une chose à propos de l'armée de terre cuite sans qu'on m'attache de nouveau dans un lit ? demanda Jasmine. Tu sais, le premier empereur de Chine a été enterré avec huit mille soldats d'argile. Chaque visage est individualisé…

— Oui, mais…

— Tout porte à croire que c'est une véritable armée qui a été immortalisée, poursuivit-elle, comprenant que son sou-rire devait paraître terriblement oppressé.

— Sans doute.

— Qui était déjà sur place dans le port quand l'empereur est arrivé.

— Jasmine, soupira Diana.

— Je sais, mais pourquoi est-ce qu'ils ont tous le cou dis-simulé ? demanda-t-elle avant de répondre elle-même à sa question : parce que les soldats n'ont pas le droit de porter des colliers et…

— Qu'est-ce que tu racontes ?

— Ils dissimulent leur visa – c'est la seule explication.

— Leur visa ?

— Tu sais, j'en ai déjà parlé, fit Jasmine avec impatience. C'est pour ça qu'ils ont des cache-cols.

— Mais les cache-cols, c'est pour…

— Il ne fait pas froid dans le Shaanxi.

— D'accord, dit Diana d'une voix rendue rêche par la fatigue. Je regarderai les photos.

Les cloches de l'église Adolphe-Frédéric se mirent à carillon-ner un cantique de Noël retentissant. Jasmine sentit la douleur dans sa nuque augmenter, mais elle n'en parla pas à Diana.

La rue Olof-Palme commençait là où l'ancien Premier ministre avait été assassiné, et formait avec les rues Luntmakargatan et Tegnérgatan ce qu'on appelait le Chinatown de Stockholm : une petite zone regroupant des boutiques asiatiques.

Diana se rangea le long du trottoir devant le Chongdee Fastfood, et demanda pour la troisième fois si ce ne serait pas mieux de trouver une vraie place de parking pour qu'elle puisse l'accompagner.

— Je vais juste vérifier un truc, répéta Jasmine en ouvrant la portière.

— Si tu n'es pas de retour dans une demi-heure, je commencerai à m'inquiéter, lança Diana alors que sa sœur enjambait déjà le remblai de neige.

Le pantalon pioché dans le stock de vêtements oubliés à l'hôpital était beaucoup trop grand pour elle, et le long pull tricoté lui arrivait à mi-cuisses, dépassant du sweat à capuche.

Jasmine sentit le froid de la neige pénétrer les baskets empruntées.

Le souvenir de la grande ville portuaire l'envahit, tel un écho cafardeux au milieu de ce quartier chinois.

Le rouge et le jaune des enseignes paraissaient criards dans le crépuscule d'hiver.

Elle marchait tout en essayant de lire le nom des boutiques. Son regard se faufilait derrière chaque vitrine, passait sur les portes et les enseignes lumineuses.

De fins rideaux de neige balayaient le trottoir déjà blanc.

Elle ne se rappelait pas le nom de l'ébénisterie, mais elle se dit qu'il ne devait pas y en avoir trente-six.

Dans la vitrine embuée d'un restaurant étaient affichées des photos des différents plats servis, et un grand dragon en porcelaine, la tête ceinte d'une guirlande argentée en clin d'œil à la Sainte-Lucie, prenait racine à l'entrée.

L'effort et le stress firent trembler les jambes de Jasmine. Un grand bonhomme aux cheveux blonds ébouriffés lui laissa le passage sur l'étroit trottoir.

— Sois prudente! lança-t-il avec un joli accent finnois.

Elle croisa ses yeux gris argent, et lui murmura un merci surpris avant de s'approcher d'une porte pour lire le petit panneau qui y était accroché.

Une camionnette de livraison s'était arrêtée devant l'East World Import. Des palettes d'huile d'arachide et de vinaigre de riz étaient en cours de déchargement dans le magasin.

Les photos de plages et de la Grande Muraille de Chine de l'agence de voyages Jade Travel avaient perdu leurs couleurs.

Jasmine passa devant le cabinet d'acupuncture Yu Hua, les magasins China Trading, Good Fortune et Kukyo. De l'autre côté de la rue, elle vit le China Supermarket, le salon de massage Wang Thaï et une boutique de vêtements appelée "Year of the Dragon".

Elle avait déjà dépassé la rue Drottninggatan lorsqu'elle s'arrêta. Il n'y avait plus de magasins asiatiques.

Un bref instant, elle resta plantée là sous la fine neige qui tombait. Il faisait nuit désormais, et les gens passaient sur le trottoir tels des zombies.

Elle rebroussa chemin en marchant de l'autre côté de la rue.

D'un restaurant ouvert seulement le midi s'échappait une odeur d'anis et d'huile de sésame chauffée. Elle vit un homme penché sur son assiette, en train de manger du riz avec des gestes rapides.

Elle grelottait de froid. La douleur dans sa nuque était montée à la tête. Elle s'entoura de ses bras pour se réchauffer et tenta de ne pas trébucher sur les congères. Un gros pan de neige dense et humide glissa d'un toit et atterrit juste devant elle avec un bruit sourd.

Jasmine stoppa net, et inspira l'air froid tout en jetant un regard dans la Holländargatan, sur le Maimai Asian Market avec ses vitrines embuées et ses affichettes écrites à la main.

Plus loin se trouvaient un salon de tatouage exigu et un petit restaurant avec une lanterne rouge en papier, recouverte de neige.

Un camion sale et bringuebalant s'engagea dans la rue étroite. Les gaz d'échappement se répandirent tel un nuage phosphorescent. Une fois le camion disparu, elle aperçut de l'autre côté de la rue une porte d'accès à une cave, portant de magnifiques signes calligraphiés en or sur du métal noir. Elle enjamba l'amas de neige, s'insinua entre deux voitures coincées dans l'embouteillage, enjamba l'amas de l'autre côté et se retrouva sur le trottoir. La plaque en laiton de la fente à courrier était recouverte d'une étiquette portant le texte "Li Kun Mugong, Holländargatan 3, 123 22 Stockholm".

C'était ça, le nom.

Le magasin existait.

Elle était pratiquement sûre de reconnaître le nom que Ting avait mentionné.

C'est de la folie, songea-t-elle, mais aussi la seule chose à faire.

Son mal de tête augmenta à une vitesse inquiétante. Elle aurait voulu fermer les yeux quelques secondes, mais en faisant un pas de côté pour laisser passer une femme avec une poussette, elle glissa et dut descendre sur la chaussée pour retrouver son équilibre. Une fourgonnette noire frôla son épaule, quelqu'un klaxonna.

Elle remonta sur le trottoir et s'appuya sur une armoire électrique presque ensevelie sous la neige. Le froid glacial fusa à travers sa main. Jasmine s'avança jusqu'à la porte, l'ouvrit, puis descendit prudemment un escalier raide et se retrouva devant une porte en bois clair munie d'une vitre.

26

Une cloche émit un frêle tintement quand Jasmine ouvrit la porte pour se retrouver dans un sous-sol rempli d'armoires, de commodes, de coffres. Une agréable odeur épicée de sciure de bois parfumait l'air. Les meubles étaient disposés de façon à créer de petits passages dans toutes les directions.

— Ho hé, il y a quelqu'un ? demanda-t-elle d'une voix retenue avant d'entrer résolument dans le local.

La laque rouge parsemée de papillons noirs et argentés de la porte d'une bibliothèque lui renvoya vaguement son reflet.

— Il y a quelqu'un ?

Elle contourna une vitrine, dépassa un haut secrétaire incrusté d'un décor complexe en intarsia, pourvu de petits tiroirs ingénieux, et continua devant des bahuts et de magnifiques coffres aux couvercles sculptés de figurines.

Certains meubles portaient des étiquettes jaunies à moitié décollées. Les lampes en papier de riz ornées de signes chinois se balançaient dans le courant d'air qu'elle créait.

Elle s'arrêta devant un comptoir équipé d'une antique caisse enregistreuse en métal, et put, de là, regarder par l'interstice d'une porte entrouverte.

— Excusez-moi ! appela-t-elle.

Au bout d'un moment, elle entendit des pas traînants. La porte s'ouvrit, et un vieil homme apparut dans la pénombre. Derrière lui, Jasmine devina l'atelier d'ébénisterie à proprement parler, avec son établi et ses rayonnages.

— Vous voulez acheter des meubles ? demanda-t-il.

— En fait, je voulais juste vous demander...

— Je ferme, là, l'interrompit le vieux.

— Vous êtes le propriétaire?

— Allez-vous-en! dit l'homme sur un ton bourru en agitant la main avec impatience.

— Pardon, mais je voudrais…

— J'appelle la police.

Jasmine prit conscience de son apparence : son visage couvert d'hématomes, les points de suture à l'arcade sourcilière, les vêtements qui n'étaient pas les siens.

— Je vais partir, mais j'ai une question à propos de votre petit-fils, insista-t-elle en s'appuyant contre une petite table d'appoint munie d'une étrange fermeture en laiton.

— Je n'ai pas de petit-fils, indiqua le vieillard. Je n'en ai jamais eu.

— Mais j'ai rencontré un jeune homme qui s'appelle Ting, et il m'a dit…

— Je n'ai pas le temps de bavarder, la coupa-t-il. Partez, s'il vous plaît.

— Il m'a dit que l'ébénisterie de son grand-père se trouvait ici, persévéra Jasmine en s'efforçant de capter le regard du vieil homme.

— J'ai du travail.

— Vous ne connaissez personne qui se prénomme Ting?

— Non, répondit-il en posant sur elle un œil agacé.

— Je comprends, je m'en vais, chuchota Jasmine. Excusez-moi…

Elle zigzagua entre les meubles, ouvrit la porte d'entrée, entendit le son de la clochette, pensa au port et s'arrêta.

Elle se souvint de la façon qu'avait eue Ting de happer les nouilles avec ses lèvres pendant qu'il parlait de l'ébénisterie de son grand-père. Il avait décrit les écrins, les armoires, la caisse enregistreuse démodée, il avait dit qu'il se cachait sous le comptoir quand il était petit et gravait des signes dans le bois.

Elle fit demi-tour et reprit le passage entre les meubles. Le vieil homme s'avança vers elle. Il tenait un balai et se mit en travers de son chemin.

— Allez ouste! Dehors! cria-t-il d'une voix aiguë.

Jasmine n'en tint pas compte. Elle écarta son balai d'un revers de main, et dépassa le vieil homme. Tout en marmonnant, il la suivit entre deux armoires étroites. L'une était blanche avec des caractères noirs, l'autre d'un noir brillant couvert de centaines de pétales de nacre.

— De toute façon, il n'y a pas d'argent ici, dit-il sur un ton las quand elle contourna le comptoir.

— Je veux juste jeter un coup d'œil là-dessous.

— Sous le comptoir ?

L'homme s'assit sur un tabouret. Jasmine s'accroupit, mais il faisait tellement sombre qu'elle ne put rien distinguer. Elle fut obligée de s'allonger sur le dos et de s'engager sous le meuble.

Ça sentait le bois et la poussière. Le carrelage était glacé. Elle leva les bras et, du bout des doigts, tâta le dessous du plateau.

Je ferais mieux de laisser tomber, songea-t-elle, submergée par une angoisse subite. Je ne suis plus capable de faire la distinction entre la réalité et l'imaginaire. Il faut que je retourne auprès de Dante, je n'aurais jamais dû quitter l'hôpital.

Quelque part dans la boutique, un raclement se fit entendre, comme une spatule dans une poêle en fonte.

Ses doigts poursuivirent leur recherche, et soudain, elle sentit des irrégularités dans le bois.

Des gravures.

Son pouls s'accéléra.

Son bras lui parut incroyablement lourd, mais elle maintint ses doigts sur les traces jusqu'à ce que ses yeux s'accommodent et qu'elle puisse lire.

Metallica.

Elle baissa la main et tourna la tête. Le vieil homme n'était plus assis sur son tabouret.

27

Jasmine resta étendue, elle sentit le sol vibrer sous son dos. Sans doute une rame de métro qui passait quelque part. Elle cilla pour chasser l'obscurité, lut encore une fois le nom du groupe de hard rock, s'enfonça encore davantage et leva la tête.

Au bout d'un instant, ses yeux discernèrent une multitude de gravures superficielles dans le bois.

Des enfilades de caractères chinois.

Et au beau milieu de tous ces idéogrammes, la phrase *Ting and Lisbet 4-ever.*

Elle eut encore l'impression que son cœur allait s'arrêter.

Essayant de respirer calmement, elle se traîna sur le côté et vit le dessin d'une femme aux gros seins, les cuisses écartées.

Un peu plus loin, elle put lire les mots *Ting rules*, écrits à l'encre rouge.

Les larmes lui vinrent aux yeux, débordèrent, roulèrent avec un petit chatouillement jusqu'à la racine des cheveux.

Jasmine s'extirpa de sous le comptoir et se releva péniblement. Le vieux était retourné dans son atelier. Il ponçait un meuble, le dos courbé. Ses gestes étaient ceux d'un être esseulé et fatigué.

Elle mit une main tremblante devant sa bouche. Des pensées chaotiques agitaient son cerveau.

Je l'ai rencontré. C'était pour de vrai.

Ses larmes coulaient sans discontinuer, tant elle était bouleversée, causant une douleur cuisante à ses lèvres éclatées et aux plaies sur ses joues.

Elle s'appuya contre le comptoir, tenta de reprendre ses esprits, s'essuya le visage, se dirigea vers l'atelier et frappa à la porte ouverte.

Le vieux faisait semblant de ne pas l'entendre. Il ponçait son meuble, et soufflait sur la poussière de bois. Derrière lui, Jasmine aperçut une étagère garnie d'outils manuels : de magnifiques rabots anciens, des ciseaux à bois, des scies, des couteaux en tous genres.

— J'ai besoin de savoir si Ting a été opéré hier, dit Jasmine d'une voix étouffée.

— Partez maintenant, murmura-t-il, tout à son meuble.

— Je lui ai parlé. Il m'a raconté qu'il venait dans la boutique de son grand-père quand il était petit, il se cachait sous le comptoir pour ne pas avoir à donner un coup de main.

Les mains du vieillard suspendirent leur mouvement, il hocha lentement la tête.

— Il a gravé un tas de mots sous le plateau, poursuivit Jasmine à voix basse.

— Il n'avait pas le droit de le faire – ce comptoir est un meuble précieux.

Le vieil homme se tourna vers elle. Ses bras fins pendaient, ses yeux étaient las et tristes.

— Dites-moi comment il va, le pria Jasmine en s'efforçant de garder le contrôle de sa voix.

— Nous n'avons aucun contact, répondit le vieux laconiquement.

— J'ai eu un accident de voiture, mon cœur s'est arrêté pendant deux minutes, mais pendant que j'étais morte, j'ai rencontré un jeune homme qui s'appelait Ting.

Le vieux écarta vivement ses mains en un geste étrange. L'émotion fit trembler son menton.

— Il est mort maintenant ? demanda-t-il.

— Oui, mais il fait partie de ceux qui peuvent revenir, expliqua Jasmine. Il m'a raconté que la dernière chose dont il se souvenait, c'est qu'on allait l'endormir. Il comptait à rebours, mais son opération cardiaque a dû mal se passer…

Le vieux chercha son souffle comme si un épuisement colossal l'avait rattrapé.

— Ting se trouve à l'hôpital de Danderyd, en soins intensifs, mais pas pour une opération du cœur, déclara-t-il sur un ton grave.

— J'ai peut-être mal compris.

— Vous ne le connaissez pas – n'est-ce pas ?

— Je l'ai rencontré hier, c'est tout.

— Ting est toxicomane depuis plusieurs années… Hier, sa mère m'a appelé pour me dire qu'il a fait une overdose…

— Mais il s'en est sorti – si on est transporté à l'hôpital, on s'en sort, non ?

— Je ne sais pas, j'ai dit à ma fille que je ne voulais pas être mêlé à ça.

Aucun mot n'aurait su décrire le silence qui remplit la pièce.

— Vous dites que vous avez rencontré Ting alors que vous étiez morte, finit par articuler le vieux.

— Nous étions morts tous les deux.

— Vous vous souvenez donc de l'Autre Monde ?

— Oui.

— Vous avez vu le royaume des morts ?

— Je crois, oui.

— Est-ce que les rues sont en or ?

— C'est sans doute variable, mais moi, je suis arrivée dans une ville portuaire qui… que j'ai prise pour une ville chinoise. Pratiquement tous les panneaux étaient écrits en chinois, les maisons étaient de style chinois… Vous comprenez, les gens sur le quai venaient du monde entier, mais j'avais l'impression de me trouver en Chine.

L'homme hocha la tête, songeur.

— Ce que vous racontez me rappelle un mythe assez célèbre qui trouve ses origines dans l'est de la Chine, dans une province qui s'appelle Jiangsu.

— Et que raconte-t-il, ce mythe ?

— À Jiangsu, on dit que le royaume des morts débute dans une ville portuaire, sur un long quai où les bateaux sont amarrés sur sept rangées…

— Au moins dix, chuchota Jasmine.

— Et quand le général Li Jing est revenu d'entre les morts, il a raconté que le tribunal de l'empereur y était tellement

132

inique qu'il avait exigé d'avoir son cas réglé sur le playground, le terrain de jeu.

— Il semblerait qu'il n'y ait plus d'empereur.

— Non, évidemment.

— Désormais, c'est la criminalité organisée qui saccage le port.

— Pareil qu'à Shanghai, à Chongqing, à Shenyang…

— Mais pourquoi… pourquoi le royaume des morts ressemblerait-il à la Chine?

— À Jiangsu, on soutient que c'est le contraire, affirma le vieillard.

— Comment ça?

— C'est une idée de bon aloi, car nous, les Chinois, avons toujours respecté nos ancêtres. Nous avons toujours voulu que les morts se sentent à l'aise, déclara-t-il d'un air satisfait. Si bien que nous avons interrogé ceux qui sont revenus du port, nous les avons écoutés, et après les premières dynasties, ils étaient suffisamment nombreux pour que leurs récits imprègnent toute la société.

Jasmine comprit où il voulait en venir. Ce n'était pas la ville portuaire qui rappelait la Chine, c'était l'inverse : le royaume des morts avait existé avant toutes les civilisations.

Elle pénétra dans l'atelier et aperçut un autel sur lequel brûlait de l'encens devant une photographie de Ting en casquette de bachelier. Il était plus jeune sur la photo, ça se voyait nettement. Son visage était plus rond, beaucoup plus innocent, mais il avait déjà ce je-ne-sais-quoi dans le regard, dans le sourire, qui lui faisait de l'effet.

— C'est tout aussi bien qu'il soit mort, dit le vieil homme derrière elle. Il n'était source de joie pour personne.

— Il m'a aidée à revenir à la vie, protesta Jasmine, le regard rivé à la photographie.

— Bah, il avait l'intention de vous flouer, de voler votre argent et…

— Je ne pense pas. Il m'a accompagnée, il m'a tout expliqué, sans rien demander en retour, sans s'attendre à quoi que ce soit… parce qu'il était persuadé qu'on ne se souvenait pas de la ville en revenant à la vie.

Le vieux leva une main fatiguée et dit :

— *Huang hun.*

— *Huang hun?*

— Les Chinois disent que les enfants dont le cœur s'est arrêté à la naissance possèdent une *huang hun*, une âme jaune… Ils sont capables de se souvenir de ce dont on ne peut pas se souvenir, ils se souviennent de l'Autre Monde – ce sont eux qui ont créé l'ancienne Chine.

Il secoua la tête et marmonna quelques mots. Jasmine s'arracha des yeux doux de Ting sur la photographie, et quitta l'ébénisterie.

Jasmine rejoignit Diana, qui l'attendait dans la voiture. En apercevant derrière la vitre la chevelure rousse et bouclée de sa sœur, elle songea à leur mère. Celle-ci l'avait toujours favorisée au détriment de Diana, s'inquiétant en permanence pour la benjamine tandis que l'aînée était supposée se débrouiller toute seule. Quand elle était encore dans le ventre de sa mère, Jasmine ne s'était pas retournée comme les fœtus sont censés le faire à la fin de la grossesse, et l'accouchement avait été difficile. Sa mère n'en avait jamais parlé, mais toute petite déjà, Jasmine avait su qu'il s'était passé quelque chose lors de sa naissance.

Sur le chemin du retour vers l'hôpital, Diana demanda si elle avait obtenu sa réponse. Jasmine se contenta de hocher la tête, puis elle tourna les yeux vers le ciel sombre aux nuages bas. Des flocons virevoltaient devant les feux de croisement, et les essuie-glaces balayaient la neige du pare-brise.

Sa sœur était la personne au monde en qui elle avait le plus confiance. Elle ferma les yeux et décida de tout lui dire.

— On avait dit qu'on n'en parlerait plus jamais, je sais, commença-t-elle. Mais maintenant… enfin, quand mon cœur s'est arrêté après l'accident de voiture, ça s'est produit à nouveau… Je me suis retrouvée dans la ville portuaire, tout était exactement pareil…

— Mais…

— Je sais, ça paraît complètement fou, admit Jasmine.

— Ah oui, tu le sais ?

— Je ne suis plus sûre de rien…

Diana allait s'imaginer qu'elle était retombée dans la psychose, c'était évident. Voire qu'elle n'en était jamais sortie. Mais Jasmine évoqua quand même les hutongs avec les lanternes rouges, la bureaucratie obscure et l'immense balance où tout le monde était pesé.

Elle sentit un froid glacial l'envahir en se disant que cette ville existait – avec les gangs de la triade qui l'arpentaient à la recherche d'enfants récemment arrivés.

Diana écouta en silence, et se gara sur le parking de l'hôpital pendant que Jasmine décrivait la salle d'attente du terminal et les dazibaos que l'homme collait sur le mur.

Elles descendirent de la voiture et entrèrent ensemble dans le bâtiment.

Jasmine comprit qu'elle devait paraître obsessionnelle. Sa propre voix le trahissait, et pourtant, elle ne put s'arrêter.

— Je pense que je n'ai jamais été malade. Et il faut que je te raconte ce que j'ai vécu pour que tu comprennes…

Son histoire avait beau être cocasse, ça ne l'empêcha pas de restituer tout ce que Ting lui avait raconté. Elle se tut seulement dans l'ascenseur qu'elles partageaient avec deux infirmières.

Dans la cabine, Diana, tête inclinée et bouche fermée et sérieuse, se garda bien de croiser son regard. Les portes s'ouvrirent, et elles s'engouffrèrent dans les couloirs des soins intensifs pédiatriques. Jasmine baissa encore la voix en parlant du grand-père de Ting, de l'ébénisterie et des marques gravées dans le bois du comptoir.

Devant la chambre de Dante, une aide-soignante rangeait des ustensiles sur un chariot en inox ; de petits bruits de métal contre métal retentirent.

— On peut entrer ? demanda Jasmine.

— Il dort toujours, répondit la femme, hésitante.

— On va attendre, dit Diana à voix basse.

— Il y a un espace avec des distributeurs de café là-bas, leur fit savoir l'aide-soignante.

Les deux sœurs prirent la direction indiquée, sans vraiment songer à s'y rendre. Jasmine était sur le point de reprendre son récit, lorsque Gabriel Popov surgit dans le couloir. Elles s'arrêtèrent à sa hauteur. Une odeur de cigarette et d'air hivernal se dégageait du psychologue éreinté.

— Je vous présente ma sœur, Diana.

— On pourrait croire que vous êtes jumelles, dit-il en lui serrant la main.

— N'est-ce pas ? répliqua Diana.

— Jasmine, je ne veux pas vous déranger, mais j'ai réfléchi à ce que vous avez abordé hier, commença Gabriel, un peu indécis.

— Je n'ai pas de secrets pour ma sœur.

— Ce n'est rien d'important. Simplement, j'ai déniché la photo d'une peinture chinoise qui pourrait vous intéresser.

Diana lança un regard inquiet à Jasmine.

— Gabriel est psychologue, il est tenu au secret médical, lui expliqua Jasmine pour la rassurer.

— Et nous n'aimons pas les psychologues, ajouta Gabriel à l'adresse de Diana.

— Mais vous, ça va, rétorqua Jasmine en souriant.

Gabriel passa deux doigts sur sa moustache tombante, chaussa ses lunettes, puis lut à haute voix le texte qui défilait sur son téléphone.

— La dynastie Song… xe siècle. Un type nommé Guo Zhongshu a peint *Le Voyage sur le fleuve*, récita-t-il en montrant la photo.

Sur de la soie couleur bronze figuraient deux bateaux surchargés. Jasmine en avait vu des semblables, amarrés dans la ville portuaire. Le peintre avait laissé l'eau et le ciel nocturne se confondre dans un flou mélancolique. Une sensation de désespoir planait sur l'œuvre. Les personnes représentées sur les ponts supérieurs semblaient paralysées de solitude.

— Je le savais. Depuis le début, chuchota Jasmine en lui rendant le téléphone.

— Il faut qu'on y aille, lâcha Diana.

— Je vais prendre un café, mais je suis disponible ce soir si vous voulez qu'on se parle, dit Gabriel, et il partit avant que Jasmine eût le temps de répondre.

Jasmine et Diana avaient choisi la zone la plus tranquille entre deux tubes fluorescents pour tenir un petit conciliabule.

— Il ne faut pas que tu parles de ce port, déclara Diana d'une voix grave.

— Je lui ai juste demandé ce qu'avaient raconté d'autres personnes revenues d'un arrêt cardiaque.

— Pense à Dante, il a besoin de toi.

— Ce que j'ai dit à Gabriel est protégé par la confidentialité, il y a même une loi là-dessus.

— Jasmine, si tu es de nouveau hospitalisée…

— Mais je ne le serai pas, l'interrompit-elle d'une voix un peu trop forte.

Un homme qui attendait l'ascenseur se retourna.

— À moi, tu peux parler du port, chuchota Diana. Mais je ne plaisante pas : tu risques de perdre la garde de Dante.

— Diana, je ne crois pas être psychotique, mais je…

— Moi non plus.

— Je dois absolument les empêcher d'arrêter le cœur de Dante.

— De quoi tu parles ? Ils essaient de lui venir en aide, il faut leur faire confiance… Johan Dubb est un chirurgien pédiatrique réputé et…

— Dans ce cas, comment a-t-il pu louper quelque chose d'aussi important que… ?

— Jasmine, je t'en prie… Ça ne sert à rien de chercher des coupables, l'interrompit Diana. Parce que même si… même s'ils avaient tout de suite vu la lésion du péricarde, la situation aurait été la même – il n'est pas possible de l'opérer sans arrêter son cœur.

— Et si le chirurgien avait délibérément provoqué la lésion du péricarde durant la première opération ?

Diana la regarda, effarée :

— Tu dis n'importe quoi. Qu'est-ce qu'il t'arrive ?

— Mais c'est possible, n'est-ce pas ?

— C'est quoi, ce délire ?

— Si la ville portuaire n'était qu'un rêve, reprit Jasmine en jetant un œil vers la porte de la chambre de Dante, alors le grand-père de Ting n'aurait pas existé – tu es d'accord ?

— Jasmine, je n'ai pas d'explication. Je ne peux pas affirmer qu'il n'existe pas une vie après la mort. J'ignore tout là-dessus. Mais une chose est sûre : le cerveau est un organe extrêmement complexe… Nous avons cent milliards de neurones qui sont reliés entre eux par cent trilliards de synapses… La science tente de comprendre le fonctionnement de la mémoire, mais c'est un univers infini quasi inexploré.

— Alors, comment pourrais-je savoir tout ça si je ne…

— Ce n'est que… Excuse-moi de t'interrompre. Il faut que tu comprennes que nous avons tous en nous un tas de connaissances dont nous ne pouvons pas expliquer la provenance, dont nous ignorons totalement l'origine.

— Oui, mais…

— Tu t'accroches à ce rêve, tu crois que tu as parlé avec ce mec qui construit des bateaux. Je reconnais que l'idée est séduisante. Seulement, ce n'est pas parce que ce grand-père existe que le rêve véhicule forcément la vérité.

— D'accord, dit Jasmine à voix basse.

— Tu as l'impression que les choses collent, alors que pour moi, ça veut simplement dire que tu n'as pas conscience de l'origine de ces souvenirs, poursuivit Diana. Notre cerveau stocke des quantités inouïes d'informations. Tu as très bien pu te trouver par hasard à côté de ce type dans le métro il y a cinq ans, au moment où il parlait de son grand-père à un copain… et ce n'est que lorsque ton cerveau a paniqué à cause du manque d'oxygène que ses paroles se sont libérées pour venir intégrer ton rêve.

— Je comprends, déclara Jasmine en respirant fort. Ça reste une explication possible.

— Mais ? demanda Diana après un instant.

— Mais si Ting est décédé hier, s'il est mort en même temps que moi...

— Seulement, ce n'est pas le cas, trancha Diana.

Jasmine sentit un élancement dans la nuque quand elle leva la tête et fixa sa sœur.

— Son grand-père me l'a dit.

— Je m'en fous, s'exclama Diana, et elle rougit jusque dans le cou. C'est impossible, je t'assure.

— Tu n'as qu'à te renseigner. Tu es médecin, ça ne devrait pas être compliqué.

Diana secoua la tête, et jeta un coup d'œil sur une aide-soignante qui passait dans le couloir. Puis elle regarda Jasmine.

— Il s'appelle comment ?

— Li Ting, répondit-elle précipitamment.

— Quel hôpital ?

— Danderyd.

Diana posa sa main sur le bras de Jasmine. Son visage était sérieux.

— Je vois bien que tu y crois trop, beaucoup trop. Je n'aime pas ça, et j'ai du mal à comprendre ce que tu espères prouver.

— Je crois que j'ai vu le port du royaume des morts. Mais j'espère toujours me tromper, ça m'éviterait de...

Jasmine se tut lorsque l'infirmière de Dante sortit de la salle du personnel et s'avança vers elles.

— Je suis désolée, mais je vais être obligée de le réveiller pour faire quelques prélèvements.

— Comment va-t-il ?

— Il faudra demander au chef de service.

— Je peux entrer avec vous ?

— Bien sûr.

La femme lui tint la porte ouverte avant d'appuyer sur l'interrupteur. La lumière soudaine réveilla Dante. Il cligna les yeux en voyant Jasmine s'approcher de lui.

— Tu as fait un petit dodo, chuchota-t-elle en lui caressant la joue.

L'infirmière lui demanda comment il allait, tout en vérifiant sa saturation en oxygène et en prenant sa tension.

Jasmine se sentit de trop. Les jambes tremblantes, elle alla s'asseoir sur la chaise pendant que Dante répondait aux questions de l'infirmière. Ses petites lèvres étaient pâles et gercées. Le drain était rempli de sang. Elle comprit que la lésion du péricarde ne s'était pas résorbée d'elle-même. Dante lui fit un signe de la main, qu'elle lui rendit.

— Il est où, papa ? demanda-t-il. J'ai un truc à lui dire.

— Je suis sûre qu'il ne va pas tarder, répondit Jasmine. Diana l'a appelé plusieurs fois, elle a laissé des messages sur son répondeur.

— Il est peut-être parti à la pêche avec ses copains, suggéra Dante.

L'infirmière accrocha sur le pied à perfusion une nouvelle poche à côté de celle, à moitié vide, reliée au pli du coude de Dante, puis elle quitta la chambre. Jasmine tira sa chaise près du lit et prit la petite main de son fils dans la sienne. Il avait de multiples coupures sur les doigts, des points de suture sur le bras. Les tuméfactions de son visage s'étaient assombries davantage encore.

— J'ai souvent des mots durs en parlant de ton papa, je trouve qu'il n'est pas assez présent, dit Jasmine. Mais c'est un bon papa, et il t'aime plus que tout.

— Mon papa est capitaine des pirates.

— Oui, probablement, chuchota-t-elle en se penchant en avant.

Les ailes du nez si pâles de Dante vibrèrent. Les cils de son œil intact jetèrent d'immenses ombres sur sa joue. Il offrit à sa mère un sourire lumineux.

— Écoute-moi bien, dit Jasmine en entourant son visage de ses mains. Tu vas peut-être faire un voyage dans pas longtemps.

— Où ça ?

— Ne pose pas de questions, écoute-moi, c'est tout... Tu verras beaucoup de monde dans les rues, mais tout ce que tu auras à faire, c'est suivre les gens qui traversent la ville jusqu'à une immense balance...

Une larme tombée de son œil atterrit sur la joue de Dante.

— Maman, je n'y comprends rien, chuchota-t-il.

— Je sais, mais je…

Elle se tut à l'arrivée de l'infirmière qui revenait s'enquérir de l'état de Dante.

— Je suis un peu fatigué, lui répondit-il.

L'infirmière prit sa température à l'oreille, puis les laissa seuls de nouveau.

— J'étais en train de t'expliquer que tu vas peut-être partir en voyage, reprit Jasmine. Tu te réveilleras allongé sur un banc, pas besoin d'avoir peur, tu trouveras des vêtements posés là, ils sont à toi… Tu t'habilleras tout seul, et tu sortiras dans la ville, tu suivras la foule… Ils vont te peser et te donner un collier qu'il ne faudra surtout pas perdre… Tu ne parleras avec personne, mais une fois qu'ils t'auront donné ce collier, tu demanderas à voir Li Ting – est-ce que tu peux te souvenir de ça?

Dante secoua la tête. Ses doigts étaient parcourus de tressaillements. Jasmine réalisa que ce qu'elle disait était incompréhensible, mais il fallait quand même le dire, il en garderait peut-être quelques souvenirs s'il se retrouvait dans la ville.

— Dante, tu ne dois pas monter à bord des bateaux, poursuivit-elle en sentant ses lèvres se mettre à trembler. Mais si tu y es obligé… alors essaie de trouver une dame gentille que tu pourras suivre.

Des voix s'élevèrent derrière la porte. Elle avala sa salive, et essuya ses larmes du revers de sa manche.

— Comment il s'appelle, celui que tu dois demander?

— Je ne sais pas, j'ai oublié. Pardon, maman.

— Il s'appelle Li Ting. Dis-le : Li Ting.

— Li Ting.

— Il est gentil, il m'a aidée, dis-le-lui, dis-lui que je suis ta maman, que Jasmine est ta maman.

30

Jasmine se tut, et prit sa terrible décision. Puis elle resta immobile, serrant la main de Dante entre les siennes. On frappa à la porte. Diana et le médecin entrèrent dans la chambre, suivis de deux aides-soignantes. Jasmine se releva et s'appuya d'une main sur la rambarde du lit pour ne pas perdre l'équilibre.

— Que se passe-t-il ? demanda-t-elle en s'efforçant de rester calme.

— L'hémorragie ne veut pas s'arrêter. Dante n'en souffre pas spécialement grâce au drainage, répondit le médecin. Ce n'est pas une hémorragie importante, mais elle ne me plaît pas... Je voudrais donc suturer l'artère coronaire au plus vite.

Tout en lui exprimait la certitude d'avoir apporté une bonne nouvelle, mais Jasmine blêmit.

— Mais vous pensiez que ça allait s'arrêter tout seul, murmura-t-elle, le souffle court.

— Je vais t'expliquer, dit Diana en l'entraînant vers la porte.

— Explique-moi ici et maintenant, insista Jasmine.

— Je t'en prie, Jasmine !

Aussitôt la porte refermée derrière elles, Jasmine se mit à parler en mangeant ses mots.

— Qu'est-ce que tu vas m'expliquer ?

— Ils vont l'opérer tout de suite, parce que l'hémorragie continue.

— Ça peut s'inverser, avança-t-elle d'une voix faible.

Diana la prit dans ses bras et la tint serrée contre elle.

— Ça va aller, tu verras, chuchota-t-elle.

— Pourquoi ne peuvent-ils pas attendre, comme prévu ?

— Il faut respecter leur jugement, répondit Diana en la relâchant.

— Ils vont arrêter son cœur alors ?

— Ils sont obligés, pour lui sauver la vie.

— D'accord, je comprends.

— Johan Dubb sait ce qu'il fait, expliqua Diana, mais un voile de gravité recouvrait ses yeux.

Jasmine prit sa main et l'emmena à l'écart des deux infirmières qui poussaient un chariot chargé de couvertures bleues.

— Écoute-moi maintenant : tu es ma sœur, on oublie tout le reste, dit Jasmine d'une voix qu'elle voulut ferme. Il faut que tu me dises s'il existe un moyen pour moi de mourir puis de revenir à la vie.

— Comment ça ?

Diana eut l'air alarmée.

— On peut arrêter un cœur avec des électrochocs, pas vrai ? s'obstina Jasmine, et elle entendit parfaitement la craquelure hystérique dans sa voix. Comme au cinéma ? C'est possible, n'est-ce pas ?

— Avec un défibrillateur.

— C'est dangereux ?

— Oui, évidemment.

— À quel point ?

— Je ne sais pas, ça dépend de…

— Mais je pourrais m'en sortir ?

— Jasmine, dit Diana en baissant la voix. Je t'assure, il n'y a pas un seul médecin sur cette planète qui serait d'accord pour arrêter ton cœur parce que tu as envie de faire un petit tour dans l'Au-delà.

— À part toi ! Il faut que tu le fasses.

— Jamais, répondit Diana avec un sourire incrédule. N'essaie même pas de me convaincre, je ne peux pas… Non, attends, laisse-moi finir ! Je ne peux pas, je n'en ai ni la compétence ni l'autorisation.

— Promets-moi d'adopter Dante, il faut que tu parles à Mark, dis-lui qu'il pourra continuer à le voir comme avant, mais que…

— De quoi tu parles ?

— S'ils arrêtent le cœur de Dante, je me suicide, affirma Jasmine sans trop savoir si elle y croyait elle-même.

— Je ne vais pas tarder à me fâcher.

— C'est normal.

— Même si c'est douloureux, Jasmine, tu es obligée d'accepter ce qui se passe dans la vie.

— Je ne vois pas pourquoi.

— Parce que tu le dois, c'est la condition humaine.

— Non, chuchota Jasmine.

Diana la regarda un instant avant de poursuivre, luttant pour conserver son calme.

— Tu es en état de choc, Jasmine... J'imagine que tu le réalises, tu viens d'avoir un très grave accident de voiture, tu as fait un arrêt cardiaque, on t'a anesthésiée en urgence et quand tu t'es réveillée, tu as appris que Dante est grièvement blessé et que maman est morte...

— Qu'est-ce que tu essaies de me dire ? Que je suis psychotique ?

— Je crains que tu ne sois dans une grande confusion.

— Je ne tiens pas à mourir, dit Jasmine calmement. Mais Dante sait à peine écrire son prénom, ils vont lui prendre son visa et...

— Il n'existe pas de royaume des morts, l'interrompit Diana, et des larmes d'impuissance remplirent ses yeux.

— Peut-être pas...

— Mon Dieu, c'est du grand n'importe quoi. C'est tellement... Je ne veux pas que tu fasses ça, sœurette.

La porte de la chambre de Dante s'ouvrit. Le médecin chef sortit et partit à l'autre bout du couloir. Diana prit son téléphone dans sa poche.

— Il faut que tu retournes voir quelqu'un dans l'unité psy où tu étais – je suis sûre qu'ils pourront t'aider, dit-elle juste au moment où le portable dans sa main se mit à sonner.

— De toute façon, c'est trop tard, déclara Jasmine.

Diana vérifia l'écran puis répondit, le regard fixé sur Jasmine.

— Allô... Oui, c'est moi... Tout à fait...

Elle fit un pas de côté pour s'écarter de Jasmine, qui vit ses joues et ses lèvres perdre leurs couleurs.

— Oui, je comprends, articula-t-elle en avalant sa salive. Vous avez l'heure exacte ?

Après la brève conversation, elle resta le regard rivé au sol et le téléphone pendu mollement dans sa main, avant de lever les yeux vers Jasmine.

— C'était un confrère de l'hôpital de Danderyd, précisa-t-elle d'une voix creuse. Je... je ne sais pas comment te dire ça... mais tu avais raison. Ils ont un Li Ting hospitalisé, il est dans le coma... Il a fait un arrêt cardiaque exactement trois minutes avant toi.

Jasmine hocha la tête et prit appui sur le mur.

— C'est de la folie pure et simple, déclara Diana à voix basse.

Sous sa main, Jasmine sentit le revêtement textile frais du mur tandis qu'intérieurement, elle sombrait dans un gouffre.

— Il existe un moyen, je vais te l'expliquer, dit Diana à mi-voix. Je le regretterai, c'est certain, mais voilà : si tu prends une substance qui s'appelle adénosine, en injection intraveineuse, environ cent cinquante milligrammes, ton cœur s'arrêtera... peut-être pendant une minute.

— Sans anesthésie ?

— Oui, sauf que...

— Que se passe-t-il ensuite ? Qui me réveillera ?

— Je vais te dire ce qui se passe : l'organisme assimile la substance assez vite... et en général, le cœur redémarre de lui-même.

— Quels sont les effets secondaires ?

— Il n'y en a pas... à condition que le cœur redémarre.

— C'est donc ce qui se passe normalement ?

— Oui, si on est en bonne santé...

Une vague d'angoisse déferla sur Jasmine. Elle ne voulait pas le faire, elle ne voulait pas se faire une injection qui provoquerait un arrêt cardiaque, mais elle était incapable d'oublier la scène dont elle avait été témoin dans la ruelle. Ils avaient pendu le grand-père pour s'emparer du visa de sa petite-fille. La vieille femme en fauteuil roulant pourrait revenir à la vie dans la peau de la fillette.

Dante ne s'en sortira jamais seul dans le port, songea-t-elle. Il ne se rappellera pas qu'il faut demander Ting. Il ne pourra pas traverser toute la ville pour rejoindre le terminal, il sait à peine écrire son prénom.

31

Sans être au courant de ce qui se tramait, Gabriel avait promis de monter la garde devant la porte pour que personne n'entre et ne dérange Jasmine durant les minutes déterminantes.

Une baie vitrée donnait sur une salle d'opération éclairée par de puissantes lampes. Dante était sous anesthésie, recouvert d'un champ vert stérile. Seul un rectangle de son torse nu était visible, depuis le plexus solaire jusqu'à la fourchette sternale.

Diana vint rejoindre Jasmine dans cette pièce annexe au bloc opératoire. Elle eut l'air étrangement absente lorsqu'elle verrouilla la porte. Elle montra à sa sœur une seringue avec son aiguille, contenant un liquide transparent. Jasmine la remercia en silence, enveloppa précautionneusement la seringue dans du papier-toilette et la dissimula sur la plinthe, à côté d'une des roues du lit.

Par la vitre donnant sur la salle d'opération, elle vit une infirmière badigeonner la maigre poitrine de Dante de la même solution brun orangé que pour la ponction péricardique.

Le médecin chef Johan Dubb fit son entrée dans la vive lumière blanche, et ses yeux fatigués se firent aussitôt plus clairs, presque souriants.

— Ce n'est pas un homme gentil, murmura Jasmine.

— Il ne faut pas que tu regardes maintenant, conseilla Diana.

— Pourquoi ?

Jasmine suivit cependant immédiatement le conseil de sa sœur.

— Simplement parce que ça peut être un peu désagréable à voir.

Elle se força à regarder le lit, le petit cylindre de papier-toilette près de la roue. Elle tourna ses yeux vers la porte constellée d'éclaboussures de café, puis s'intéressa à un tableau représentant un bosquet de bouleaux.

— Qu'est-ce qu'ils font?

— Ils lui ouvrent le sternum.

— Mon Dieu...

Elle n'arrivait pas à rester tranquille. Elle passa de l'autre côté de la pièce, appuya son front contre le revêtement mural frais, tambourina nerveusement sur le mur avec sa main, se retourna, laissa son regard courir sur le sol en PVC lisse, essaya de calmer sa respiration.

— Ça se passe bien?

— Oui.

— Et maintenant, qu'est-ce qu'ils font?

— Ils vident l'air du poumon gauche.

Jasmine regagna la fenêtre et vit le trou ensanglanté dans le tissu vert qui recouvrait Dante. Le péricarde scintillait du côté gauche, telle une membrane gris-rose. La lame d'un bistouri incisa la pellicule en douceur, du sang épais jaillit, puis elle vit le cœur de Dante, les battements rythmiques qui parcouraient le muscle.

Elle faillit s'évanouir et s'accroupit aussitôt. Elle eut un reflux gastrique, avala, et essaya de reprendre son souffle.

— C'est maintenant qu'ils vont le faire? demanda-t-elle en se relevant. Ils vont arrêter son cœur?

— Oui, ils injectent une solution glacée, riche en potassium, dans les coronaires pour que...

— Je ne veux pas, pleura Jasmine. Je ne veux pas...

Diana tenta de l'étreindre pour l'éloigner de la fenêtre, mais Jasmine se dégagea et s'appuya à la vitre. Les mouvements des médecins dans la salle d'opération étaient calmes. Ils parlaient tranquillement entre eux. L'un d'eux prépara une seringue qu'il plaça sur une table haute.

Jasmine s'approcha du lit, prit sa propre seringue sur la plinthe et déroula le papier-toilette de ses doigts tremblants.

— Tu n'es pas obligée de le faire, la supplia Diana.

Jasmine tomba à genoux et remonta sa manche gauche. Ses mains étaient tellement agitées qu'elle eut du mal à voir ce qu'elle faisait. Avec précaution, elle fit sortir une goutte de produit par le bout de l'aiguille.

— Qu'est-ce qu'ils font ? Qu'est-ce qu'il se passe ?

— Jasmine, fais confiance aux médecins, ils vont le sauver, répondit Diana, la voix brouillée par les pleurs.

Jasmine essaya d'introduire l'aiguille dans sa veine, mais elle piqua à côté. Elle la retira et recommença.

Diana jeta un rapide coup d'œil dans la salle d'opération avant de s'accroupir à côté de sa sœur et de lui prendre la seringue des mains. Elle tourna son bras vers la lumière dispensée par le plafonnier, puis piqua droit dans la veine.

— Pousse, chuchota Jasmine. Fais-le.

Les lèvres de Diana se serrèrent quand elle injecta le liquide froid dans le sang de sa sœur. Elle retira l'aiguille et appuya une compresse dans le pli du coude.

— Je peux la tenir, dit Jasmine, totalement déconnectée de sa propre voix.

Diana se releva et recula. Jasmine s'affaissa sur sa hanche, elle sentit un feu glaçant envahir son organisme. Son cœur battait aussi vite que celui d'un animal blessé. Elle se renversa sur le sol dur, s'allongea de tout son long et fixa les dalles du plafond au-dessus d'elle.

Respirer lui devint de plus en plus difficile, une peur incontrôlable s'empara d'elle, une terreur panique, une angoisse de la mort. Elle voulut s'enfuir de son corps, ne savait plus ce qu'elle faisait. S'aidant de ses jambes, elle s'adossa au mur, sa peau s'écorchant contre la plinthe, et sentit un fil électrique rouler sous son épaule.

Diana tenait la main plaquée devant sa bouche en la fixant d'un regard effaré.

On frappa à la porte, avec insistance.

Jasmine tendit tous ses membres, mais fut incapable de se déplacer davantage, et sa tête s'inclina sur sa poitrine. Dans l'interstice entre le lit et le mur, elle vit de légers grains de poussière monter dans l'air vers le plafonnier.

Son gosier rétrécit.

Je suis peut-être en train de mourir, lança une voix affolée en elle.

Je me suis peut-être trompée.

Une obscurité soudaine clignota devant ses yeux, et sa gorge
se serra. Elle ne pouvait plus respirer, l'air ne passait pas. Elle
tenta d'introduire ses doigts dans sa bouche pour élargir le
gosier.

La pression sur sa poitrine augmenta, ses paupières cil-
lèrent, la pièce tout entière se transforma en scintillements
et vibrations.

32

Le sommeil de Jasmine fut troublé par quelqu'un qui lui tirait la main.

Elle se dit que Diana essayait de la réveiller, mais c'était beaucoup trop tôt.

Un vrombissement lui vrillait les oreilles, elle serra fort ses paupières.

Elle savait qu'elle devait se rendre au port, mais elle était toujours fatiguée. Elle demeura immobile et se rendormit. Puis elle entendit un chuchotement :

— Maman ?

La voix claire l'arracha au sommeil, et son cœur se mit à battre la chamade. Elle cligna les yeux pour tenter de voir dans le noir, puis elle sentit de nouveau qu'on la tirait par la main.

— Dante ?

— Maman ?

Jasmine se redressa et le prit dans ses bras. Tremblant de tout son être, il l'étreignit à son tour.

Il était pratiquement impossible de distinguer quoi que ce soit, mais Jasmine comprit où elle se trouvait.

Elle était de retour, elle y était avec Dante, ils étaient morts tous les deux.

La ville portuaire, pensa-t-elle, et elle posa ses pieds sur le sol mouillé.

— Pourquoi est-ce qu'il fait si sombre ? demanda Dante, effrayé.

— Ne t'inquiète pas, tout va bien, on va bientôt rentrer à la maison, le rassura-t-elle, le visage illuminé par un immense sourire.

Elle le garda un instant dans ses bras, huma son odeur, puis reposa sa joue contre ses cheveux bouclés avant de l'asseoir sur le banc. Les bâtonnets d'encens sur un autel étaient presque entièrement consumés, mais Jasmine parvint quand même à discerner son visage et ses yeux brillants. Il portait un short et un anorak un peu trop grand pour lui.

— Tu t'es réveillé ici?

— Non, c'est une fille qui m'a amené, il y avait de l'eau partout.

— Qu'est-ce qu'elle a dit? demanda Jasmine en s'appuyant sur le mur.

— Je ne sais pas – elle parlait une langue bizarre.

— C'est du chinois – moi, je trouve ça joli, répliqua Jasmine tout en enfilant ses vêtements en vitesse.

Ses yeux s'étaient habitués à la pénombre. Elle distinguait l'eau qui coulait lentement dans les rigoles le long des murs pour aller se déverser dans les grandes cuves qui débordaient.

Une fois habillée, elle souleva Dante et sortit de la cabine en le portant dans ses bras. Ses jambes n'étaient pas encore tout à fait stables, elles tremblaient.

Derrière elle, la voix peureuse d'une vieille femme lança quelques mots.

L'air était chaud et saturé d'humidité.

Dans une cabine ouverte, un homme agenouillé priait en arabe, il était tout nu. Elle ne vit que la courbe de sa colonne vertébrale, ses épaules musclées et sa tête baissée.

Avec précaution, elle poursuivit le long d'une balustrade devant un bassin creusé dans le sol. L'eau lisse ondulait doucement et s'éloignait en direction d'un crépuscule sans fin.

Une femme de l'âge de Jasmine avançait dans l'eau qui lui arrivait à la taille. Ses seins lourds et ses épaules arrondies brillaient d'humidité. Elle gardait les bras écartés comme si elle avait peur de perdre l'équilibre.

Deux autres femmes guidaient vers une cabine un vieil homme nu, désorienté et ruisselant d'eau. Elles l'allongèrent sur le banc. L'une d'elles resta près de lui, et lui caressa la joue pour qu'il se rendorme.

À force de porter Dante, le bras de Jasmine s'était ankylosé. Elle le fit passer de l'autre côté et avança dans un couloir bordé de cabines.

Au loin retentirent les pleurs d'un nourrisson.

Elle accéléra le pas en voyant la lumière grise devant elle. L'eau clapotait autour de ses jambes. Ses bras commencèrent à fatiguer, mais elle attendit d'être sortie à l'air libre sur la terrasse pour poser Dante.

Sa peau avait accumulé la chaleur de l'établissement de bains, elle fumait, et des mèches de cheveux mouillés collaient à son visage. En contrebas, elle vit la ville et le port. Les lanternes rouges étaient allumées, la lueur des enseignes au néon filtrait vers le ciel à travers des avant-toits en bambou.

Le ciel au-dessus de leurs têtes n'était pas vraiment un ciel nocturne – il n'y avait pas d'étoiles, pas de lune. On aurait dit une nuit renvoyée par un miroir, comme celle qui règne pendant une éclipse solaire.

Sidéré, Dante regarda le flot humain avant de se tourner vers Jasmine. Il était inquiet.

— Tu te souviens qu'on a eu un accident avec la voiture de mamie ? demanda-t-il, et les coins de sa bouche se mirent à trembler.

— C'était horrible.

— Maman ? On est peut-être morts…

— Tout ça, ce n'est qu'un rêve, dit Jasmine d'une voix épaisse.

Les lattes de la terrasse grincèrent, et elle se retourna vivement. Un homme en surpoids vêtu d'un pantalon de jogging vert et d'un tee-shirt blanc sortit. Son téléphone portable à la main, il attendait d'entrer en communication avec son opérateur. Il leur jeta un regard confus, puis murmura une excuse en italien avant de descendre l'escalier.

L'établissement de bains était gigantesque. Il couvrait tout le versant de la colline avec ses étages, ses portes, ses balcons, ses palissades et ses différentes sections, avec ses petits canaux, ses escaliers tortueux.

La somnolence était en train de l'abandonner, laissant place à l'angoisse. Le produit que Diana lui avait injecté n'agirait que pendant une minute.

— Écoute-moi, il y a beaucoup, beaucoup de gens dans cette ville, expliqua-t-elle avec sérieux. Dante, tu dois rester près de moi, tout le temps.

— Pourquoi tu es fâchée ?

— Je ne suis pas fâchée, pas du tout. Simplement, il est très important que tu comprennes ce que je te dis et que tu m'obéisses.

— D'accord.

Main dans la main, ils descendirent l'escalier en bois et pénétrèrent dans le hutong derrière la pagode. Ils se hâtaient d'arriver sur le quai pour obtenir leurs visas. Jasmine se dit que s'ils évitaient les rues principales, ils parviendraient peut-être à contourner les queues les plus longues.

Longeant une enfilade de fenêtres encrassées de suie, ils arrivèrent devant un bâtiment qui avait abrité des bureaux. Des câbles arrachés pendaient du plafond, un tableau avec les cartes d'une pointeuse était fixé au mur, une machine à écrire était renversée par terre, les barres à caractères se hérissant en tous sens. Dans une pièce au fond, quelques personnes pratiquaient le taï-chi, exécutant des mouvements lents et stylisés dans une synchronie surréelle.

33

Dante courait presque à côté de Jasmine dans la pénombre de la ruelle. Des téléphones portables inutilisables jonchaient le sol. Devant un petit chariot transportant deux samovars cabossés, un homme vendait du thé. Même si personne n'occupait ses tables en plastique, il aspergeait d'eau la terre tout autour pour que ses clients hypothétiques ne soient pas incommodés par la poussière de la chaussée.

Dante lui fit un signe de la main en passant, et il les regarda. Ils poursuivirent leur chemin sans s'attarder, passèrent devant une façade recouverte de dazibaos manuscrits et finirent par atteindre le coin de la rue où une enseigne verticale tournait sur elle-même dans un bourdonnement électrique.

— Attends, maman, je suis fatigué, haleta Dante.

— On avance encore un peu, dit-elle en le tirant par la main.

Sur le sol, une guirlande de lampions déchirés en papier rouge côtoyait de vieux masques respiratoires et un sachet de chips chinois aux couleurs criardes.

Jasmine pensa à nouveau au grand-père de Ting. Il avait mentionné une province où les gens prétendaient que ce n'était pas le royaume des morts qui avait imité la Chine, mais le contraire. Un embryon de langage et d'architecture avait peut-être préexisté. Il y a des milliers d'années, lorsque des individus revenaient à la vie après un arrêt cardiaque, certains avaient dû évoquer la ville portuaire, et peu à peu, la Chine avait été influencée par ce que les ancêtres avaient créé dans l'Autre Monde.

Dans ce cas, la ville portuaire serait le berceau de toutes les civilisations. Et la culture chinoise, la première de toutes les cultures.

Jasmine porta Dante un moment pendant qu'ils parcouraient la rue parallèle jusqu'à l'artère principale, mais la foule se faisait plus dense là aussi, sous l'effet des nouveaux arrivants émergeant des hutongs.

Elle reposa Dante, et survola l'avenue des yeux pour trouver un autre chemin.

Deux femmes tiraient une charrette remplie d'ustensiles de cuisine. Un grondement s'élevait au-dessus de la ville. Un vieil homme à la peau tendue sur ses bras maigres portait une lourde bouteille de gaz dans ses bras.

Jasmine tenta de se remémorer ce que le grand-père de Ting avait raconté à propos du général chinois revenu d'entre les morts. Il était question d'un playground, d'un terrain de jeu. Il avait exigé que son cas soit tranché sur le playground puisque le tribunal était partial.

Elle reçut un coup de coude dans le dos, et buta contre le caniveau, sans lâcher la main de Dante.

Une jeune femme se tenait dans l'ouverture d'une porte, vêtue d'une jupe en denim et d'une chemise rose nouée sous la poitrine. Son visage était parsemé de boutons infectés, les drogues avaient alourdi ses paupières.

Il y avait des gens partout désormais, et Dante avait les doigts moites et glissants. Jasmine sentit sa nervosité augmenter à mesure qu'ils approchaient des lumières des bateaux.

À partir de là, l'accès aux hutongs était fermé par des cordons – ils furent obligés de suivre les files d'attente.

Derrière une fenêtre garnie de rideaux mauves, un homme barbu mettait des pièces dans une machine à sous portant l'inscription "Texas Ranger".

Des coups de sifflet retentirent au loin, puis de nouveau le grondement du tonnerre.

Elle serra fort la main de Dante, se cogna l'épaule contre des volets et des gouttières oxydées. Ils se retrouvèrent dans un des couloirs intérieurs qui courait derrière un portique de manutention. Une petite vieille décharnée tenta de lui vendre des sticks de café soluble sortis de son tablier. Tout le monde marchait en rang devant des terminaux à la peinture écaillée et aux vitres brisées, avant de déboucher sur le quai.

L'angoisse devenait quasi paralysante : Dante et elle figureraient peut-être sur les listes de passagers.

L'un ou l'autre serait peut-être orienté vers les bateaux.

Le lien avec leur enveloppe corporelle à l'hôpital pouvait s'être rompu quelque part en chemin.

Des lanternes rouges valsaient au gré des vagues. Un moteur hors-bord fumant et secoué de vibrations saturait l'air de gaz d'échappement.

— Regarde, maman, tous les bateaux ! dit Dante, répétant la phrase plusieurs fois.

On se bousculait, on défendait âprement sa place dans la queue de crainte de rater son bateau. Devant eux se trouvait une adolescente. Un mug en tôle émaillée tapait contre son sac en tissu vert à chacun de ses pas.

Dans la cohue, Jasmine faillit lâcher la main de Dante. Elle le tira près d'elle et le tint fermement.

Deux gardiens firent passer un homme qui transportait un enfant décédé sur une charrette pour qu'il puisse rejoindre un bateau sur le départ. Jasmine aperçut le petit garçon qui devait avoir deux ans. Son visage pâle était sale, et ses narines étaient remplies de sang noirci.

Ils suivaient toujours la foule qui avançait lentement dans le couloir, puis le gardien leur fit signe de venir. Ils montèrent ensemble sur la rampe inclinée.

— C'est quoi ? demanda Dante en montrant la gigantesque balance qui se matérialisa devant eux.

— Ils vont nous peser, expliqua Jasmine d'une voix étouffée par la peur.

— Pourquoi ?

Elle répondit qu'elle ne savait pas, mais que tout le monde y passait. Pour le rassurer, elle tenta une plaisanterie : ils voulaient vérifier si elle n'avait pas pris un kilo ou deux. En souriant, elle l'aida à monter sur le plateau, puis détourna le visage pour cacher les larmes d'inquiétude qui lui montaient aux yeux.

Le métal noir scintillait d'un éclat mat. Les deux cadrans ronds se dressaient au-dessus d'eux. Certaines aiguilles grinçaient comme un voilier tirant sur ses amarres, d'autres tournaient à toute vitesse pendant que le vieux disque métallique en forme de croissant de lune montait dans un tic-tac régulier.

Un cliquetis résonna. Le maître de la balance prit la plaque dans le bol et lut les signes d'une voix absente. Une femme avec une jambe raide pointa les résultats sur les cadrans avec une longue baguette.

Lorsque Dante eut son visa autour du cou, Jasmine monta sur la balance, sans le quitter des yeux.

Tout alla très vite. Elle serra fort son fils contre elle lorsqu'ils se retrouvèrent devant la femme qui gérait les listes de passagers. Elle n'avait pas plus de vingt ans, mais son visage était gris de fatigue et son regard étrangement fixe.

34

Sans se presser, la femme compara les listes et leurs visas, chercha dans une espèce d'appendice, puis les regarda avec une sorte de mépris prononcé. Un gardien en chemise à manches courtes, chaussé de lunettes de soleil aux verres dégradés, ouvrit le cordon, les fit sortir du couloir et leur désigna la ville.

— Nous voulons une escorte jusqu'au terminal, annonça Jasmine sur un ton aimable.

— Pas aujourd'hui, répondit-il en anglais.

— Comment allez-vous assurer notre sécurité ?

— Partez maintenant, dit-il en la fixant droit dans les yeux.

— Vous n'aviez même pas l'intention de nous mettre en garde contre la triade ? s'étonna-t-elle. Il n'y a donc aucune justice ici ?

— Taisez-vous.

— Je suis avec mon fils et j'exige que…

Des deux mains, il poussa Jasmine par les épaules. Elle trébucha sur un bidon d'eau, tomba à la renverse et atterrit de travers, sur la hanche et sur l'épaule.

— Maman, maman ! s'écria Dante d'une voix apeurée.

— Tout va bien, on s'en va, dit-elle en se redressant.

Le gardien sortit une matraque, le bidon renversé se vida en glougloutant. Jasmine saisit la main de Dante et l'entraîna en direction de la ville au moment où la femme qui gérait les listes lança quelques mots en chinois.

Un autre gardien les arrêta, et les présenta à un homme qui tenait un bloc-notes à la main. Ce dernier inséra un papier carbone défraîchi sous le premier feuillet, examina rapidement leurs plaques, inscrivit quelque chose, arracha la feuille et la donna à Jasmine.

— C'est pas bien de pousser, déclara Dante.

— Je sais, mais on ne va pas s'occuper de ça maintenant.

L'homme leur montra qu'il rangeait la copie dans un classeur en plastique. Jasmine ne posa aucune question, se contentant de s'éloigner des files d'attente et des alignements de bateaux à quai. Craignant qu'ils ne la rappellent, elle s'engagea sur-le-champ dans la vaste enceinte à sa droite, le long du chantier naval et de ses ateliers, cales sèches et tentes rectangulaires aux allures de hangars.

Jasmine comprit que la police n'était pas en mesure de fournir de protection à tout le monde, puisque chacun dans la ville attendait de revenir à la vie. Mais si les autorités ne prévoyaient pas une exception pour les enfants, on pouvait effectivement remettre en question l'idée de justice.

Elle plia soigneusement le feuillet et le glissa dans sa poche de pantalon. Ne restait plus qu'à essayer de retrouver Ting et à lui demander de les accompagner au terminal. Elle lui demanderait aussi de traduire le texte du document, histoire d'anticiper d'éventuels problèmes à venir.

Ils évitèrent une énorme pile de palettes, dépassèrent les contours sombres des bateaux en alu mis sous abri, et s'approchèrent de l'atelier de Ting. Jasmine s'imaginait déjà le taquiner, lui dire qu'elle le trouvait mignon sur la photo avec sa casquette de bachelier.

Derrière des grillages à poules, elle vit la carcasse de son bateau, tel un squelette de baleine en bois.

Elle marchait si vite que Dante trébuchait presque à côté d'elle. Ils franchirent une grille et allèrent frapper à la porte de la menuiserie, sans succès.

— Maman, regarde tous les outils ! Je veux les voir ! s'écria Dante.

Quelque part tout près, une femme éclata de rire.

Tenant Dante par la main, Jasmine contourna le bâtiment, et jeta un coup d'œil dans la ruelle derrière des poubelles et une palette chargée de briques.

Un martèlement régulier lui parvint de l'intérieur de la menuiserie.

Convaincue que quelqu'un travaillait là-dedans avec un ciseau à bois et un maillet, elle s'approcha d'une fenêtre poussiéreuse. Dans une pièce lumineuse, elle vit une femme nue assise sur une chaise. Entre ses seins brillants, elle avait un tatouage représentant un papillon bleu ciel. Le regard baissé, elle souriait toute seule, se grattait le ventre, parlait.

Des bouteilles de bière étaient posées sur le sol parmi des habits froissés, des lunettes de protection et des casques antibruit.

Dante tira sur la main de Jasmine, qui fit un pas en arrière, mais s'arrêta net en apercevant le visage de Ting dans un miroir. Il était allongé sur un lit, les yeux fermés. Une autre femme était assise à califourchon sur lui, ses hanches bougeaient de plus en plus vite. Le montant du lit cognait contre le mur. Elle respirait fort, la transpiration luisait sur sa poitrine. Ses cheveux châtain foncé pendaient devant son visage. Soudain, elle s'arrêta, ses cuisses tendues tremblaient. Elle gémit, resta sur son partenaire la bouche ouverte, puis ses muscles se décontractèrent. Elle redressa le dos, tapota la joue de Ting, prononça quelques mots et se mit debout, la main entre ses jambes.

— Viens, maman! lança Dante derrière elle, et Jasmine s'éloigna de la fenêtre.

Elle avait les joues en feu en suivant Dante, qui voulait absolument examiner les outils posés sur un établi.

Très haut au-dessus des toits, un cerf-volant en tissu jaune et rouge voltigeait, la guirlande de sa longue queue serpentant au gré du vent.

Dante s'était mis sur la pointe des pieds pour admirer les gros vilebrequins, les scies, les serre-joints, les ciseaux à bois dont le métal scintillait dans la pénombre.

Elle éprouvait une gêne exaspérante vis-à-vis d'elle-même – d'une certaine façon, elle avait imaginé qu'il y avait quelque chose de spécial entre son interprète et elle.

La porte de l'atelier s'ouvrit. Ting sortit, vêtu d'un jean et d'un tee-shirt enfilé à l'envers. Il tenait un rabot à la main. Les muscles de ses bras étaient gonflés de sang, comme s'il venait de faire une séance de sport, et à son oreille gauche, Jasmine vit la boucle d'oreille avec la perle. Il les aperçut, l'air surpris, baissa le regard et s'approcha d'eux, un sourire rêveur aux lèvres.

— Tu es revenue...

— Il fallait que je récupère Dante, répondit Jasmine sur un ton forcé.

— Salut, Dante.

Ting s'accroupit, et regarda Dante droit dans les yeux.

— Ta mère est une femme assez exceptionnelle.

— Je ne voulais pas te déranger, lâcha Jasmine. Mais j'aurais besoin que tu me traduises un papier.

— Je m'appelle Ting, dit-il à Dante en posant le rabot.

— Maman m'a parlé de toi.

— Qu'est-ce que tu racontes ?! protesta Jasmine.

La femme brune apparut à la porte de l'atelier, en culotte, une bouteille de bière à la main.

Ting surprit le regard de Jasmine et se massa la nuque.

— Tu as croisé Zhang Na la dernière fois, dit-il à voix basse.

— Va t'habiller, lança Jasmine en anglais à la femme.

Elle savait que ce n'était pas juste de sa part de tenter de mettre Na mal à l'aise, de la rabaisser au rang de femme facile, mais elle était submergée par une agaçante déception.

— Je vais me marier avec maman quand je serai grand, raconta Dante à Ting.

— Je t'envie !

Dante pointa le doigt et demanda :

— Et ça, c'est quoi ?

— Ça va devenir un bateau, répondit Ting en se relevant.

Dante s'approcha de la carcasse étayée, une coque élégante avec sa quille. Les éléments en bois de l'ossature, courbés et étroitement serrés, ressemblaient à une cage thoracique flottant librement dans l'air, comme le plan d'un bateau en 3D.

— Tu n'as pas beaucoup avancé, constata Jasmine en regardant le squelette.

— Jasmine, j'ai eu le temps de construire quatre bateaux et de les mettre à l'eau depuis ton passage ici, dit-il d'une voix lasse.

Zhang Na revint vêtue d'un peignoir ouvert. Elle mangeait des bonbons qu'elle piochait dans un sachet, des cœurs gélifiés.

— Je ne pouvais pas savoir que tu allais revenir, essaya d'expliquer Ting.

— Je ne suis pas revenue pour toi.

— Je comprends bien, mais…

— Je voudrais juste que tu regardes ce document, dit-elle en le lui montrant.

— OK, pas de souci.

— À quoi ils servent, tous ces bouts de bois tordus ? demanda Dante.

Des copeaux crépitèrent sous les pieds de Ting lorsqu'il s'approcha de l'ossature. Il posa une main sur les belles pièces de construction cintrées et se retourna vers Dante.

— Ça s'appelle la membrure, expliqua-t-il. Ce sont ces "bouts de bois" courbés qui forment la partie inférieure de la coque, la plus importante…

Il s'interrompit en voyant l'autre femme, celle que Jasmine avait entraperçue dans l'atelier, sortir avec une grosse ferrure dans les bras. Elle portait maintenant des chaussures de sécurité, un jean à taille basse et un mince tee-shirt sous lequel on pouvait deviner ses seins qui pointaient. Ting examina la ferrure, hocha la tête, dit quelque chose, puis il la lui rendit et se tourna vers Dante.

— On vient de dresser la membrure, poursuivit-il. Et quand j'aurai ajusté toutes les pièces, on fixera le bordé, et le bateau sera pratiquement terminé.

— Comment on fait pour courber le bois ? voulut savoir Dante.

— Il faut chauffer de l'eau, beaucoup d'eau, et…

— S'il te plaît, est-ce que tu peux juste me lire ça ? les interrompit Jasmine.

Ting prit le papier, parcourut les idéogrammes et haussa les épaules.

— C'est une déclaration de responsabilité. C'est écrit que tu es arrivée accompagnée d'un mineur et que, selon la législation du Comité central, bla-bla-bla, tu es responsable de lui et de ce qui peut lui arriver... Les signes de vos visas sont marqués là, et là.

— Merci, dit Jasmine en remettant le document dans sa poche.

— Tu es restée là-bas combien de temps?

— Onze, douze heures peut-être, répondit-elle évasivement, puis elle prit Dante par la main.

— Ce n'est pas bon signe pour moi, remarqua Ting à mi-voix. En douze heures, ils auraient dû me réanimer.

Jasmine vit ses yeux s'assombrir, mais la volonté crispée de le punir l'embrasait encore, elle n'en avait pas tout à fait fini avec lui.

— On ne te dérangera plus, dit-elle avec froideur, et elle se mit en marche.

— Vous ne me dérangez pas. Je peux vous accompagner jusqu'au terminal pour que...

— Ce n'est pas la peine.

— Mais ça pourrait être sympa de...

— Je n'ai tout simplement pas confiance en toi, le coupa Jasmine.

— Qu'est-ce que tu veux dire? demanda-t-il avec un sourire sidéré.

— Tu m'as menti. Et à mon avis...

— Comment ça? Je ne comprends pas.

— Ça me pose un problème de savoir que tu me mens, rétorqua-t-elle en s'efforçant de conserver un ton calme. Tu m'as dit que tu avais une insuffisance cardiaque, alors qu'en fait, tu... tu es toxicomane, n'est-ce pas? Tu es ici parce que tu as fait une overdose.

Le sourire de Ting s'était éteint. Il se tenait devant elle, son beau visage incliné, l'air éreinté, brisé. Dante trouva la situation pénible. Il s'accroupit, et commença à tripoter les serpentins de bois.

— Ton grand-père a honte de toi, poursuivit Jasmine, même si elle sentait qu'elle allait trop loin. Il dit qu'il n'a pas de petit-fils.

— Je comprends, chuchota Ting.

Il se pencha sur une grosse pièce de bois posée sur deux tréteaux, et suivit sa veinure du bout des doigts.

— Je suis désolée, mais je ne supporte pas les drogués, et j'ai du mal avec les menteurs, expliqua Jasmine, les joues pourpres.

Ting se redressa lentement. La cicatrice qui barrait sa paupière était presque noire.

— J'ai changé, dit-il. Je veux aider mon grand-père dans son atelier quand je serai de retour.

— Tu penses que tu mérites de revenir ?

— Non.

35

Un sanglot lui coupait la respiration lorsqu'elle franchit la grille dans l'autre sens en traînant Dante derrière elle. Du coin de l'œil, elle vit Ting, immobile, et elle eut peur de sa propre réaction à cet instant, si violente.

Ting était libre de ses mouvements.

Ce qu'il fait de sa vie ne me regarde pas, songea-t-elle. On ne se connaît même pas, qu'est-ce que j'espérais donc?

C'était peut-être un idiot, mais lui faire de la peine était inutile.

Le vent fit rouler au sol une bouteille en plastique vide.

Elle aurait peut-être dû expliquer à Dante ce qui venait de se passer, mais elle ne savait pas comment s'y prendre. Elle ignorait elle-même pourquoi elle avait réagi ainsi.

Elle fixa la ruelle qui s'enfonçait entre les bâtiments en périphérie du chantier naval et l'ancienne douane aux fenêtres condamnées.

Plus loin, elle aperçut la lumière dispensée par des lanternes, mais le premier tronçon du passage était sombre.

Elle était certaine de retrouver le chemin du terminal.

Son plan était d'éviter le quai, de choisir les grandes artères où il y avait beaucoup de monde et d'activité.

Elle prit la main de Dante.

— On court?

Il hocha la tête et, main dans la main, ils foncèrent dans le boyau étroit où l'écho de leurs pas rebondit entre les murs. Il n'y avait pas d'éclairage le long du chantier naval, mais un peu plus loin, elle crut voir un homme sur le pas d'une porte.

Quand ils arrivèrent à son niveau, il se retira à l'intérieur : c'était un type obèse avec un tuyau de fer à la main, qui les observait, le visage impassible. Jasmine et Dante détournèrent le regard.

Ils dépassèrent quelques petits hutongs remplis de bric-à-brac, et arrivèrent devant un restaurant où ils s'arrêtèrent pour reprendre leur souffle. Sept clients étaient installés sur des tabourets en plastique devant un comptoir étroit vissé au mur. Une pancarte écrite à la main annonçait : "Bangalore Deli".

Jasmine regarda son fils. Ses boucles humides de sueur, ses joues rondes, ses longs cils courbés.

— Tu cours vite maintenant, haleta-t-elle.

— Mais je vais avoir un point de côté, répondit-il, une main appuyée sur son ventre.

— Tu peux avancer encore un peu ?

Il hocha gravement la tête. Elle prit de nouveau sa main et, au pas de course, ils tournèrent au coin de la rue, passèrent devant quelques magasins fermés et un casino, toutes lumières éteintes, puis bifurquèrent dans une rue plus large, quasi déserte.

Ils ralentirent. Jasmine était pratiquement sûre de son chemin maintenant. Les quartiers les plus dangereux étaient derrière eux. Plus loin, une enseigne au néon clignotait avec des signes rouges sur fond jaune. Du linge pendait à une fenêtre au premier étage. Assis devant une porte, un jeune homme se vernissait les ongles en rose.

Le grondement du tonnerre reprit. Jasmine tira Dante plus près de la haute façade, sans s'arrêter de marcher.

— J'ai faim, dit-il.

— Moi aussi.

Recroquevillée sur un matelas, une vieille femme au torse nu serrait dans sa main une bouteille de vin sans étiquette.

Jasmine aperçut, vingt mètres devant elle, la place où elle était venue avec Ting la dernière fois. À présent, le lieu grouillait de monde. Des flammes bleu pâle de réchauds à gaz léchaient des récipients en zinc. Il était difficile de distinguer exactement ce à quoi les gens étaient occupés, mais de toute évidence, il s'agissait d'une sorte de pari.

Il fallait dépasser la place. Personne ne leur prêtait attention, et elle hâta le pas. Ils avaient presque fait la moitié du chemin, quand un sifflet retentit. La foule s'écarta légèrement.

Le sifflet retentit de nouveau, et Jasmine distingua un groupe d'hommes dans un nuage de poussière. Le feu des réchauds fit scintiller la lame d'une machette. Ils crièrent quelque chose en espagnol. Jasmine entraîna Dante dans l'ombre d'un passage derrière un escalier en acier. Ces hommes étaient probablement à la recherche de nouveaux visas.

Jasmine et Dante restèrent figés, serrés contre une palissade en tôle cabossée recouverte de papier journal. Les hommes se frayèrent un chemin dans la foule, qui s'ouvrit devant eux. Un homme âgé fut frappé et s'effondra, perdant son bonnet dans la chute.

— Maman, chuchota Dante.

Les vêtements de Jasmine s'accrochèrent à la tôle quand elle le fit pénétrer plus en avant dans l'étroit passage, un simple interstice de cinquante centimètres entre deux maisons. Sans regarder en arrière, ils enjambèrent des cartons trempés, tournèrent au coin, suivirent une clôture surmontée de fil de fer barbelé.

Des cris éclatèrent derrière eux.

Ils s'engouffrèrent entre deux maisons, si brusquement que la plaque de métal autour du cou de Jasmine vint heurter ses incisives.

Une femme nue de l'âge de Jasmine était plantée devant une fenêtre ouverte au rez-de-chaussée, elle fredonnait tout bas. Ses cheveux étaient coiffés à l'africaine, des centaines de tresses fines pendaient sur ses frêles épaules.

— Le terminal ? demanda Jasmine en pointant son doigt vers une direction.

La femme hocha la tête en tripotant la peinture craquelée de l'appui de la fenêtre. Derrière elle, trois hommes nus étaient assis sur un canapé.

Ils traversèrent un ancien chantier de démolition mué en terrain vague. Parmi des vieilles briques et du verre brisé trônait un trolleybus sur cales. La peinture jaune était écaillée, et les deux caténaires sur le toit s'élevaient comme les antennes noires d'un insecte.

En arrivant plus près, Jasmine vit l'emblème biffé des Hells Angels accroché au-dessus de la porte. Du sang avait éclaboussé plusieurs vitres, et le sol était jonché de couvertures, de vieux matelas, de bouteilles vides et de papiers de bonbons.

Ils coururent encore, et s'arrêtèrent hors d'haleine devant une boutique qui vendait des conserves de canard en lamelles avec du shiitake.

Ils s'apprêtaient à repartir lorsque la clochette de la porte tinta. Un homme d'une soixantaine d'années apparut sur le seuil. Il avait une barbiche blanche, et par-dessus le bord de ses lunettes, son regard semblait aimable.

— Je viens de rentrer quelques boîtes de soupe à la tomate Campbell's, indiqua-t-il dans un anglais très british.

— Je n'ai pas d'argent, répondit Jasmine.

— Dommage, répliqua-t-il en sortant un paquet de cigarettes.

Jasmine laissa ses yeux balayer le terrain vague derrière eux. Elle ne vit personne. Pourtant, elle tira Dante plus près d'elle.

— Je vous souhaite une bonne soirée, dit l'homme, puis il se retourna pour admirer sa propre vitrine.

— Quel est le meilleur chemin pour rejoindre le terminal d'ici? demanda Jasmine.

— Vous venez d'arriver?

— Non, mais on a pris l'habitude de vérifier les dazibaos tous les jours, mentit-elle.

— Vous êtes là depuis quand?

— Bientôt six mois.

— Il n'est pas très aisé d'aller au terminal à partir d'ici, beaucoup de rues peuvent s'avérer dangereuses. Je pense que vous feriez mieux d'éviter les quartiers est à cette heure.

— Donnez-nous quand même une direction.

— C'est par là. Il vous faut d'abord suivre le canal dans le mauvais sens pour pouvoir le traverser... Malheureusement, je ne peux pas abandonner mon magasin, mais je peux demander à Rick de vous accompagner, il va juste livrer quelques boîtes à un client d'abord.

L'homme tapota le carreau, et un garçon mince d'une quinzaine d'années se montra à la porte un instant plus tard. Son pantalon de jogging était sale, et son tee-shirt trop grand. Il les salua avec un sourire gêné, puis écouta les indications que l'homme lui donna en chinois. Il répondit avec un hochement de tête, entra dans la boutique, en ressortit avec deux boîtes à la main et partit en courant.

— Si vous voulez l'attendre, il sera de retour dans un quart d'heure, expliqua l'homme en suivant des yeux le garçon qui disparut au coin de la rue.

Jasmine scruta de nouveau le terrain vague. Le vent fit bouger du fatras autour du trolleybus jaune.

— Vous êtes pourchassés? demanda l'homme prudemment.

— Non, j'ai simplement cru voir… mais ce n'était rien.

— Vous pouvez attendre à l'intérieur de la boutique si vous voulez.

— J'ai soif, lança Dante.

— Qu'est-ce qu'il a dit?

— Il a soif, répondit Jasmine en anglais.

— Je suis désolé, mais je n'ai que de l'eau ou du thé à vous offrir.

— On boira volontiers un peu d'eau.

L'immense sourire de l'homme faisait apparaître des rides d'expression autour de ses yeux qui devinrent presque invisibles.

Ils pénétrèrent dans la boutique où régnait une odeur de cave humide. Jasmine ne lâchait pas la main de Dante en suivant le commerçant entre les étagères chargées de boîtes de conserve. Elle observa son dos, sa chemise usée, sa façon de bouger et, surgie de nulle part, la sensation glaciale d'avoir commis une erreur l'envahit. Pourtant, elle continua jusqu'à la kitchenette. Sur un plan de travail étaient posés une plaque de cuisson attaquée par la rouille et un gros bidon d'eau. Dante alla tout droit s'asseoir à la table, tandis que Jasmine, hésitante, demeurait dans l'embrasure de la porte.

— Il y a des verres dans le placard du haut, dit l'homme en l'indiquant du doigt.

Elle le remercia et avança dans la petite pièce, mais à peine eut-elle le temps d'ouvrir le placard que l'homme claquait la porte derrière eux. Il avait tourné la clé avant qu'elle ait atteint la poignée.

36

"Un piège, c'était un piège", hurla une voix en elle. Elle donna des coups de pied dans la porte, mais celle-ci était en acier et ouvrait vers l'intérieur. Le seul résultat de ses tentatives fut un choc sourd. L'encadrement aussi était en acier, solidement fixé aux bords maçonnés.

— Maman, qu'est-ce que tu fais? cria Dante, affolé.

— La porte s'est coincée, dit-elle en tirant sur la poignée.

Elle recula, fit deux pas en avant, et envoya un coup de pied en mettant tout son poids dans le mouvement. Le bord supérieur de la bordure craqua, un peu de mortier tomba sur le sol, mais le chambranle ne bougea pas.

Une douleur lui vrilla la jambe, de la cheville à la cuisse, paralysant presque ses muscles. Elle recula quand même une nouvelle fois et donna un autre coup de pied inefficace dans la porte.

— Qu'est-ce qu'on va faire?

— Ne t'inquiète pas, ça va s'arranger, répondit Jasmine, et elle se mit à fouiller le coin cuisine, ouvrant tous les placards et tiroirs.

Elle ne trouva que des baguettes chinoises en plastique, quelques cuillères, des verres, des tasses à thé et un rouleau d'essuie-tout.

Rien de vraiment utile.

Elle s'obligea à refouler la panique, elle devait absolument garder la tête froide.

Sa main trembla lorsqu'elle prit un verre. Elle le rinça avec l'eau du bidon, le remplit et le donna à Dante. Il le vida, elle le remplit de nouveau, et but elle-même avant de le lui rendre.

— Tu devrais boire encore un peu, dit-elle doucement.

— C'est quoi, tout ça, ce qui se passe ?

— Je ne sais pas, mais ne t'inquiète pas, le rassura Jasmine en observant la kitchenette. Je vais nous sortir de là, mais il est important que tu fasses tout ce que je te dis.

— Je vais essayer, maman.

— Je sais, je suis juste un peu stressée, expliqua-t-elle en vérifiant encore les tiroirs. Ça m'arrive des fois, mais tout va bien. Tu te souviens de ce que je dis toujours ?

— Que tu ne supportes pas le stress.

— C'est vrai, ça, confirma-t-elle avec un sourire en s'accroupissant devant lui. Mais je pensais plutôt à ma voix quand je suis stressée, comment elle est.

— On dirait que tu es en colère, mais tu n'es pas en colère.

— Je ne suis jamais en colère contre toi, je t'aime, tu le sais, je t'aime par-dessus tout...

Soudain, des cris retentirent dans la boutique. Jasmine regarda par le trou de la serrure.

Entre les rayons garnis, elle vit un homme musclé en tee-shirt vert militaire et pantalon de camouflage, qui traînait le jeune coursier par le bras. Quelques bouteilles de sauce soja tombèrent sur leur passage et se brisèrent sur le sol.

Le propriétaire du magasin parlait d'une voix forcée, il était hors de lui.

D'autres personnes entrèrent dans la boutique : une femme à la voix traînante, un homme qui s'arrêta devant un sac de riz. Jasmine ne vit que ses souliers marron et l'ourlet souillé de son pantalon.

De toute évidence, le propriétaire refusait de déverrouiller la porte de la cuisine. Jasmine ne put voir son visage par le trou de la serrure, mais sa mine et ses gestes révélaient qu'il voulait être payé avant de dire où il avait caché la clé.

La femme cria quelque chose, et le jeune livreur eut l'air terrorisé. Il se mit à la supplier en bégayant.

Le boutiquier secoua la tête.

L'homme en tenue de camouflage avait trouvé un tablier en plastique qu'il enfila. Il attrapa une boîte de conserve sur une étagère et s'approcha du garçon.

— Bouche-toi les oreilles, dit Jasmine à Dante au moment où l'homme au tablier frappa le coursier sur la joue avec la boîte.

L'adolescent émit une sorte de soupir, et perdit l'équilibre. Il tomba sur le côté, sanglotant de peur, essaya de se relever, mais reçut un autre coup au visage. Il finit par se redresser en titubant, la main posée sur sa joue ensanglantée.

La femme aboya de nouveau quelques mots, et l'homme aux souliers marron fit un pas en avant. Le commerçant chercha à négocier, des sanglots dans la voix.

Le gamin baissa la tête et mit sa main droite sur son cœur. Le sang de sa joue dégoulinait sur le sol en ciment.

Jasmine vit l'homme au tablier attendre que l'adolescent lève les yeux. Il le frappa alors de nouveau en pleine figure avec la boîte. Elle s'écarta de la porte et entendit le hurlement de douleur se transformer en pleurs sidérés.

Il y eut de nouveaux bruits de pas, des chocs, des hurlements. Puis les cris cessèrent. Dante croisa le regard de sa mère et ôta les mains de ses oreilles.

— Il faut que je casse la table, lui expliqua Jasmine en enlevant le verre d'eau.

Elle retourna la table en bois et y donna un violent coup de pied pour la démonter. Puis elle posa le plateau sur la tranche, et dit à Dante de se cacher derrière et d'y rester.

Elle ramassa un des pieds détachés et se campa devant la table quand on glissa soudain une clé dans la serrure. Le commerçant lança un cri aigu. Plusieurs bruits sourds se firent entendre de l'autre côté de la porte avant que le silence s'installe.

— Maman, qu'est-ce qui se passe?

— Reste où tu es, chuchota-t-elle en s'approchant précautionneusement de la porte.

Elle saisit le pied de table avec l'autre main, se pencha vers le trou de la serrure, et eut le temps de voir un œil écarquillé avant que la porte s'ouvre à la volée et l'atteigne au front.

Elle tomba en arrière et ne comprit qu'elle s'était évanouie qu'en se réveillant, allongée par terre dans la kitchenette. Une douleur fulgurante lui labourait la tête. Il fallut un petit moment avant que son champ de vision se rétablisse, flou et scintillant. Elle sentit qu'on la roulait sur le ventre et qu'on lui mettait une corde autour du cou. Elle chercha à glisser ses doigts sous la corde, toussa, voulut se retourner. C'était l'homme au tablier qui l'avait maîtrisée. Elle essaya de se protéger avec ses bras, mais ses muscles refusaient de lui obéir.

Dante n'était nulle part. Elle se mit à ramper pour échapper au voyou, qui émit des ricanements moqueurs. Une odeur douceâtre de sueur émanait de lui.

— À quatre pattes! ordonna-t-il. Mets-toi à quatre pattes!

Il tira sur le pantalon de Jasmine et tendit la corde comme une laisse, tirant sa tête en arrière. Sa vue se brouilla de nouveau, et elle tâta le ciment autour d'elle à la recherche d'un objet qui pourrait lui servir d'arme.

La pression diminua légèrement. Elle s'obligea à ouvrir les yeux et comprit qu'il se passait quelque chose derrière elle. Elle perçut un bruit, comme une balle de tennis mouillée qui rebondissait sur la terre battue, et le poids qui pesait sur elle disparut. Son agresseur émit une plainte âpre, rocailleuse.

Jasmine arracha la corde de son cou, inspira à pleins poumons et se mit à tousser.

L'homme se tenait l'épaule d'une main. Il chancela et heurta le meuble de cuisine, mais retrouva son équilibre. Jasmine roula sur le dos, et s'éloigna en se traînant. C'est alors qu'elle aperçut Ting.

Il tenait un tuyau d'acier dans les mains. La peur se lisait dans ses yeux quand il suivait le malfaiteur et l'attaqua de nouveau. Il rata sa cible, le tuyau heurta la porte de l'élément de cuisine en hauteur. Les gonds arrachés, la porte du caisson valdingua par terre.

Jasmine trouva enfin le pied de table et se releva. Il y eut comme des éclairs devant ses yeux pendant quelques secondes, et elle dut s'appuyer sur le plan de travail. L'homme au tablier avait sorti un petit couteau. Tout en reculant, Ting tenait le tuyau pointé devant lui. L'esprit vide, Jasmine frappa son assaillant dans le dos avec le pied de table. Le coup fut tellement puissant que l'homme tomba à genoux.

Ting réagit immédiatement et abattit le tuyau sur la tempe du bandit. Un tintement métallique résonna, la tête partit sur le côté et des gouttes de salive giclèrent jusqu'au visage de Jasmine. Le grand corps s'affaissa entre eux.

— Dante! hurla Jasmine, et elle fila dans la boutique, le pied de table à la main.

— Qu'est-ce qu'il s'est passé? demanda Ting en lui emboîtant le pas.

Jasmine longea les rayonnages et s'arrêta devant le coursier qui gisait dans une mare de sang rouge sombre. Elle se pencha sur lui, mais avant d'avoir le temps de lui prendre le pouls, Ting fut à ses côtés.

— Il était déjà mort quand je suis arrivé.

Ne trouvant Dante nulle part dans le magasin, Jasmine se précipita dans la rue déserte. Elle jeta le pied de table et vérifia sa poche. Le bout de papier avait disparu. Ils lui avaient pris le document certifiant que Dante était avec elle, qu'il était sous sa responsabilité.

Sans un mot, elle se mit en marche. Du verre brisé crissa sous ses chaussures. Son dos était trempé de sueur, et pourtant, elle avait froid. Ting arriva en courant derrière elle. En réalité, elle avait besoin de se reposer. Ses jambes tremblaient, l'attaque l'avait mise en état de choc, mais elle était incapable de s'arrêter.

— La triade a pris Dante, dit-elle sans regarder Ting.

Il marchait à grandes enjambées à côté d'elle. La peur l'avait alourdie, ses pieds traînaient sur la chaussée poussiéreuse, sans qu'elle sache même où aller. Elle ne voyait personne, les portes et les volets des maisons étaient clos. Combien de temps s'était-il passé depuis qu'ils avaient été attaqués?

— C'est incroyable… Complètement fou…

— S'ils ont un acheteur, il y a urgence, déclara Ting.

— J'ai été stupide, j'ai été injuste, je le sais, dit-elle en se raclant la gorge. Mais je ferai tout ce que tu veux si tu m'aides à retrouver Dante…

La houle soulevée par l'angoisse ensevelit Jasmine. Elle se tut, cherchant à redonner un peu d'aplomb à sa voix.

— Il faut qu'on aille à l'Office des transports avant qu'il soit trop tard, recommanda Ting.

37

Jasmine courait à côté de Ting dans les petites ruelles, plus vite que ses forces le lui permettaient vraiment. Elle avait l'impression d'étouffer.

La peur était un immense gouffre tremblant.

Son pire cauchemar s'était réalisé, l'impensable.

La nausée la prit à la gorge. Dans les nids-de-poule, l'eau était marron. Les boyaux étroits étaient peuplés de silhouettes menaçantes.

Elle n'osa pas penser à ce que la triade pouvait faire à Dante pour l'obliger à échanger son visa.

Quelques hommes qui jouaient au trictrac sous un parasol déchiré se disputèrent juste au moment de leur passage.

Ting lui indiqua la direction, et ils s'engagèrent dans une rue étroite en forte pente. Jasmine eut l'intuition qu'ils couraient dans le mauvais sens.

— Tu es sûr du chemin?

Elle le suivit quand même lorsqu'il grimpa un escalier quatre à quatre. Ils contournèrent une façade faite de planches brutes. Un balai au manche usé était appuyé contre le mur, dissimulant à moitié les idéogrammes pyrogravés dans le bois.

Ting s'arrêta devant une porte, et jeta un bref coup d'œil à Jasmine avant d'entrer. Elle le suivit machinalement, dans un état second. Devant un bar en bambou, elle vit des hommes assis, tenant de petits verres entre leurs mains. Une femme nue dansait sans musique sur une petite scène.

Le regard de Jasmine survola le local, et nota des détails insignifiants. Le câble du projecteur était scotché par terre devant l'estrade peinte en noir. Deux cartes à jouer traînaient dans la poussière sous des chaises en plastique empilées.

Sur le mur derrière le bar était exposé un papillon rouge étouffé un jour par un collectionneur qui l'avait ensuite épinglé sur une plaque et mis sous verre.

Ting avança droit sur un des hommes et s'adressa à lui. Ce dernier se leva immédiatement, et Jasmine reconnut Grossman, l'homme barbu qui avait parlé d'extraterrestres.

— J'ai mon plus joli rickshaw stationné juste là, au coin de la rue, expliqua-t-il quand ils furent dehors.

— Dépêche-toi, dit Ting en se tournant vers Jasmine. Le temps presse. Il faut que tu les arrêtes, avant que ton fils accepte l'échange.

Un rickshaw était effectivement garé dans la pente, décoré de symboles de paix, de centaines de prismes de verre multicolores suspendus, et d'un drapeau arc-en-ciel fixé à une fine antenne. Les garde-boue étaient maculés de gadoue, les essieux piqués de rouilles, les montants de la capote écaillés.

— Ça fout la trouille aux extraterrestres, tous ces trucs qui brillent, expliqua-t-il en vidant l'eau accumulée sur le toit souple.

Jasmine s'installa dans le rickshaw douillettement aménagé avec du tissu léopard. Ting lui lança qu'il la rejoindrait aussi vite que possible, et Grossman se mit à pédaler dans la descente.

Avec force grincements, ils prirent de la vitesse. Les prismes balançaient et s'entrechoquaient, les maisons défilaient comme des flèches. Jasmine était tellement secouée qu'elle dut s'agripper des deux mains à l'armature.

— Tu es revenue, cria Grossman par-dessus son épaule.

— Je suis là pour chercher mon fils.

— Reconnais-le, tu avais envie de me revoir, dit-il en se retournant vers elle avec un grand sourire.

— On ne peut rien te cacher, répliqua-t-elle, à moitié assommée.

Elle pensa à ce besoin impératif d'avoir l'air sereine alors qu'un chaos émotionnel l'ébranlait. Même lorsqu'elle était bouleversée au point de ne pas comprendre de quoi on lui parlait, elle s'efforçait de sourire et de répondre.

Une des roues arrière heurta un caillou, le rickshaw fit une embardée. Grossman tenta de parer le choc, le drapeau arc-en-ciel fouetta un volet ouvert puis, dans un nuage de poussière, le véhicule reprit son chemin.

Grossman pédalait vite. Pour négocier le virage à droite plus bas dans la rue, il se dirigea d'abord légèrement sur la gauche, frôlant une pile de briques. Son corps était gros, lourd, Jasmine l'entendait souffler comme un bœuf.

Un vieil homme aux joues creuses s'écarta de leur chemin en leur lançant un regard las.

Ça va trop vite, pensa Jasmine. Le rickshaw cahotait dans la rue qui décrivait un virage en forte déclivité, Grossman tourna le guidon et se pencha sur le côté pour compenser la force centrifuge.

Le triporteur alla heurter le mur. Jasmine se cogna la joue à l'armature de la nacelle, et entendit un crépitement métallique. L'équilibre rétabli, Grossman continua à pédaler. La roue gauche racla le mur et arracha une descente de gouttière qui s'écroula derrière eux.

Un cri monta d'une porte cochère.

Le rickshaw retrouva la chaussée, roula sur un carton détrempé, et poursuivit sa course sur une partie pavée. Les pneus dérapèrent sur les pierres lisses, glissèrent latéralement et frottèrent contre la bordure du caniveau.

Des fenêtres opaques étincelaient sur leur passage. Dans une arrière-cour décorée de guirlandes lumineuses, des jeunes gens vêtus uniquement d'un slip blanc dansaient devant un public.

Grossman donnait tout ce qu'il avait dans le ventre pour avancer. Ils arrivèrent dans une rue de terre battue, et le vacarme changea de ton.

Les pneus soulevèrent une pâle poussière.

Une fille devant un café crasseux, dont le rideau de fer était à moitié tiré, leur lança un bâton, sans les atteindre.

La pente s'adoucit, et Grossman dut fournir encore plus d'efforts. Il respirait bruyamment, et les poignées d'amour sur ses hanches tremblotaient à chaque coup de pédale. Deux maisons à l'abandon encadraient un terrain vague jonché de treillis soudés, rongés par la rouille.

— Dès qu'il a bu une bière, Ting se met à parler de toi, dit Grossman, essoufflé. Il me soûle avec ce qu'il va faire quand il sera de retour à Stockholm… Il va t'acheter des boucles d'oreilles, des perles et…

Ils approchèrent à vive allure d'une grande flaque d'eau. Grossman lâcha les pédales et leva haut ses pieds. La surface se fendit, l'eau gicla de part et d'autre avec un chuintement prolongé.

Depuis bien longtemps, elle doutait de l'existence de Dieu, et pourtant, en cet instant, elle le pria de protéger Dante des hommes qui lui voulaient du mal.

Le rickshaw bringuebalant tourna dans une rue plus importante, et Jasmine commença à se repérer. Ils passèrent un large escalier aux marches fissurées menant à un temple jaune dont elle aperçut les dorures à l'intérieur.

La chemise de Grossman était trempée sous les bras. L'homme poussait des ahans sonores en montant un raidillon.

Des bandes de nuages clairs diluaient l'obscurité et donnaient au ciel une teinte de graphite. Plus loin contre le flanc de la montagne se dessinait l'immense établissement de bains.

Ils arrivèrent sur la place cernée par les édifices administratifs aux fenêtres brisées, et la traversèrent d'un bout à l'autre en passant devant le poteau de fer oxydé où elle avait vu un homme se faire fouetter. On devinait le toit voûté du terminal dans la nuit. Grossman se dirigea vers le Tribunal populaire de première instance avant de virer devant le bâtiment gris abritant l'Office des transports. Le rickshaw stoppa net contre l'escalier, et les prismes bariolés s'entrechoquèrent gaiement. Un vent chargé d'odeurs de sable passa entre les bâtiments, faisant rouler les détritus qui traînaient devant les façades.

38

Jasmine se rua dans l'escalier, et traversa un hall d'entrée dont les murs étaient couverts de présentoirs garnis de brochures. Elle ouvrit à la volée la porte intérieure.

Un petit nombre de personnes se trouvaient dans la salle défraîchie de l'Office des transports. Le ton de la conversation y était feutré comme dans une bibliothèque.

Trois hommes aux épaules larges parlaient avec un préposé en veste d'uniforme beige derrière un comptoir. Quatre portes en verre cannelé s'alignaient dans son dos.

Une femme vêtue d'une jupe et d'une veste élimée était assise sur un banc en bois le long d'un des murs, à côté d'un homme au visage endormi. Elle ferma son porte-documents, et jeta un regard interrogateur sur Jasmine.

Les hommes au comptoir refusèrent de la laisser passer. Elle s'excusa, mais ils ne bougèrent pas. Entre leurs épaules, elle vit le fonctionnaire humecter un tampon sur un coussin encreur avant de le tester sur un papier rempli de gribouillis.

Elle se planta à côté d'eux, se pencha par-dessus la petite porte battante et chercha le regard du fonctionnaire. Les doigts de ce dernier étaient tachés d'encre de Chine, et les manchettes de sa chemise avaient connu des jours meilleurs.

— Maman !

Dante surgit d'une des pièces derrière les portes vitrées, et se précipita sur elle. Il semblait heureux. Ses joues étaient en feu. Jasmine se pencha, le souleva par-dessus le portillon et le serra fort contre elle.

— J'ai gagné, j'ai gagné! s'écria-t-il. J'ai gagné un jeu, j'ai été super fort.

— Qu'est-ce que tu as gagné? demanda-t-elle d'une voix tendue.

— J'ai gagné un Spiderman!

Une femme mince, les cheveux coupés à la garçonne, sortit de la même pièce que Dante et vint droit sur eux.

— Excusez-moi, madame, mais il faut que le garçon reste ici, dit-elle à voix basse en français.

— Que se passe-t-il? demanda Jasmine en anglais.

Les yeux de la femme étaient luisants et fuyants, elle s'humecta les lèvres pour dissimuler un demi-sourire. La peur fit cogner fort le cœur de Jasmine. Elle déposa Dante par terre, prit sa main dans la sienne et joua des coudes pour s'approcher du fonctionnaire. Le placage du comptoir s'était décollé sur le bord, mettant à nu le panneau d'aggloméré friable. Un ventilateur de table était branché. Le courant d'air faisait danser l'étiquette de prix restée accrochée au bout de sa petite ficelle.

— Que se passe-t-il? répéta-t-elle en croisant le regard muet de l'agent derrière le comptoir.

Il lui répondit en chinois en désignant le banc réservé aux visiteurs. La prise de Jasmine autour de la main de Dante était tellement serrée qu'il chercha à se dégager.

— Qui est le responsable ici? Je veux parler à votre supérieur, dit-elle en élevant la voix.

Quelqu'un dévia la lumière d'une lampe de bureau. Elle observa les portes. Les cannelures reflétaient l'ampoule, mais elle put quand même distinguer à travers la vitre un homme d'un certain âge, aux joues molles et tombantes, assis derrière un bureau.

Un autre homme, élancé, chevelure blanche coiffée en arrière, se tenait en face de lui et parlait en souriant, comme s'il racontait un secret, tout en tirant sur la manche de sa veste marron.

— Est-ce que vous comprenez ce que je dis? demanda-t-elle au fonctionnaire.

— Ici, ce n'est que l'Office des transports, fit une voix derrière elle en anglais.

Jasmine se retourna. La femme au porte-documents qui occupait le banc en bois à son arrivée était venue la rejoindre.

— Vous travaillez ici ? demanda-t-elle.

— Je suis juriste, je suis là pour le compte d'un client et...

— Demandez-leur ce que tout ça veut dire, l'interrompit Jasmine. Demandez ce que mon fils fait ici.

Avec circonspection, la femme s'adressa à l'agent au comptoir, qui lui répondit, puis elle le remercia avant de regarder Jasmine.

— Le garçon a mis son visa en jeu, et il l'a perdu, expliqua-t-elle à mi-voix.

— Il jouait contre qui ?

— Contre Wu Wang, indiqua la juriste en tournant son regard vers la vitre cannelée.

L'homme aux cheveux blancs serra la main du fonctionnaire derrière le bureau et quitta la pièce. Sa démarche, quand il traversa le local tout en lissant sa cravate fripée, était celle d'un vieux soldat.

— Wu Wang est un adulte, s'insurgea Jasmine hors d'elle. Vous comprenez bien qu'il a dupé mon fils !

— Il y a des témoins qui...

— Je m'en fiche, ce n'est pas vrai, la triade me l'a enlevé... Ils ont essayé de...

— Vous feriez mieux de baisser le ton, lui conseilla la femme d'un air gêné.

— Ils ont essayé de me tuer – vous comprenez ce que je dis ?

— Alors, il faut aller voir la police.

— C'est ce que je vais faire, mais pas sans mon fils.

Jasmine souleva Dante, le tint dans ses bras, et comprit que la femme avait raison. Il fallait qu'elle se ressaisisse. Elle devait faire semblant d'être calme. Sinon, ils ne l'écouteraient jamais. Elle s'efforça de respirer lentement, mais son souffle était court, la panique la fit trembler.

— S'il vous plaît, il faut que vous m'aidiez, dit-elle d'une voix qui lui parut étrangère. Ce n'est pas censé se passer comme ça. On ne peut quand même pas prendre son visa à un enfant et dire que...

— Maman, pourquoi tu es si fâchée ?

— Laisse-moi parler !

— Attendez ! tenta d'intervenir l'avocate.

— Regardez-nous ! lança Jasmine au préposé en déposant Dante sur le comptoir devant ses yeux. Voici mon fils. Vous voyez bien qu'il est trop petit pour y comprendre quoi que ce soit.

L'avocate traduisit ses paroles d'une voix claire et aimable. Le préposé leva la tête pendant quelques secondes avant de répondre d'une voix basse. Une goutte de sueur coula sur la joue de l'avocate quand celle-ci acquiesça et se tourna vers Jasmine.

— C'est trop tard, déclara-t-elle, navrée.

— Il ne peut pas être trop tard, ce n'est pas juste…

— Je suis désolée. Mais l'affaire est close et…

— Je vous en prie, dites-moi ce que je dois faire, chuchota Jasmine.

Deux des hommes devant le comptoir la saisirent par les bras. Elle parvint à se dégager de l'un d'eux et essaya d'attraper Dante. L'autre homme conserva sa prise et la tira vers la sortie. Son chemisier remonta sous sa poitrine. Les coutures du mince tissu craquèrent. L'avocate les accompagnait. Sans hausser la voix, elle tenta de convaincre l'homme de lâcher Jasmine. Jasmine fit de son mieux pour résister. Ses pieds glissèrent sur le sol. Elle se retourna et vit la Française enlever la plaque autour du cou de Dante d'un geste déterminé.

— Vous n'avez pas le droit ! hurla-t-elle.

39

Les hurlements de Jasmine résonnèrent entre les murs jaunis de l'Office des transports. La lumière froide des tubes fluorescents fit flamboyer sa tignasse rebelle.

L'homme s'efforça de prendre un air indifférent en continuant à la traîner vers la porte. Sa prise autour de son bras lui faisait mal.

— Maman ! cria Dante.

Jasmine trébucha et buta sur le paillasson recouvert de sable sec et de gravier, qui gondola sous sa résistance. Une chaise se renversa avec fracas. Jasmine n'avait qu'une chose en tête : s'approcher de Dante. L'avocate les suivait toujours, elle parlait d'une voix de plus en plus aiguë. Jasmine s'arc-bouta sur ses jambes, pivota, et parvint à atteindre la main de l'homme avec sa main libre.

Elle agit sans penser. C'était automatique. Sa paume se referma autour du dos de la main, le bout des doigts recourbés, puis elle freina brusquement des quatre fers et s'arc-bouta. Il tira plus fort lorsqu'elle céda tout à coup, fit un pas en avant et verrouilla brutalement la main de l'homme vers le haut. Jasmine avait suivi un entraînement au combat rapproché pendant de nombreuses années, elle savait parfaitement ce qui allait se passer.

Un claquement sec se fit entendre dans le poignet de l'homme qui poussa un cri de douleur.

Et c'était très douloureux en effet : elle lui avait cassé les os du poignet à partir du cartilage articulaire, et arraché les ligaments.

Jasmine l'observa, le corps bouillant d'une force intérieure. L'homme avait viré au rouge. Il se tenait penché en avant, soutenant sa main blessée en respirant par saccades.

Elle recula et se fit violence pour ne pas le frapper à la gorge. L'avocate la dévisagea, incapable de prononcer le moindre mot.

Les autres hommes s'approchèrent d'un pas vif. La porte vers le hall d'entrée s'ouvrit, et Ting entra précipitamment.

— Ils l'ont fait, cria Jasmine. Ils ont pris…

— Dis que tu t'opposes à l'échange !

— Ils disent que c'est trop tard !

— Vous avez fait appel ? demanda-t-il à l'avocate en anglais.

La sueur coulait sur son visage, sa peau fumait après sa longue course à pied.

— Non, mais…

— Alors, il n'est pas trop tard.

Les autres hommes, qui semblaient être frères, lancèrent quelques mots en hollandais et se dirigèrent vers Jasmine pour l'expulser de la salle. Le fonctionnaire au comptoir se mit à tamponner des documents et à transférer les signes du visa de Dante sur un formulaire.

— Comment fait-on opposition ? Comment ? demanda-t-elle.

— On le dit, c'est tout, répondit l'avocate. Mais la politesse veut que…

— Je m'oppose à l'échange ! cria Jasmine à l'adresse du fonctionnaire, et la voix dure de Ting répéta ses mots en chinois.

Un ange passa. Les hommes s'écartèrent. Jasmine entendit sa propre respiration. La Française ricana et emmena Dante vers une des pièces aux portes vitrées.

L'homme aux cheveux blancs coiffés en arrière tenait sa plaque à la main tandis qu'il parlait au fonctionnaire.

— Il certifie que c'est le garçon qui a proposé de mettre en jeu les visas, chuchota Ting.

Jasmine alla tout droit poser ses mains tremblantes sur le comptoir. Le ventilateur émit un crépitement quand il se mit à tourner dans l'autre sens. L'homme aux cheveux blancs lissa encore sa cravate avant de lever les yeux, un sourire aux lèvres.

— Je m'oppose à l'échange de visas, dit Jasmine une fois de plus, sans ciller.

Ting traduisit ses paroles en chinois. Le fonctionnaire répondit à voix basse, le front marqué de plis, avant de commencer à fureter dans ses papiers.

— Qu'est-ce qu'il a dit?

— Ils veulent que tu te ressaisisses, expliqua Ting.

— Je ne comprends pas.

Un autre fonctionnaire, celui aux joues molles et tombantes, sortit de son bureau, une pile de livres dans ses bras.

— Vous devriez peut-être y réfléchir d'abord, suggéra l'avocate à mi-voix. La prochaine étape est le Tribunal populaire de première instance, mais tout ce qui s'ensuit émane des temps anciens.

— Comment ça?

— Elle veut parler de la dernière instance, explicita Ting.

— Ce n'est pas une instance, c'est un vestige de l'époque de l'empire, des lois obsolètes qui découlent d'une interprétation du *Yi Jing*, fit savoir l'avocate en écartant une mèche noire de son front pâle.

— Mais je ne peux pas abandonner comme ça.

— Quand un litige ne peut pas être réglé par des êtres humains ordinaires, l'affaire est tranchée par une femme nommée Exu, poursuivit l'avocate, l'air grave. Elle interroge les esprits les plus anciens en touchant la carapace d'une tortue avec des baguettes de bambou incandescentes.

— Il faut que je m'oppose à l'échange, dit Jasmine en se tournant vers la pièce.

— Mais vous ne comprenez pas? C'est comme une loterie qui…

— Je m'oppose à l'échange, répéta Jasmine à voix haute à la cantonade.

Les deux fonctionnaires se mirent à chuchoter intensément. Ils feuilletèrent des livres, montrèrent des textes du doigt, échangèrent des avis. L'avocate assistait à leur discussion, inquiète.

L'homme élancé au costume marron semblait ignorer leur conversation. Il restait immobile, à fixer Dante de ses yeux calmes et humides.

Ting discutait avec les fonctionnaires, le visage figé. L'un d'eux referma son livre d'un geste irrité, l'autre secoua la tête.

— Et maintenant ? demanda Jasmine à l'avocate.

— Vous avez contesté l'échange de visas. Maintenant, l'affaire passe au Tribunal populaire de première instance…

Jasmine acquiesça de la tête, et une réminiscence fugace vibra dans son cerveau, un élancement porteur d'une nouvelle inquiétude liée à un vague souvenir insaisissable.

— Ce qui implique quoi ?

— L'Office des transports a déjà pris sa décision. Du coup, il s'agira d'une affaire civile… Formellement, c'est vous qui intentez une action contre Wu Wang.

— Tant mieux.

— Je l'espère, dit lentement la femme en tripotant son porte-documents.

— J'ai raté quelque chose ? demanda Jasmine. Vous semblez, je veux dire… Rassurez-moi : si je gagne le procès, il n'y aura pas d'échange de visas, Dante gardera sa plaque pour revenir à la vie ? C'est bien ça ?

— Oui, c'est ça, mais…

— Ça me suffit, la coupa-t-elle, et elle s'approcha de la porte battante. Dante, on s'en va !

La Française lui jeta un regard froid, mais laissa Dante courir rejoindre sa mère. Jasmine le souleva dans ses bras et se dirigeait déjà vers la porte lorsqu'elle entendit un léger martèlement. Elle se retourna.

Le fonctionnaire aux joues molles tapait sur le comptoir avec un marteau en bois avant de crier à travers la salle. L'avocate traduisit :

— Vous devez vous présenter au Tribunal populaire de première instance dans trois heures pour rencontrer votre représentant avant les délibérations dans le prétoire… et il recommande aux deux parties de témoigner le respect dû à l'appareil législatif.

— Qu'est-ce qu'il entend par respect ? demanda Jasmine.

— C'est à vous qu'il fait allusion.

— Qu'est-ce que j'ai fait ?

— Rien, ne faites pas attention.

— Si, traduisez ses mots.

— Il a dit que vous êtes sale et repoussante.

Ils sortirent par le hall et descendirent l'escalier. La vieille blessure par balle dans le dos de Jasmine se réveilla. Elle eut tellement mal qu'elle dut poser Dante. Devant l'Office des transports, Grossman les attendait à côté de son rickshaw, une canette de Fanta à la main.

— Très bien, j'ai trois heures devant moi, dit-elle à l'avocate. Comment je les utilise ? Qu'est-ce que je peux faire ?

— Il faut vous laver et trouver d'autres vêtements, expliqua la femme en souriant.

— Mais je voulais dire… par rapport au déroulement du procès, comment dois-je me préparer ?

— Vous aurez un représentant, il vous dira comment tout ça fonctionne.

— À votre avis, je peux faire confiance à la cour pour modifier la décision de l'Office des transports ?

— Si vous voulez, je peux vous accompagner au tribunal.

— Mais je n'ai pas d'argent, annonça Jasmine en toute sincérité.

— Quand les gens n'ont pas de quoi me payer, en général, je leur demande un service.

— Lequel ?

— J'aimerais que vous vous occupiez de ma mère si vous revenez réellement à la vie, dit la femme, et ses yeux sombres se voilèrent.

— Et vous, vous n'allez pas revenir ?

— Ça fait deux ans que je suis ici.

— Mais parfois…

— Je sais, mais je n'y suis pas mal, j'ai mon mari et ma fille, nous sommes ensemble, c'est le plus important.

Jasmine hocha la tête et pensa à sa sœur à l'hôpital devant son corps inanimé, à Gabriel qui montait la garde devant la porte, à Dante sur la table d'opération, tandis que la neige tombait sur les parkings et les trottoirs déserts de Stockholm.

— Je m'appelle Marta Cristiano dos Santos, je travaillais dans un cabinet d'avocats à Casa Verde, São Paulo, avant d'arriver ici.

Quand elle se tourna vers Jasmine, les cheveux qui s'étaient détachés de son chignon jetèrent une ombre sur sa joue droite.

— Marta Cristiano dos Santos, répéta Jasmine.

— Ma mère n'a plus personne pour s'occuper d'elle. C'est pour ça que… si réellement vous revenez, j'aimerais que vous alliez la voir, que vous vérifiiez si elle s'en sort.

— Que voulez-vous que je lui dise ? Vous avez un message ?

— Vous croyez réellement qu'il est possible de revenir, on dirait, observa Marta en souriant.

— Je l'ai déjà fait deux fois, répliqua Jasmine en la regardant droit dans les yeux.

40

Marta et sa famille louaient une partie d'un grand appartement avenue Qianmen près de la place. Si les deux pièces étaient petites, elles avaient une touche coloniale, un style grande bourgeoisie – cinq mètres de hauteur sous plafond, d'immenses fenêtres avec des volets en bois intérieurs, un parquet usé, des boiseries écaillées.

En chemin, Jasmine avait récapitulé les événements de la journée pour s'assurer que tout le monde était d'accord sur la vérité : avant qu'on les fasse tomber dans le piège, Dante et elle s'étaient réveillés ensemble dans l'établissement de bains, ils s'étaient rendus au quai ensemble et avaient été pesés ensemble.

Dante était maintenant installé à la table de la cuisine. Il traçait des lettres de son invention sur une feuille pendant qu'il racontait une seconde fois ce qui s'était passé dans le magasin d'alimentation.

— Un monsieur est entré, il m'a mis un chiffon tout froid sur la bouche.

— C'était Wang?

— Maman, je ne sais pas.

— Parce que tu t'es évanoui. Je crois que...

— Jasmine, au tribunal, il ne faut pas que tu spécules, lui rappela Marta. Tu t'en tiendras à la stricte vérité, dans la mesure où tu la connais.

— Mais Dante, ce qui est vrai, c'est que tu t'es réveillé ailleurs – non?

— Dans un lit... et Wang était là avec une dame qui parlait un peu suédois. Ils m'ont donné du Coca-Cola et des frites vraiment bizarres dans un sachet de chez McDo... Il m'a dit qu'il n'y a pas de vrai McDonald's ici, et j'ai dit que ce n'était pas grave. Il était rigolo. Il m'a montré un tas de jouets, et on a joué, et j'ai gagné, et j'ai choisi le Spiderman.

— Alors, lui n'a rien gagné de ta part ? demanda Jasmine en faisant de son mieux pour adoucir le timbre indigné de sa voix.

— Seulement mon collier – mais il m'en a donné un pareil, répondit Dante en exhibant le visa noirci de Wang.

Jasmine lui montra son propre visa.

— Tu sais ce que c'est ?

— Un collier que tout le monde porte, répondit-il à voix basse.

— Un collier, répéta Jasmine en cherchant le regard de Marta.

— Comme je vois les choses, Wu Wang a cru que tout s'était déroulé dans les règles, commença Marta prudemment. Dans ce cas, je pense qu'il a été plus que surpris quand il t'a vu débarquer pour t'opposer à la décision.

— Mais pourquoi ne restitue-t-il pas le visa tout simplement ?

— Il ne peut pas. Puisque l'Office des transports a rendu son expertise, l'affaire sera obligatoirement transmise à l'instance suivante.

— Et que va-t-il se passer après ?

— Eh bien... Je ne sais rien de Wu Wang, mais d'après ce que j'ai compris, c'est un homme respecté.

— Et selon toi, il laissera tomber s'il comprend qu'il y a erreur ? Il ne tentera pas d'imposer l'échange ?

— Non, j'ai du mal à l'imaginer, répondit Marta d'une voix optimiste.

— Alors, ça n'ira pas jusqu'au litige ?

— Il faut que tu racontes comment ça s'est passé lorsque Dante a été kidnappé, comment ils t'ont volé le certificat. Wu Wang dira qu'il a trouvé le garçon et qu'il lui a donné à manger... et ton représentant expliquera que Dante ne comprend pas ce qu'est un visa et que, par conséquent, il ne peut pas décider d'un échange... Et comme nos lois sont claires là-dessus – il est interdit de tromper les mineurs –, le tribunal rejettera la décision de l'Office des transports.

— Tant mieux.

— Va te préparer maintenant, lui conseilla Marta.

Jasmine se rendit aussitôt dans la minuscule salle de bains. Elle prit sa douche à genoux dans la baignoire rayée, pour ne pas éclabousser le sol et le papier peint gondolé. L'embout du flexible de la douchette fuyait, quelqu'un l'avait entouré de scotch argenté, et l'écoulement était tellement mauvais que la baignoire se remplissait lentement d'une eau chaude trouble.

Après la douche, Jasmine emprunta des vêtements à Marta. Le soutien-gorge n'allait pas du tout, et la robe était trop petite, de sorte qu'elle remontait jusqu'à sa culotte quand elle bougeait.

— C'est peut-être un peu trop osé pour le juge, dit Marta en riant. On trouvera d'autres habits au théâtre, il y a tout un stock de costumes.

Marta avait prêté à Dante un jean et un tee-shirt avec l'inscription "São Paulo FC", appartenant à sa fille.

Avant de quitter l'appartement pour retrouver les autres – Ting, Grossman et le mari de Marta – dans un restaurant, Marta indiqua sur une carte de São Paulo affichée au mur la rue où habitait sa mère.

L'air était frais dehors, malgré les relents de cuisine et de fumée de cigarette. Dante ne lâcha pas la main de Jasmine, pendant que Marta leur servait de guide.

— Le restaurant se trouve dans le même bâtiment que le théâtre… Mon mari est responsable de toutes les institutions culturelles, raconta Marta. Seul le musée des beaux-arts fonctionne formellement, mais nous essayons de lancer une activité pour les enfants au théâtre.

Jasmine dépassa la fontaine fissurée et la ruelle escarpée que Grossman avait empruntée avec son rickshaw.

Ses cheveux encore mouillés détrempaient le dos de sa robe, et les roses délavées du tissu en retrouvèrent leur teinte violette d'origine.

— Tu dois juste garder en tête que cette cour reste assez traditionnelle et patriarcale, expliqua Marta. Tu es censée te montrer courtoise et respectueuse… Fais attention à t'en tenir à ce que tu sais avec certitude… car s'ils te surprennent en train de proférer le moindre mensonge, tu n'auras quasiment aucune chance de gagner.

— Et qu'est-ce qu'on fait pour être respectueux ?

— Les choses habituelles… Les jeunes se montrent déférents envers les plus vieux, les femmes respectent les hommes… Tu adopteras un langage soigné et poli, tu n'élèveras pas la voix, et tu ne montreras pas trop tes sentiments.

— D'accord.

— Ne t'inquiète pas, l'encouragea Marta.

— Bien sûr que si, je m'inquiète.

— C'est normal, mais dis-toi que… même si c'est la routine, ce genre d'affaires, pour le tribunal, les juges tiennent à rendre des verdicts justes.

— Je dois essayer de rester claire sur la question de fond. Dante a reçu un jouet, mais a perdu son visa. Tu appelles ça de la justice ? C'est complètement tordu.

— Ça va bien se passer, dit Marta sur un ton absent.

— Je n'abandonnerai jamais.

Ils dépassèrent un homme au visage chiffonné et sa charrette en tôle chargée de bouteilles d'alcool qu'il proposait à la vente. Par le soupirail d'une cave au niveau du sol, Jasmine vit deux hommes allongés sur un lit en train de s'embrasser.

— Mais il faut que tu te prépares à la riposte de Wang. Il soutiendra que Dante ne voulait pas revenir à la vie, expliqua Marta en rassemblant ses cheveux sur sa nuque. Il affirmera que Dante savait très bien ce qu'il faisait, et qu'il a choisi de…

— Qui peut croire une chose pareille ?! protesta Jasmine.

— Ce que je veux dire, c'est qu'il n'est pas interdit aux mineurs d'échanger leur visa – mais il est interdit de tromper les enfants et de leur faire…

— Dante a cinq ans, il ne sait même pas écrire son prénom ! s'exclama Jasmine.

— Tu gagneras ce procès, lui assura Marta. Mais tu dois employer la bonne méthode, car ce n'est jamais bien de se faire un ennemi.

— Ça ne m'inquiète pas.

Jasmine pensa au port, à tous les mythes qui avaient été forgés autour de cet endroit. Elle pensa à la temporalité ici, une nuit qui n'en finissait pas, dépourvue d'aube. Toute la ville semblait recouverte d'une sorte de voile d'usure, comme un futur déjà antique.

— Ce système existe depuis toujours, ajouta-t-elle au bout d'un instant. Il devrait fonctionner correctement – n'est-ce pas ?

Marta s'arrêta devant l'entrée d'un bâtiment, appuya sur le bouton de l'interphone, répondit à une question qui lui fut posée en chinois, puis poussa la porte lorsque le bourdonnement de la serrure se fit entendre. Jasmine tenait toujours la main de Dante quand ils montèrent un escalier étroit.

41

Au premier étage se trouvait un restaurant peu éclairé où flottait une odeur de ciboule et d'huile de sésame. Un serveur au visage lisse et aux yeux aimables leur indiqua une table ronde. Grossman et Ting y étaient déjà installés, en compagnie d'un troisième convive.

— Pedro, dit Marta, et pour la première fois, elle eut vraiment l'air heureuse.

Le petit homme chauve se leva et la prit dans ses bras, la faisant décoller du sol. Il chuchota quelques mots à son oreille et, avec un sourire, elle se dégagea.

— Voici mon mari, Pedro.

Jasmine lui serra la main et lui présenta Dante.

— Tout le monde m'appelle le taureau de Casa Verde, précisa Pedro.

— Peut-être pas tout le monde, répliqua Marta en riant.

— J'ai joué ailier droit au São Paulo FC. Ma spécialité, c'étaient les buts de la tête sur corner avant d'avoir le malheur d'avaler le ballon, poursuivit-il, en tapotant sa bedaine.

— Erica, appela Marta d'une voix chaude. Viens dire bonjour.

Une adorable fillette aux longs cheveux bouclés pointa la tête de sous la table. Marta regarda tendrement sa fille tandis que celle-ci serrait la main de tout le monde et se présentait.

— Comme elle est jolie! s'exclama Jasmine. Et quels beaux yeux!

— Merci, dit Marta, le visage rayonnant de fierté.

— C'est mon portrait craché, plaisanta Pedro.

Ils se mirent à table, et le propriétaire du restaurant vint allumer les lampes à huile avec un long bâtonnet. Quand il se pencha en avant, la plaque autour de son cou sortit de la chemise. Elle était tellement usée que les inscriptions étaient illisibles.

D'une étrange façon, le cercle de lumière les rapprocha les uns des autres.

Une femme corpulente posa devant eux des bouteilles en verre avec des étiquettes rouges, des bouteilles de bière marron et des canettes de Laoshan Cola, ainsi que des plats de légumes préparés au wok : bok choy, pousses de soja, pousses de bambou, taro et liserons d'eau scintillant d'huile de poivre du Sichuan.

Jasmine comprit que c'étaient des légumes séchés ou en conserve, mais le parfum qui se répandit dans la salle était merveilleux.

Des bols remplis de dumplings fumants arrivèrent sur la table, accompagnés de riz collant au jasmin. Il y eut aussi du porc au poivron, du porc à l'aigre-douce, des dés de poulet enfilés sur des brochettes noircies, des nouilles chinoises sautées avec de la ciboule, du gingembre et de l'anis étoilé, du bœuf en fines lamelles aux senteurs de coriandre fraîche et d'huile de sésame, et bien d'autres spécialités.

Jasmine pensa à une exposition qu'elle avait vue un jour à la Maison de la culture à Stockholm : des dessins réalisés par des enfants juifs internés au camp de concentration de Theresienstadt. Ils n'avaient représenté ni les horreurs du camp, ni leurs terreurs et tourments. Pratiquement tous avaient dessiné un repas ordinaire en famille chez eux. Le père, la mère, les frères et sœurs réunis autour d'une table.

Elle montra à Dante comment se servir des baguettes, mais au bout d'un moment, l'homme aimable à la plaque usée lui donna une cuillère chinoise.

Jasmine le remercia et vit Dante regarder Erica entre deux bouchées. Elle était assise en face de lui, les paupières mi-closes, et maniait ses baguettes avec aisance.

— Tu en veux ? demanda Ting en ôtant le bouchon en plastique d'une des bouteilles en verre.

— C'est quoi ?

— Du *baijiu* – l'alcool le plus apprécié au monde.

— Une autre fois, dit Jasmine.

Il haussa les épaules, et servit Grossman, Pedro, Marta et lui-même.

Dante fit un signe de la main à Erica, qui éclata de rire. Elle saisit son verre éraillé, et but tellement goulûment que la boisson coula le long de son menton.

— Cette femme, dit soudain Pedro, et il eut l'air de vouloir se lever.

— Pedro, je t'en prie, tu n'es pas obligé de...

— Quand je suis monté dans le train de banlieue ce matin-là et que je t'ai vue, reprit-il en prenant la main de Marta, tu portais un chemisier couleur crème au col brodé de perles et une petite broche en forme de... *Bellis perennis*, je ne sais pas comment cette fleur s'appelle en anglais.

— C'est son truc, il fait toujours ça, essaya d'expliquer Marta.

Erica avait posé ses baguettes. Elle se bouchait les oreilles des deux mains tout en exhibant un grand sourire.

— Marta est une sainte... Bon, peut-être pas dans toutes les situations, ce qui est une chance pour moi, poursuivit Pedro en vidant sa tasse d'eau-de-vie. Mais elle m'a sauvé, et elle a fait de moi l'homme le plus heureux sur terre.

— Je t'aime, déclara Marta presque sans voix.

Grossman les regarda avec une expression émue.

— Un baiser, chuchota Pedro en se penchant vers Marta.

Ting applaudit quand Marta embrassa son époux.

— Et ensuite, nous avons eu notre Erica, reprit Pedro. Et les problèmes ont commencé : larcins, jurons... Non, je plaisante, évidemment.

Il envoya un baiser volant à sa fille, et essuya ses larmes qui coulaient à flots.

— Mes amis, dit Grossman en levant son verre. Je ne sais pas ce qu'il en est pour vous, mais moi, je me sens presque vivant.

Ses paroles les traversèrent comme un frémissement, un battement de cœur. Ils avaient presque oublié où ils se trouvaient.

Jasmine regarda les convives attablés. Dante fixait Erica avec de grands yeux écarquillés. Ting posa ses pieds sur une chaise et but sa bière directement à la bouteille, les yeux fermés. Je sais que nous sommes morts, pensa Jasmine encore une fois. Mais nous ne sommes pas effacés, nous existons encore.

Dante avait fini de manger, et Jasmine lui dit de remercier pour le repas avant de sortir de table et de suivre Erica. Les deux enfants s'installèrent par terre un peu plus loin pour jouer.

Jasmine se renversa sur sa chaise. Elle était rassasiée. Le souvenir de son père lui vint à l'esprit, quand il plaisantait sur ses muscles et déplaçait la table de la cuisine avec son gros ventre. Elle et Diana qui applaudissaient, le congratulaient.

Ting se pencha vers elle, brandit la bouteille d'eau-de-vie chinoise et lui dit :

— Tu souris.

— Un souvenir, c'est tout, répondit-elle, et elle secoua la tête en direction de la bouteille.

Ting se remit à manger, aligna des cuisses de poulet laqué sur son assiette et suça ses doigts luisants d'huile.

— Santé ! s'exclama Pedro.

— Au taureau de Casa Verde ! lança Ting en souriant, et il trinqua avec lui.

— Il y a une vidéo sur YouTube où on voit pourquoi on m'a affublé de ce surnom. Je percute deux arrières de Santos de plein fouet, et on tombe dans les pommes tous les trois.

Grossman rit et se concentra de nouveau sur son assiette. Chaque fois qu'il levait ses baguettes, il perdait un peu de nourriture, sa chemise était tachée de riz et de soja.

— Toi aussi, tu voudrais une cuillère ? le charria Jasmine.

— Non ! On ne le dirait pas, mais je fais exprès. Ça me fait perdre du poids ! plaisanta Grossman.

Pedro commanda encore des bières et s'essuya le visage avec sa serviette. Ting avait mis ses mains derrière sa nuque, il observait Jasmine en plissant les yeux.

Celle-ci vit qu'Erica s'était levée et montrait à Dante quelques pas de danse. Il essaya de l'imiter, mais la petite fille secoua la tête et les lui montra à nouveau. Elle prit sa main et la posa contre ses reins, déplaça son menton pour qu'il se retrouve de profil, puis essaya de le faire danser.

— Jasmine? demanda Marta. Comment ça va? Je gère le temps, c'est dans deux heures, tu peux te détendre... Il ne faut pas arriver trop tôt au tribunal, et ce n'est qu'à cinq minutes d'ici... Ça va bien se passer.

Marta avait raison, elle devait essayer de se détendre. Tout le monde allait réaliser que l'Office des transports commettait une erreur. Les gens n'étaient pas forcément violents et déloyaux. Le visage pâle de Marta avait pris des couleurs, ses yeux brillaient à la lueur des lampes à huile.

— Merci, lui dit Jasmine.

Dante revint à table et grignota encore un peu, mais sans prendre le temps de s'asseoir : il voulait rejoindre Erica.

— J'apprends le tango, annonça-t-il, très enthousiaste.

Après le repas, tout le monde se rendit au théâtre, que Pedro leur fit visiter. Ils commencèrent par le dépôt de costumes, où ils purent admirer un mannequin de couture revêtu d'un habit de soie jaune datant de l'époque où des représentations d'opéras de Pékin étaient données en ce lieu. Puis ils suivirent une enfilade de couloirs jusqu'à la loge qu'avait occupée Cheng Yanqiu en personne.

Ting prit la main de Jasmine quand la petite troupe descendit un escalier plongé dans l'obscurité. Ils débouchèrent sur la scène, derrière le rideau baissé. Pendant que Pedro retraçait l'histoire du théâtre, Jasmine se tenait tout près de Ting, fébrile comme une adolescente. Ils entrelacèrent leurs doigts et admirèrent les décors suspendus au plafond, les guindes pendant de la machinerie, les sacs de sable.

Lorsque Pedro alluma une lampe puissante, ils se lâchèrent immédiatement les mains pour regarder les caisses qu'il traînait sous la lumière.

De jolies poupées en bois étaient alignées dans de magnifiques petits coffres. Leurs visages vernis avaient une expression triste.

Pedro posa un doigt sur ses lèvres pour obtenir le silence, et soudain, ils entendirent la musique de *Casse-noisette*, diffusée par un vieux gramophone. Ils sortirent tous du cercle de lumière. Grossman et les enfants s'assirent par terre. Marta toucha le bras de Jasmine, se pencha et chuchota :

— Jasmine, la représentation dure presque une heure, tu devrais en profiter pour aller au dépôt de costumes.

— Comment choisir ma tenue, à ton avis ?

— Tu dois porter une robe de soirée pour faire preuve de respect…

Une poupée sortit d'un des coffres, un étrange personnage courbé qui rejoignit la lumière en boitant.

— Quelle couleur ? chuchota Jasmine.

— Pas jaune ni rouge, répondit Marta en posant la clé dans sa main. Mais élégante en tout cas.

— Je ne sais pas si je saurai retrouver le chemin du dépôt.

— Tu passes par cette porte, là, et tu montes…

— Moi, je sais y aller, dit Ting à côté d'elle.

42

Ils quittèrent la scène en silence, s'enfoncèrent dans l'obscurité, montèrent l'escalier raide et passèrent devant les loges. Jasmine était parfaitement consciente de ce qu'ils faisaient. La présence de Ting éveillait en elle un impérieux désir qui imprégnait chacun de ses mouvements.

La musique de *Casse-noisette* résonnait toujours quand elle déverrouilla la porte du dépôt de costumes et entra. Ting tourna l'interrupteur, et un lustre de cristal s'alluma au plafond avec un petit clic. La lumière réfractée inonda le costume jaune du mannequin de couture ainsi que quelques éléments de décor appuyés contre le mur.

— Ce que je t'ai dit tout à l'heure, au chantier…, commença Jasmine avec prudence. C'était affreux de ma part.

— Pas de problème.

— Si, c'est un problème… Je ne sais pas pourquoi j'ai… dit ça. J'ai honte, je suis terriblement désolée. Ce que tu fais de ta vie ne me regarde pas.

— Non, répondit-il d'une voix assourdie.

— Je te demande pardon.

Il hocha rapidement la tête et pénétra dans la pièce en longeant un décor qui représentait la Cité interdite de Beijing.

— Cela dit, ce n'est pas bien de mentir, lança-t-elle derrière lui.

— Je pouvais difficilement t'avouer ce qu'il en était…

— Si.

— Salut, je suis un crétin – j'ai fait une overdose d'héroïne.

— C'est ça, la vérité?

Ting s'approcha d'elle. Son visage semblait impassible, mais ses joues s'enflammèrent quand il se mit à raconter son histoire à voix basse.

— La vérité, c'est que j'avais monté un petit chantier de construction navale à Vaxholm… Je fabriquais des bateaux de course haut de gamme. Si tu avais pu voir ça : quarante pieds, cinquante pieds, de l'acajou verni, chaque élément fait main… Des bateaux que je n'aurais jamais pu me payer, mais qui m'ont permis d'être invité à des fêtes, et je croyais que c'était ça, la belle vie… Il m'a fallu quatre ans pour perdre l'entreprise, mon appartement, choper une condamnation avec sursis, faire une première overdose, voler de l'argent à mon grand-père, faire une deuxième overdose et me retrouver ici… Alors, oui, tu as raison, je ne mérite pas de revenir.

— Bien sûr que si.

— Tout le monde ne peut pas être parfait, ajouta-t-il en baissant les yeux.

— Je dois reconnaître que ça fait un drôle d'effet d'être la seule, répondit Jasmine.

— Tu l'es.

— Mais bien sûr ! dit-elle en riant.

— À part que tu veux toujours avoir le dernier mot.

— Quand j'étais petite, oui.

— Ça n'a pas changé.

— C'est peut-être toi le plus têtu, objecta-t-elle, incapable de s'arrêter.

Avec un sourire, il posa sa main sur la joue de Jasmine, mais elle détourna la tête. Elle n'était pas prête, il fallait d'abord qu'elle parle.

— Ting, juste pour que tu saches, je suis parfaite au point d'avoir carburé aux psychotropes à deux reprises… La deuxième fois, j'étais tellement mal en point qu'on m'a hospitalisée sous contrainte et…

Incapable de croiser son regard, elle baissa les yeux.

— Et je sais que ce n'est pas très sexy tout ça, mais je voulais te le dire.

— Merci.

— J'ai bien sûr un tas d'excuses valables, genre expériences traumatisantes… J'ai fait une erreur de jugement dans mon travail qui… qui a mené à la mort de deux personnes de mon équipe et a infligé des blessures graves à d'autres.

— Que s'est-il passé ?

— Peu importe… Au fond, ce qui compte, c'est que je n'ai pas été à la hauteur au moment crucial. Je devais prendre soin de Dante, mais j'ai quand même perdu prise…

— Des fois, ça se goupille mal, dit-il calmement.

Jasmine s'éloigna, sentit son odeur de bois fraîchement scié, et eut un frisson dans le dos en se rendant compte qu'il la suivait parmi les vêtements du dépôt.

Elle sut alors ce qu'elle était en train de faire. Elle reconnut son ancien besoin de se laisser aller et de vivre l'instant présent.

La lumière dispensée par le plafonnier n'atteignait pas les costumes au fond du local. Elle ralentit, aperçut une lampe sur un bureau, et chercha le fil électrique dans la pénombre. Elle entendit la respiration de Ting derrière elle, sentit les battements violents de son propre cœur.

— Je vais regarder les robes, chuchota-t-elle en laissant ses doigts glisser vers l'interrupteur.

Quand la lampe s'alluma, Jasmine s'aperçut qu'elle avait la forme d'un lièvre grandeur nature. L'animal en plastique rose diffusa une douce lueur sur la longue enfilade de robes. Certaines étaient élimées, des fils pendaient des ourlets, d'autres étaient comme neuves.

Le rire des enfants traversa les cloisons du théâtre, puis ce furent les sonorités mécaniques de la musique.

— Celle-ci est belle, dit Ting en montrant une robe en soie saumon.

— Mais beaucoup trop petite pour moi, répondit-elle avec un petit rire.

— Tu es sûre ?

Il souleva la robe, et Jasmine plaqua le tissu frais devant sa silhouette. La main de Ting frôla sa hanche.

Jamais elle n'avait désiré quelqu'un aussi fort qu'elle le désirait en cet instant.

C'était peut-être la vie en elle qui pesait si lourd dans la balance.

Car en cette seconde, leurs cœurs étaient à l'arrêt, aussi immobiles que les pavés d'une ville brillant de mille feux sous une cloche remplie de neige virevoltante.

Elle avait beau être morte, elle pouvait sentir son organisme plein d'ardeur. Elle avait les jambes en coton. Comme une adolescente se baignant nue dans un lac au clair de lune avec son premier amour.

— Tu viendras me voir quand nous serons de retour ?

— Oui, répondit-elle en touchant la perle qui pendait au lobe de l'oreille de Ting.

— Tu mens.

— C'est toi, le menteur.

— Toujours le dernier mot.

— Non, dit-elle en l'embrassant tout doucement.

— Jasmine, je…

— Qu'est-ce qui ne va pas ? demanda-t-elle, et elle fit un pas en arrière.

— Je ne sais pas.

— Tu es vraiment jeune, constata-t-elle, et elle vit le visage de Ting s'empourprer.

Elle prit sa main et la posa contre sa joue, resta ainsi à le regarder dans les yeux. Il avait dix bons centimètres de moins qu'elle. Avec délicatesse, la main de Ting s'enroula autour de sa nuque. Elle se pencha en avant et l'embrassa sur la bouche encore une fois, toujours aussi doucement.

— On peut faire ce qu'on veut, chuchota-t-elle contre ses lèvres. On est adultes… on est même morts.

— Pas complètement, remarqua-t-il à mi-voix.

— Je sais. Pourquoi tout le monde dit qu'on est morts ?

— Ils mentent.

Ils s'embrassèrent, et elle alla à la rencontre de la langue chaude de Ting. Tout son être frémit de désir. Le cœur de Ting tonna contre le sien.

— La plupart des gens perdent leurs couleurs ici, dit-il en l'observant intensément. Mais toi, tu brilles, tes cheveux roux, ta peau, chaque petit point…

— Tu sais pourquoi j'ai ces petits points, hein?

Il rit, puis redevint sérieux. La cicatrice sur son œil gauche s'assombrit. Le visage de Jasmine flottait tout au fond de ses pupilles noires.

— Je ne suis pas sûr que ce soit une bonne idée, remarqua-t-il.

— Pourquoi?

— Parce que tu es méchante.

— Et si je deviens plus gentille? chuchota-t-elle en essayant de déboutonner le jean de Ting.

— Des mots en l'air.

Il attrapa ses poignets et éloigna ses bras en les tenant à peine.

— C'est vrai. Mais on le fera quand même, ajouta-t-elle en sentant la douce chaleur dans son bas-ventre.

— Non.

Les joues en feu, elle se dégagea de ses mains et se remit à déboutonner son jean étroit. Le deuxième bouton s'était pris dans un enchevêtrement de fils.

— Qu'est-ce que tu fais? souffla-t-il en lui écartant de nouveau les mains.

— J'essaie de te séduire, mais je n'ai pas beaucoup de succès.

— Pourquoi tu voudrais coucher avec moi? demanda-t-il d'une voix blanche.

Jasmine était déjà ouverte à l'idée, rien ne pourrait plus l'arrêter maintenant. Elle voulait le faire, elle voulait être avec lui, le sentir en elle.

Il retira son tee-shirt et l'envoya sur un vieux canapé de velours côtelé. Son corps était jeune et beau, son ventre plat, sa poitrine glabre.

Une gêne soudaine la traversa quand elle enleva sa culotte. L'instant devenait trop solennel. D'habitude, elle n'était jamais intimidée. Contrairement à presque tout le reste, le sexe était facile pour elle. Mais là, c'était différent. Son cœur battait beaucoup trop vite. Elle ne comprenait pas pourquoi elle le désirait tant.

Ting caressa ses seins à travers le tissu de sa robe, l'embrassa dans le cou. La plaque de son visa glissa sur le côté. La respiration de Jasmine se fit haletante, elle tourna les yeux vers la porte fermée à clé. Ting trouva son mamelon sous le mince tissu et referma ses lèvres autour.

Il chuchota quelques mots, l'embrassa encore une fois et la fixa de son regard sombre.

Jasmine se rendit compte que ses mains tremblaient quand elle essaya encore une fois d'ouvrir son jean. Elle n'y parvint pas et se mit à pouffer.

— Le bouton est pris dans...

Il essaya lui-même, dit quelque chose qu'elle n'entendit pas et tira d'un coup sec, faisant craquer tous les boutons.

Jasmine souleva doucement sa robe au-dessus de ses hanches, puis la passa par-dessus sa tête. Dans la lueur rose, elle contempla Ting qui s'efforçait de dégager son jean d'un coup de pied.

La musique leur parvenait depuis la scène, comme un tintement de petites cloches.

Jasmine s'assit sur le canapé et serra les cuisses. Elle sentit la chaleur ardente, onctueuse dans son bas-ventre.

— Viens maintenant, chuchota-t-elle.

Sa main s'enfonça entre les coussins. Elle sentit la poussière et le sable qui s'y étaient accumulés.

Ting la rejoignit. Elle songea qu'ils feraient peut-être mieux d'attendre, mais elle se pencha quand même en arrière.

Un coussin glissa par terre lorsqu'elle écarta les cuisses. Elle les ouvrit tant que les muscles de l'aine se tendirent. Elle sentit son poids sur elle, la chaleur de sa peau et les battements rapides de son cœur quand, avec un soupir, elle l'accueillit.

Tout son être vibrait. Elle faillit jouir aussitôt, et l'attrapa des deux mains pour lui signaler de ne plus bouger, le temps qu'elle se calme. Puis il reprit ses va-et-vient, et elle essaya de remuer ses hanches au même rythme, mais il allait beaucoup trop vite.

— Doucement, murmura-t-elle.

Il gémit contre sa joue, se fit plus lent, et elle sentit la sueur dans son dos. Puis, incapable de se retenir plus longtemps, elle se livra tout entière à la jouissance.

43

Une heure plus tard, Marta ouvrait la porte du Tribunal populaire de première instance, et faisait entrer Jasmine dans le vestibule de la salle d'audience. Dante était déjà installé parmi les auditeurs, en compagnie de Grossman, Pedro et Erica, tandis que Ting siégeait dans la cabine des interprètes.

— L'audience va commencer dans trois minutes, chuchota Marta en la suivant.

Un très vieil homme aux jambes frêles, peut-être un huissier, était assis à côté de la porte donnant accès à la salle, juste sous un téléphone mural en plastique jauni, dont le fil arraché était enroulé autour de l'appareil. Les murs étaient vides, hormis un miroir au cadre en bois et un portrait poussiéreux de Confucius tenant les mains devant lui comme s'il s'apprêtait à former un papillon avec ses doigts. Dans un coin, une armoire ouverte où avaient été rangés une bonbonne et trois verres.

Marta aida Jasmine à se débarrasser de son manteau, recula d'un pas et la contempla. Ses yeux étaient immenses, ses pupilles des îles noires dans des lacs sombres.

— Tu es incroyablement belle, chuchota-t-elle.

— J'ai l'impression de m'être habillée pour le bal du lycée avec quelques années de retard.

Elle pensa à Ting allongé sur le canapé de velours côtelé, à elle-même, toute nue, quand elle avait déniché la robe dans le dépôt de costumes, longue, serrée, en soie d'un bleu brumeux, légèrement scintillante. En l'essayant, elle avait perçu les traces d'un parfum suave dans l'étoffe.

— Tu es spectaculaire, et ça, c'est bien, dit Marta.

— Tu es sûre que c'est bien ?

— Sûre et certaine.

— Parfait.

— Sur cent procès civils, il y a peut-être un assesseur qui daigne lever les yeux... Nous avons besoin de tout ce qui pourra attirer leur attention.

Le parquet usé craqua quand Jasmine s'approcha du miroir.

La robe semblait avoir été confectionnée pour elle, elle lui allait comme un gant. Les bretelles consistaient en deux fines cordelettes brillantes posées sur ses épaules constellées de taches de rousseur. Le tissu épousait son torse et ses hanches, la faisant paraître plus mince et moins musclée.

— Wu Wang est déjà là, il a quatre ingénieurs pour défendre sa cause, annonça Marta en jetant un regard vers la porte.

— Et mon représentant, il est où ? On m'a dit que je trouverais un avocat sur place.

— Tada, murmura le vieil homme sur sa chaise.

D'une main malhabile, il saisit sa canne et se cogna la tête au téléphone mural en se levant.

— Autrefois, cette pièce servait de salle de billard, annonça-t-il d'une voix chevrotante. À l'époque, il y avait un escalier à l'arrière pour les invités prestigieux du Comité.

— Si ça se trouve, il n'est même pas avocat, marmonna Jasmine entre les dents.

— Il n'est pas censé l'être, expliqua Marta. Moi, je peux participer du début à la fin en tant que conseillère, mais je ne peux pas présenter ta défense puisque j'appartiens au *Corpus juris*... Se faire représenter par un avocat prouve qu'on ne croit pas en sa propre affaire.

Le vieil homme s'approcha d'elles sans se presser, et observa Jasmine de ses yeux bridés derrière de grosses lunettes.

— J'ai ouï dire que nous serions tous les deux dans la salle d'audience aujourd'hui, dit-il, et il lui tendit une main maigre et tavelée.

— C'est ça, répliqua-t-elle en lui serrant la main.

— Dong Hongli, maître ès sciences politiques.

— Jasmine Pascal-Anderson.

Il mit sa main derrière son oreille pour mieux entendre, et hocha la tête d'un air surpris.

— Moi aussi, je conduisais une Cadillac quand j'étais jeune, répondit-il.

— Je m'appelle…

— Oui, je sais, je plaisantais, dit le vieil homme en riant, puis il lui tapota la joue. Je ne suis pas vieux à ce point-là.

Les carreaux des grandes fenêtres derrière eux étaient recouverts d'une pellicule de poussière jaune sale qui donnait au ciel du soir un aspect défraîchi.

— Quel est votre plan d'action ? demanda Jasmine en le regardant droit dans les yeux.

— J'ai d'abord un procès civil ici, dans la grande salle. Ensuite, je prendrai un verre de single malt, un dîner de bonne heure, puis je ferai une partie de mah-jong avec ma chère épouse.

— Je parlais du procès.

— Ah oui, eh bien, c'est simple… Après quelques formules de politesse, je veillerai à ce que le juge vous demande pourquoi vous avez fait appel de la décision de l'Office des transports, et c'est le moment où vous vous lèverez pour dire la vérité.

— Et c'est un juge correct, à votre avis ? demanda Jasmine, l'estomac noué d'angoisse.

— Il est intègre, de l'avis de la plupart des gens… Il passe le plus clair de son temps au tribunal à combattre la triade, répondit Dong Hongli.

— Tant mieux.

— Et il a un cœur… Je sais en tout cas qu'il y a quelques années, il était follement amoureux d'une écolière, au point de mélanger la salive de la jeune fille à du miel et de l'avaler comme un remède.

Entendant le public prendre place dans la salle, Jasmine se força à fixer son regard au parquet usé, au cuir craquelé d'un fauteuil défoncé, aux éraflures sur le mur causées par le dossier du haut fauteuil, aux particules de poussière qui brillaient dans l'air immobile.

— Jasmine? Tu vas t'en tirer, dit Marta. On a tout passé en revue, tu sais ce que tu dois faire... Reste polie, parle de ton fils, concentre-toi sur la vérité... et garde en tête qu'ils peuvent être embarrassés par des effusions sentimentales.

— C'est l'heure?

— On entre avant toi, donne-nous au moins vingt secondes.

Marta ouvrit la porte, laissa le vieil homme s'y traîner le premier, et jeta un rapide coup d'œil à Jasmine avant de le suivre. La porte se referma derrière eux. Le brouhaha dans la pièce cessa, mais le bois des bancs craquait toujours.

Jasmine compta environ vingt secondes, puis se contraignit à attendre un peu plus. Elle respirait lentement. Elle compta jusqu'à dix, s'étira, leva le menton, ouvrit la porte à son tour, et entra d'un pas mesuré qui fit chatoyer sa robe d'un éclat limpide. La soie légère était comme une caresse sur sa peau.

Elle prit sur un présentoir mural les écouteurs pour la traduction simultanée, puis continua à avancer.

La grande salle d'audience du Tribunal populaire de première instance ressemblait à un amphithéâtre de l'Europe de l'Est des années 1960, avec ses tapis gris, ses haut-parleurs jaunâtres accrochés aux murs, et ses cendriers en laiton intégrés aux accoudoirs des sièges.

Jasmine eut le temps de voir Dante assis au premier rang entre Grossman et Erica. Puis elle se concentra uniquement sur sa progression dans l'allée centrale légèrement inclinée qui menait au juge et aux quarante-deux assesseurs.

Des auditeurs épars occupaient les bancs. Un vague murmure s'éleva dans la salle quand elle apparut face à l'estrade.

Ting était installé dans sa cabine vitrée. La lumière des plafonniers ruisselait sur les rayures du verre.

Il émit un léger sifflement dans ses écouteurs.

Le docte juge suprême attendit, les paupières lourdes et le visage immobile, mais Jasmine devina qu'il ne la quittait pas des yeux. Marta et Dong Hongli étaient assis du côté de la partie civile. Elle alla prendre place avec eux. À dessein, elle ralentit. L'étoffe moirée de sa robe jetait de petits reflets brillants autour d'elle.

D'un geste de la main, Marta lui indiqua où elle devait s'asseoir, mais Jasmine resta debout et laissa son regard parcourir la salle. Les quarante-deux assesseurs ressemblaient aux musiciens d'un orchestre symphonique, dépouillés de leurs instruments. Aucun d'eux ne paraissait avoir encore remarqué la présence de la jeune femme, ils étaient apparemment indifférents au procès. Wu Wang se tenait à sa place, en costume fraîchement repassé, les quatre ingénieurs à ses côtés. La plaque de visa lisse de Dante pendait autour de son cou.

— Restez comme ça encore un instant, chuchota Dong Hongli.

Le juge continuait de l'observer. Ses cheveux ressemblaient à du duvet blanc, ses yeux étaient foncés, une expression grave se lisait sur son visage ridé. Devant sa table surélevée était accrochée une banderole en satin portant l'inscription "La révolution n'est pas un dîner de gala", en chinois et en anglais.

— Plutôt inaccoutumée comme tenue, finit-il par dire à Jasmine. Mais votre robe a assez de lustre pour me remémorer les splendeurs de Macao.

Il s'efforça d'effacer son sourire et, d'un geste de la main, il invita Jasmine à s'asseoir. Cinq ou six assesseurs la regardèrent enfin. Un stylo tomba et roula par terre. D'un hochement de la tête, elle remercia le juge et prit place.

— Comment faites-vous pour avoir des cheveux aussi rouges ? demanda le juge en se penchant par-dessus sa table.

— C'est ma couleur naturelle, je suis rousse, répondit Jasmine.

Environ quinze assesseurs sur les quarante-deux avaient à présent les yeux rivés sur elle. Marta posa sa main sur la sienne pour atténuer la pression, mais Dong Hongli eut l'air satisfait.

Le docte juge suprême se leva et essaya de fermer sa veste d'uniforme sur son gros ventre avant de se tourner vers les assesseurs.

— Je ne retire aucun avantage personnel de ce procès, je n'ai aucun conflit d'intérêts à signaler, récita-t-il comme une leçon. Je n'ai aucune opinion préconçue, je ne connais ni la partie demanderesse ni la partie défenderesse, je n'ai pas truqué le poids de la balance, je ne me suis pas adonné à des jeux, je n'ai pas engagé de paris, je suis le serviteur de ce tribunal, et rien d'autre.

Il se rassit, prit quelques notes sur un papier, puis tourna le regard vers Dong Hongli qui se leva aussitôt et battit des cils derrière ses lunettes.

— Wu Wang a joué contre le garçon et a gagné son visa, commença-t-il, avant de toussoter. Ce qui est parfaitement légitime, il y a des témoins du concours. Mais ma cliente s'est quand même opposée à cet échange puisqu'il concerne un mineur récemment arrivé qui n'a pas encore compris la valeur de son visa.

— Il est habile, chuchota Marta.

— Mais il faut qu'il précise que je suis la maman de Dante, objecta Jasmine à voix basse.

— La partie demanderesse a-t-elle quelque chose à ajouter ? demanda le juge.

— Réponds-lui que tu es représentée par Dong Hongli, lui conseilla Marta à voix basse.

— Je suis représentée par Dong Hongli.

— Il faut que tu te lèves, dit Ting dans les écouteurs.

— Je n'ai pas entendu les paroles de la cinquième beauté, déclara le juge avec un sourire.

44

Lorsque Jasmine se leva, le silence se fit dans la salle du tribunal. L'étoffe fraîche se tendit sur sa poitrine au rythme de sa respiration. Son regard passa sur les auditeurs dispersés sur les bancs, survola les quarante-deux assesseurs, Wu Wang et ses quatre ingénieurs. Muni de papier et d'un stylo, Ting siégeait dans son box devant le microphone. Malgré le reflet des lampes dans la vitre, elle put voir combien son visage était crispé. Dante était assis sur le banc près d'elle. Il s'amusait avec Erica, tandis que Pedro et Grossman ne la quittaient pas des yeux.

— Je suis représentée par Dong Hongli, répéta-t-elle.

— Mais vous êtes plus agréable à regarder, remarqua le juge.

Sa réplique fit rire quelques hommes. Jasmine, pour sa part, n'esquissa pas le moindre sourire. Elle releva le menton, affronta le regard du juge, s'y attarda un instant avant de prendre la parole.

— Je ne voudrais pas sembler impolie, déclara-t-elle en inspirant profondément. Et peut-être cette affaire ne doit-elle même pas être considérée comme un conflit... Peut-être s'agit-il d'un simple malentendu ? C'est probablement le cas. En tout cas, j'aime à le croire... car je n'ai nullement l'intention d'accuser Wu Wang de quoi que ce soit. Mais je connais Dante, il est mon fils, mon seul enfant... et je sais qu'il ne voudrait échanger son visa avec personne... C'est la raison pour laquelle je me suis opposée à la décision de l'Office des transports.

Il y eut un faible crépitement dans les écouteurs. Le juge la scruta, perplexe, et elle comprit qu'elle devait ajouter quelque chose.

— Je dirai la vérité, rien que la vérité, poursuivit-elle, et elle chercha de l'aide dans les yeux de Dong Hongli.

— Elle veut souligner ainsi qu'elle a confiance dans le Tribunal populaire de première instance, dit celui-ci d'une voix grinçante.

— J'ai confiance dans le Tribunal populaire de première instance, répéta Jasmine en regardant de nouveau le juge. Et j'ai confiance dans le docte juge suprême et dans les quarante-deux assesseurs.

— Racontez comment vous êtes arrivée ici, la pria Dong Hongli.

— Nous avons eu un accident de voiture près de Stockholm. C'étaient les premières neiges de l'hiver. Nous nous rendions chez le père de Dante, mais nous n'y sommes jamais arrivés… Nous nous sommes retrouvés ici.

— C'est une histoire que nous reconnaissons tous, déclara le juge, et ses yeux lourds se firent plus sombres.

— Nous nous sommes réveillés ensemble dans une cabine, et sommes descendus au quai. Nous avons obtenu nos visas, puis avons pris la direction du terminal lorsque nous sommes tombés dans un piège.

— Ils t'écoutent, chuchota Dong Hongli à côté d'elle.

— La triade a pris Dante… L'idée était que je meure pour que personne ne puisse le représenter.

— Si la triade avait voulu vous tuer, nous n'aurions pas eu le plaisir de nous rencontrer ici, objecta aimablement le juge.

— Ils ont pris mon fils.

— C'est facile de s'imaginer ce genre de choses quand on arrive ici, déclara Wu Wang avec compassion, et il se leva.

Jasmine se rendit compte que ses lèvres commençaient à trembler. Or, elle savait qu'elle ne devait pas pleurer. Le silence absolu dans la salle d'audience lui fit comprendre qu'elle avait l'attention de tous les assesseurs. Dante la regarda de ses grands yeux, et écouta les tentatives de traduction d'Erica.

— Assieds-toi maintenant, chuchota Marta.

— Vous l'avez vu comme moi, poursuivit Wu Wang d'une voix peinée à l'adresse des assesseurs. Des parents qui arrivent dans le port et qui cherchent leur famille, c'est insupportable. Ils tâtonnent désespérément dans l'obscurité, ils s'attachent à des enfants étrangers...

— Qu'est-ce qu'il est en train de dire, là ? demanda Jasmine, déconcertée.

— Ce garçon n'est pas l'enfant que vous avez perdu, il...

— Dante est mon fils, l'interrompit Jasmine, stupéfaite.

— Nous comprenons que telle soit votre opinion, affirma Wu Wang très sérieusement.

— Je l'ai mis au monde, je le connais mieux que quiconque. Il ne sait même pas quel est cet endroit, il ne comprend pas à quoi sert un visa, il croit que c'est un collier. Il est trop petit pour tout ce qui se passe ici, beaucoup trop petit. Il a juste compris que Wu Wang lui donnait un jouet... Donc, s'il y a une justice, l'échange doit être invalidé.

Wu Wang se laissa tomber sur sa chaise.

Le plus âgé de ses ingénieurs se leva, passa la main sur sa barbe grise clairsemée, puis prit la parole.

— Docte juge suprême, honorables assesseurs... Je n'ai l'intention de céder ni à la coquetterie ni à l'hystérie, car nous sommes au Tribunal populaire de première instance... Plantons plutôt l'aiguille dans l'œil de la mante religieuse. Vous savez tous que Wu Wang exerce une bienfaisance active dans le secteur de la ville qu'on appelle Jipin. Ce sont des quartiers dangereux, peuplés de gens dans le besoin. Wu Wang venait personnellement de servir onze cents bols de soupes, et il rentrait chez lui lorsqu'il a trouvé un enfant abandonné sous une bâche en plastique derrière le bazar... Un petit garçon sale qui avait très soif, qui n'avait rien mangé depuis plusieurs jours et qui avait besoin...

— Il est arrivé ici aujourd'hui, avec moi, l'interrompit Jasmine.

— J'ai appris à l'école à garder le silence quand je me trouvais en compagnie d'hommes mieux informés que moi, répliqua l'ingénieur, hautain.

— Ma mémoire peut me tromper, riposta Dong Hongli sans parvenir à se lever. Le nord-est de la Chine avait son industrie lourde… Mais y avait-on vraiment de bons professeurs ?

De nombreux auditeurs s'esclaffèrent et regardèrent l'ingénieur. Plusieurs assesseurs esquissèrent un sourire.

— Poursuivez, lança le juge d'un ton raide.

— Wu Wang se rendait à une réunion à l'agence d'urbanisme, mais il n'avait pas le cœur d'abandonner le garçon à son sort, poursuivit l'ingénieur. Il a préféré lui donner à boire et à manger, et il l'a emmené chez lui pour qu'il soit en sécurité.

Jasmine écouta la traduction de Ting, parsemée de crépitements, et se mit à trembler de tout son être en réalisant qu'ils avaient sous-estimé Wu Wang. Ce dernier se souciait de la vérité comme d'une guigne, il voulait juste saisir l'opportunité de revenir à la vie.

— Wu Wang est resté auprès du garçon et lui a décrit le fonctionnement de la ville, raconta l'ingénieur. Il a expliqué que si on veut retourner chez soi, on doit s'accrocher à son visa, mais qu'on peut l'échanger ou le vendre si on préfère rester dans…

— Il ment, l'interrompit-elle, et elle se leva si brutalement que sa chaise alla cogner le mur. Il ment sur toute la…

— Silence dans la salle ! s'exclama le juge sur un ton sévère.

— Jasmine, l'avertit Ting dans les écouteurs. Calme-toi, ils vont te punir si…

— Dante est mon fils, poursuivit Jasmine d'une voix forte. Et je peux prouver que…

— Silence !

Wu Wang afficha un sourire désolé, comme si l'éclat de colère de Jasmine était à la fois attendu et tristement confus. Quelques mèches blanches de ses cheveux coiffés en arrière tombèrent sur son front quand il consulta un document sur la table.

Les assesseurs se mirent à murmurer, l'un d'entre eux se leva. Grand et maigre, les lèvres minces et ulcérées, l'air stressé derrière ses lunettes.

— Il faut expulser cette femme de la salle d'audience et la conduire sur la place, exigea-t-il d'une voix fluette.

— Pardon, je ne voulais pas…

— Expulsez-la! l'interrompit l'assesseur en criant. Il faut l'attacher au…

Dong Hongli perdit sa canne en essayant de se lever. Elle tomba bruyamment sur le parquet et roula aux pieds du représentant de Wang.

L'ingénieur se trouva planté là, la canne à ses pieds. Il vit Dong Hongli tenter péniblement de se mettre debout. Il n'avait pas le choix. La différence d'âge l'obligeait à la ramasser et à la donner à Dong Hongli.

Sans un mot de remerciement, celui-ci se leva enfin et prit la parole.

— J'entends des accusations formulées dans une émotivité féminine. Mais j'entends aussi de jeunes gens se mettre en avant… Je serai bientôt vieux, j'ai eu le temps d'étudier la Constitution… et il me semble me souvenir d'un texte portant sur le droit d'assister à son propre procès.

— C'est exact, confirma le juge, et il griffonna une note avant de regarder de nouveau Dong Hongli.

— Mon fils veut revenir à la vie, reprit Jasmine, et elle essuya les larmes sur ses joues. Je le sais, voilà la raison de mon emportement.

— La fille du garde-frontière pleura lorsque le prince de Tsin la prit pour épouse, dit le juge avec un sourire triste. Mais lorsqu'elle put partager avec lui le lit seigneurial, elle regretta ses larmes.

Plusieurs assesseurs applaudirent. La voix de Ting disparut dans un chuintement. Jasmine vit Wu Wang faire un signe de la main à Dante, et elle sentit une violente nausée lui monter à la gorge. Wang avait l'intention de revenir à la vie dans l'enveloppe corporelle de son fils. S'il gagnait le procès, son regard brillerait dans les yeux de Dante.

— Regrettez-vous vos accusations de mensonge? demanda le juge d'une voix quasi bienveillante.

— Oui, je les regrette, répondit-elle en avalant sa salive.

— Alors, nous donnons la parole à…

— Je regrette les accusations… mais par respect pour le tribunal, je voudrais quand même que vous sachiez que Wu Wang ment.

— Wu Wang est un homme respecté, rugit l'un des ingénieurs.

— Et un menteur, ajouta Jasmine à voix basse alors même qu'elle sentait Marta tirer sur sa robe pour lui intimer de se taire.

— J'essayais d'aider un enfant abandonné, affirma Wu Wang.

— Vous mentez, persista Jasmine.

45

Wu Wang repoussa quelques documents sur la table, eut un geste vif du bras pour se débarrasser de la main d'un de ses représentants qui tentait de le calmer, puis se leva.

Son visage fatigué était pâle, mais son regard luisant restait si aimable que Jasmine sentit des frissons tout le long de sa colonne vertébrale.

Elle fixa son costume marron, ses cheveux blancs et le mince doigt qu'il tint pointé vers le plafond lorsqu'il répéta son estime pour les traditions ancestrales du tribunal.

Tout à coup, Jasmine fut quasi certaine que Wu Wang était l'homme qu'elle avait entraperçu dans la ruelle sombre. Celui qui avait pendu le grand-père de la petite fille.

Son cœur se mit à battre à tout rompre. Wu Wang était un assassin, il avait des liens directs avec la triade – il était parvenu à les tromper, tous.

Il s'étira et laissa son regard courir sur les assesseurs et sur le juge. Autour de son cou, la plaque toute neuve balançait sur sa chaîne lorsqu'il se tourna vers Jasmine et se mit à parler d'une voix tranquille :

— Vous dites que vous respectez le tribunal. Or, vous avez précédemment affirmé que ceux qui vivent dans le port depuis longtemps ont du mal à s'y entendre en justice… Cela fait forcément allusion à notre juge et à ses quarante-deux assesseurs.

— Non, cela…

— N'avez-vous pas déclaré que nous ne sommes que des ombres couleur de plomb dans une ville recouverte de cendres ? termina-t-il en lissant sa cravate.

Les joues en feu, Jasmine se souvint de ses paroles. C'était presque mot pour mot ce qu'elle avait dit au psychologue de l'hôpital quand on lui avait donné des calmants. Il était impossible que Wang ait entendu cette conversation, et pourtant, il se tenait bien là, en cet instant, et restituait ses dires devant tout le monde.

— Avez-vous dit cela ? demanda le juge en dardant son regard sur elle.

Elle repoussa l'envie de nier.

— Oui, reconnut-elle. Mais je…

— Honte à vous.

Jasmine hocha la tête. La tension lui raidit la nuque.

— J'ai effectivement l'impression parfois d'avoir une légère teinte de plomb, tenta de plaisanter Dong Hongli.

— Mais la vérité est que nous ne sommes pas des ombres, répliqua Wu Wang. Nous existons. Faites-nous une piqûre, vous nous verrez saigner… et sans le tribunal, le chaos régnerait dans le port.

— Ma cliente voudrait souligner qu'elle respecte le tribunal, lança Dong Hongli.

— Monsieur Wu, vous pouvez poursuivre, trancha le juge.

— Je dois dire que je ne vois pas où j'aurais mal agi, expliqua Wu Wang avec un sourire embêté et un large geste de ses mains osseuses. J'ai invité un garçon abandonné dans ma modeste demeure. Quelques amis du Comité s'y trouvaient déjà, ils jouaient aux dés dans la cuisine… J'ai mis en garde le petit d'y participer, mais il ne m'a pas écouté, il voulait absolument jouer au poker menteur avec moi…

— Dante ne connaît aucun jeu de dés, l'interrompit Jasmine.

— Papa m'a appris, glissa Dante.

— Les mineurs n'ont pas la parole dans le prétoire, le gronda le juge.

— Dante ne m'en a jamais parlé, répondit-elle.

— Vous dites pourtant que vous le connaissez mieux que quiconque, répliqua immédiatement l'un des ingénieurs.

— En effet, rétorqua-t-elle. Et je sais qu'il ne comprend pas ce que signifie mettre en jeu son visa.

— Mais il a signé un certificat, la rembarra Wu Wang.

— C'est absurde. Dante ne sait même pas écrire son prénom.

Un des ingénieurs sortit un document d'une chemise en cuir, et le brandit devant le juge et les assesseurs. Jasmine se leva sur des jambes flageolantes, son visage s'empourpra. En bas à gauche sur le document, sous les signes chinois, elle pouvait lire "Dante" écrit d'une main enfantine.

Elle fit un pas vers son fils, mais fut obligée de s'arrêter pour prendre appui sur la table.

— Dante?

— C'est fini? demanda-t-il d'une voix joyeuse.

— Ce n'est pas toi qui as écrit ton prénom sur le papier que…

— Si, je sais le faire maintenant, s'écria-t-il, rayonnant de bonheur. Je viens d'apprendre, je sais écrire mon prénom…

— Je suis fière de toi, le félicita-t-elle machinalement en se laissant tomber sur sa chaise.

— Il est temps maintenant de clore ce dossier, déclara le juge sans la regarder.

— Elle pleure comme une menteuse repentie qui reconnaît sa faute, récita Wang.

Les assesseurs éclatèrent de rire. Jasmine cilla pour chasser les larmes avant de redresser la tête et de se lever de nouveau. Elle ne prêta aucune attention aux boulettes de papier que certains auditeurs lui lançaient dans le dos.

— Vous ne me croyez pas, mais je dis la vérité, déclarat-elle en élevant la voix. Je suis arrivée au quai accompagnée de mon fils, c'est indiscutable. On m'a donné un certificat comme quoi j'étais responsable de lui… Mais sur le chemin du terminal, on nous a enfermés dans un magasin, et la triade m'a enlevé Dante et a volé le certificat…

Un des ingénieurs leva poliment la main pour demander la parole.

— Nous avons vérifié, annonça-t-il en brandissant un bout de papier. Le garçon avait un document établissant qu'il est arrivé seul au quai…

— Dante n'a jamais eu de document, c'est à moi qu'ils l'ont donné… et ce document disait que je suis responsable de lui, s'exclama Jasmine.

L'ingénieur de Wu Wang montra un feuillet semblable à celui qu'on avait donné à Jasmine dans le port, celui qui lui avait été volé.

— Voici le certificat qui a été rédigé après la pesée, poursuivit l'ingénieur sans pouvoir s'empêcher de sourire. Il y est clairement mentionné que l'administration portuaire a enregistré le garçon comme étant arrivé seul.

— Vous mentez ! cria Jasmine en se ruant sur l'homme.

Elle lui assena un coup dans la poitrine, mais reçut une gifle retentissante en retour qui l'envoya contre la table. La joue en feu et un sifflement lui bourdonnant dans l'oreille, elle retourna devant le juge. Des larmes de rage lui montèrent aux yeux quand elle exigea qu'on fasse venir la copie carbone gardée dans un classeur au port.

— Nous avons naturellement la copie ici, fit savoir l'ingénieur, et il posa l'original et la copie tamponnée devant le juge.

— Ce sont des faux. Mon interprète sait que le papier était rédigé en mon nom.

— Il n'est mentionné nulle part qu'un interprète aurait été recruté dans le port.

— Non, je suis allée le voir après, il construit des bateaux dans...

— Les débats sont terminés, l'interrompit le juge.

— Dante ! cria-t-elle. Dis-lui que je suis ta maman !

— Les mineurs n'ont pas droit de parole dans le prétoire.

— Dis-le-lui !

— Tu es ma maman, dit Dante, la voix étranglée par la peur.

Le juge se pencha en avant et déclara solennellement que la cour avait examiné l'affaire.

— Bien que je me trouve dans cette ville depuis longtemps, je suis convaincu de rendre la justice en disant que le jugement de l'Office des transports est correct.

Jasmine était comme paralysée. Dante la fixa. Dans sa cage en verre, Ting avait plaqué sa main sur sa bouche.

— Le Tribunal populaire de première instance a décidé de déclarer nulle l'action en justice de la demanderesse, annonça le juge d'une voix maîtrisée. L'échange de visas a eu lieu dans des conditions légitimes et, par conséquent, Wu Wang gardera la pleine possession du visa du garçon.

Wu Wang gratifia Dante d'un long et tendre regard. Ses yeux embués étaient emplis de nostalgie. Wang va devenir cet enfant, songea Jasmine. La décision est prise. Il va se réveiller dans le corps de Dante après l'opération. Il sera mon enfant tandis que Dante sera conduit à bord d'un bateau et disparaîtra à tout jamais.

Elle fut prise de vertige. Elle retira les écouteurs de ses oreilles et les laissa tomber au sol. Des gardes entrèrent dans la salle d'audience. Elle ne comprenait pas ce qui s'était passé. Déglutissant plusieurs fois pour ne pas vomir, elle ouvrit la bouche, incapable pourtant de proférer le moindre son. À côté d'elle, Marta semblait pétrifiée, et son représentant Dong Hongli secouait la tête.

Ting s'était levé dans sa cabine. Jasmine croisa son regard. Tout à coup lui vinrent à l'esprit les paroles de son grand-père à propos du général qui dénonçait la partialité du tribunal du royaume des morts.

— Le playground, murmura-t-elle en hésitant.

— Qu'a-t-elle dit ?

Sans se presser, elle se tourna vers Wu Wang, leva la main et pointa un doigt sur lui.

— Je veux régler cette affaire sur le playground.

Un vacarme assourdissant éclata. Des pieds et des chaises raclèrent le sol. Les assesseurs s'étaient levés, et hurlaient à qui mieux mieux. Le verre d'eau du juge éclata par terre en mille morceaux. Furieux, Wang s'en prit à l'un des ingénieurs et le fit tomber dans l'escalier.

Jasmine recula et ramassa ses écouteurs. Il y eut un fort crépitement, mais elle entendit Ting lui conseiller de s'enfuir.

Les auditeurs quittèrent leur banc. Une femme trébucha sur une chaise renversée, un des pieds s'arracha. Dante courut rejoindre Jasmine. Il se serra contre elle, et elle sentit sa chaude haleine mouiller la soie de sa robe.

Un des ingénieurs de Wang tenta de quitter la salle, mais un garde le stoppa. Jasmine le vit sortir un billet de dollar qu'il enfonça dans le col du garde.

Le juge écrivit sur son tableau noir qu'il tourna ensuite vers la salle. Les lettres du mot anglais s'alignaient verticalement de la même manière que les idéogrammes chinois.

遊 P G
樂 L R
場 A O
  Y U
    N
    D

Il brandit le tableau de sorte que tout le monde puisse le voir, le reposa sur la table et regarda Jasmine, les lèvres agitées d'étranges frémissements.

— Comprenez-vous la signification de ce que vous venez de dire?

— J'en comprends la signification, répondit-elle, alors qu'elle ne comprenait rien du tout.

D'autres gardiens entrèrent dans la salle, et les portes furent fermées.

La panique monta parmi les auditeurs, ils se bousculèrent pour atteindre la sortie. Des cris indignés s'élevèrent. Un homme reçut un coup de matraque en pleine figure et se mit à tituber. Il porta la main à sa bouche, et le sang ruissela entre ses doigts.

— Peu importe que vous compreniez ou pas. De toute façon, on ne peut pas révoquer le playground, déclara le juge sur un ton étrange, sans un regard pour elle.

Le visage de Dong Hongli se couvrit de gouttes de sueur. Quand il se leva, il fut obligé de s'appuyer sur la table.

— Je suis censée faire quoi? demanda Jasmine en lui donnant sa canne.

Dong Hongli tremblait d'émotion. Son épouse, la vieille Xin, qui occupait un banc près de lui, s'approcha et essaya de lui faire boire une potion directement d'un flacon brun.

— Je ne connais qu'un seul cas, très ancien, déclara-t-il d'une voix faible. Les deux adversaires s'affrontaient sur la place… Et Toyoda n'a pas donné raison à l'autre avant d'avoir eu les deux yeux crevés.

— À l'origine, le playground s'appelait "La place où cesse le jeu", annonça le juge à la cantonade.

— Je dois donc me battre contre Wu Wang? demanda Jasmine.

La soie imbibée de sueur collait à son dos.

— Personne ne sait… Les règles du playground sont différentes chaque fois, répondit Dong Hongli.

— Nous trouverons une faille dans la loi, lui assura Marta en anglais. Ça s'arrangera…

— Personne n'a résolu ses différends sur le playground de mon vivant ni du temps de mon prédécesseur, poursuivit le juge en tripotant les poils de sa barbe d'une main distraite. Mais les règles sont déterminées par nos ancêtres… Il faut faire venir Exu.

46

La plupart des auditeurs avaient regagné leur place dans la salle d'audience. Plus personne ne criait, mais des papiers, des éclats de bois et du verre brisé jonchaient le sol. Jasmine prit Dante sur ses genoux. Elle lui raconta l'épisode du père Noël qu'il avait fabriqué au jardin d'enfants quand il était petit. Un père Noël fripé, avec des croix faites au marqueur à la place des yeux et un bout de coton en guise de barbe.

— Je m'en souviens, dit Dante à voix basse en s'adossant contre elle.

L'unique porte de sortie fut ouverte, et les gardes s'écartèrent. Une très vieille femme entra dans la salle. Vêtue de soie jaune aux broderies dorées, elle marchait comme si elle tenait en équilibre sur des pieds en sang. Jasmine comprit tout de suite que c'était Exu. Elle n'avait pas de sourcils, son visage était ridé et maigre. D'une main, elle traînait un balluchon de tissu noir.

Le docte juge suprême eut juste le temps de pousser ses affaires de la table avant qu'Exu y pose son lourd sac de velours. Elle l'ouvrit, déplia l'étoffe comme une nappe sous le contenu, déplaça un paquet de Marlboro, puis alluma un cierge épais.

Dante se laissa glisser par terre, et se plaça de façon à mieux voir. Jasmine le tenait par le bras. En proie à une inquiétude grandissante, elle observait la vieille femme.

Tout en disposant ses objets avec une certaine méthode routinière, elle s'adressa au juge. Sa bouche esquissait un sourire coquet. Sa voix était basse et claire, d'un timbre remarquablement constant.

— Je ne comprends quasiment rien, dit Ting dans le microphone. C'est un dialecte super bizarre... Mais elle précise que le playground existait déjà avant la dynastie Shang.

La vieille femme plaça côte à côte sept objets en forme de bol qu'elle retourna. D'une main distraite, elle rectifia l'alignement.

— Des carapaces de tortue, murmura Marta.

Exu cala contre un étui à lunettes des sortes d'aiguilles maculées de suie munies de petits manches en bois foncé, puis elle commença à les chauffer au-dessus de la flamme du cierge.

— Elle dit que les ancêtres déterminent les règles selon le *Yi Jing*, traduisit Ting. C'est un livre ancien qui... En fait, je ne sais pas trop...

La chaleur fit rougeoyer les sept pointes d'aiguilles. Elles brillaient comme les astres d'une petite constellation orangée.

Marta s'efforçait visiblement de rester calme. Les mains glissées entre ses cuisses, elle se balançait d'avant en arrière.

Exu prit la première aiguille. Lorsqu'elle toucha une des carapaces de tortue avec la pointe incandescente, un petit crépitement se produisit.

— Elle interprète les fissures de la carapace, souffla Marta.

La vieille femme posa l'aiguille sur un bout de papier d'aluminium froissé avant d'observer la craquelure. Puis, en marmonnant, elle retourna la carapace d'un geste presque négligent.

— Comme les mois dans le ventre de la femme, traduisit Ting.

— Neuf dans chaque équipe, décida le juge.

— Comment ça, des équipes? dit Jasmine en élevant la voix.

— Vous et vos représentants combattrez ensemble, répondit-il en souriant tant et si bien que sa lèvre supérieure remonta et exhiba ses dents.

— Je n'ai qu'un représentant, et il...

— Celle-ci compte aussi, l'interrompit le juge en désignant Marta à côté d'elle.

— Ce n'est pas possible, j'ai une famille, protesta Marta en se levant. Je crains de ne pouvoir m'impliquer, je ne me sens pas concernée...

Elle se tut, semblant sur le point de s'évanouir. Ses lèvres étaient livides. Pedro serra Erica contre lui.

— Je n'ai besoin d'aucune aide, soutint Jasmine. Cette affaire est entre Wu Wang et moi.

— Un instant! lança le juge d'une voix ferme.

— On livrera un combat, lui et moi, et c'est tout...

— Taisez-vous! trancha-t-il durement.

Exu poursuivait son travail sans relâche. Elle venait de déplacer une deuxième carapace de tortue, en frôlait une troisième avec une aiguille. Un petit clac retentit, elle observa la carapace, la tourna dans tous les sens, murmura entre ses dents, puis saisit le paquet de cigarettes.

— Elle fume! chuchota Dante, sidéré.

Nouvelle aiguille, nouvelle carapace qui craquette, un mince filet de fumée qui s'élève. Exu retourna la carapace et parla, la cigarette toujours glissée entre ses lèvres.

— Elles ne veulent pas, traduisit Ting.

— Qui ça? Qu'est-ce qu'elle a dit?

— Il n'y aura pas de règles, annonça le juge, dont la voix parut légèrement essoufflée.

— Qu'est-ce que vous voulez dire? demanda Jasmine. Comment saurons-nous qui a gagné s'il n'y a pas de règles?

— Laisse-le donc garder le visa, gémit Marta.

— Je ne peux pas faire ça, rétorqua Jasmine en tirant Dante contre elle.

— De toute façon, il est trop tard, affirma Hongli. S'il n'y a pas de règles, nous ne pouvons gagner que si nous tuons Wu Wang et toute son équipe.

— C'est complètement tordu, chuchota Jasmine.

Les bras repliés sur elle-même, Marta geignit tout doucement. Jasmine serrait Dante contre elle en lui cachant son visage.

— Leur équipe doit nous tuer pour que Wang puisse garder le visa du petit, dit Hongli.

— Je ne peux pas, déclara Marta presque sans voix.

— Je le ferai, répliqua Jasmine. Je me battrai. Vous deux, vous resterez à l'écart, il faut que ça marche...

Le juge s'approcha d'elle. Son visage était presque aimable lorsqu'il pointa son doigt sur la nuque de Dante et annonça :

— Le garçon fait partie de votre équipe.

— C'est-à-dire ? cracha-t-elle en écartant rudement sa main. Vous n'êtes pas sérieux ?!

— Soyez la bienvenue au playground, répondit-il avec un sourire nerveux.

Jasmine se leva pour le repousser, mais les gardes éloignèrent rapidement le juge. Elle reçut un coup de matraque puissant sur le bras, qui la fit chanceler.

— Il n'a que cinq ans ! hurla-t-elle si fort que sa voix se cassa. Il est totalement innocent !

— Maman ! pleura Dante.

Ting sortit de la cabine, les joues enflammées. Jasmine sentit un élancement dans le bras. Après le coup qu'elle avait reçu, ses doigts étaient paralysés.

— Faites quelque chose, cria-t-elle à Hongli.

Il était déjà en train de feuilleter un vieux code civil, et tenta de montrer un paragraphe au juge.

— Il n'est pas permis d'entraîner les enfants dans…

— Nous sommes au-delà de la loi, rugit le juge en balayant l'ouvrage de ses mains.

Le livre atterrit sur la tranche. Le dos se brisa, et le volume se scinda en deux.

— Attendez ! lança Ting, et il se fraya un passage entre deux gardes. Je prends la place du garçon.

Le juge secoua la tête. D'autres gardes vinrent les encercler, et Jasmine et Dante furent repoussés en arrière.

— Il prend sa place, répéta-t-elle.

— Non, répondit le juge. Mais l'interprète fera aussi partie de votre équipe et…

— Dante ne sera pas mêlé à ça, déclara Jasmine avec fermeté.

— Nous allons faire appel, annonça Hongli d'une voix tremblante.

Exu approcha la dernière aiguille de la septième carapace. L'invariable crépitement retentit, puis un petit sifflement, avant que le silence se fasse. Elle retourna la carapace, la toucha du bout du doigt, marmonna quelques mots, puis commença à rassembler ses affaires.

— Non, non, non, haleta Marta.

Les joues ridées du juge étaient rouges d'excitation lorsqu'il désigna l'épouse de Hongli ainsi que Grossman qui se tenait dans l'allée.

— Six, sept, compta-t-il, avant de pointer son doigt sur Pedro et Erica. Huit et neuf… L'équipe de la demanderesse est formée.

Marta laissa échapper un cri d'angoisse. Sa main vint tâter son cou. Elle fit un pas en avant, trébucha et tomba sur un genou.

— Ils vont tuer les enfants! cria Jasmine à la cantonade. C'est ça? Vous allez les laisser tuer les enfants?

47

Ils se tenaient dans la faible lumière de la grande place – un petit groupe rassemblé dans un lieu désert entre d'immenses édifices. Au loin, le terminal de cabotage. Des courants d'air balayaient les coins des rues. Jasmine n'osa pas tourner le regard vers Marta. Elle serrait simplement ses bras autour des frêles épaules de Dante en lui répétant à voix basse que tout irait bien. La sueur imprégnait sa robe, et la rendait froide et inconfortable. Derrière elle, elle entendit les sanglots d'Erica.

Le juge et les assesseurs avaient pris place derrière une longue table. Quelques rares spectateurs étaient venus assister au coup d'envoi.

Le silence résonnait, creux et impénétrable, comme celui qui règne près d'un lac juste avant l'orage.

Dong Hongli et son épouse Dong Xin tentèrent de faire comprendre à Ting et Grossman qu'ils avaient le droit de réclamer deux jours de préparation, ce qui serait suffisant pour dénicher une jurisprudence applicable.

Installé dans un fauteuil au tissu fleuri qui lui avait été apporté, Wu Wang parlait calmement avec les membres de son équipe. Le vent soulevait quelques cheveux blancs sur sa tête.

À part les quatre ingénieurs, il était accompagné de la Française, qui s'appelait Colette Darleaux. Trois de ses hommes avaient l'allure de soldats professionnels. Jasmine en reconnut deux, elle les avait vus à l'Office des transports. Très grands, très blonds, ils étaient sans doute frères. Ils se parlaient en hollandais. Le troisième était peut-être originaire d'Inde. Son dos était large, ses bras étaient puissants. Il inclinait sa tête d'un côté puis de l'autre, comme quelqu'un qui se prépare au combat.

Ting vint rejoindre Jasmine. Il avait l'air triste et fatigué.

— Que va-t-il se passer maintenant ? demanda-t-elle à voix basse.

— Personne n'a l'air de savoir.

— Nous n'avons aucune chance de gagner si ça va jusqu'à l'affrontement physique.

— Je n'ai pas peur d'eux, déclara Grossman.

— Dong Hongli semble penser qu'il est possible de faire appel, fit remarquer Ting.

— Qu'il le fasse tout de suite dans ce cas.

Dong Hongli prit sa femme par la main, et s'approcha de Jasmine.

— Je vais exiger de passer deux jours dans les Archives du tribunal, annonça-t-il. Je vais déterrer une jurisprudence, ils seront obligés d'en tenir compte.

— Vous avez parlé au juge ? lui demanda-t-elle.

— J'ai connu son prédécesseur, pas intimement, mais j'ai longtemps travaillé comme archiviste… Il y a un couloir souterrain qui va des grandes archives, à cinq pâtés de maisons d'ici… jusqu'à l'ancien tribunal, dit-il en montrant le bâtiment de l'Inspection disciplinaire.

— Parlez-lui, faites votre possible, le supplia Jasmine.

— Ma femme va l'aviser de notre intention… Elle attend juste le moment propice.

Un mouvement parcourut les rangs des assesseurs. Le juge se leva, tira un peu sur sa veste d'uniforme et laissa son regard parcourir la place.

— Vous êtes neuf personnes dans chaque équipe, commença-t-il, et sa voix résonna faiblement entre les bâtiments.

Jasmine examina l'équipe adverse. Assis dans son fauteuil, Wu Wang mangeait des graines de tournesol en bavardant gaiement avec les Hollandais. L'un d'eux avait une tablette de chocolat à la main, il en cassait des carrés qu'il se fourrait dans la bouche.

Le seul élément faible de leur équipe était l'ingénieur le plus âgé, à la barbe clairsemée, et peut-être Colette Darleaux.

— Voici le playground, poursuivit le juge en écartant les bras dans un geste éloquent.

Nous n'avons aucune chance contre l'équipe de Wang, pensa Jasmine, en proie à une panique grandissante.

Son équipe à elle se composait de deux vieillards, deux enfants, deux femmes et trois hommes. Il était peu probable qu'ils aient la moindre expérience du combat.

— Le jeu sera terminé lorsque tous les membres d'une des équipes auront été éliminés, dit le juge. Pas avant. C'est la seule règle en vigueur…

Dong Xin, l'épouse de Hongli, ajusta ses lunettes rondes, lissa son chemisier et se dirigea d'un petit pas digne vers le juge. Au loin, le tonnerre grondait sur la ville. Pedro avait entouré Marta et Erica de ses bras. Son visage était gris et marqué de cernes bleuâtres.

Colette Darleaux passa la main dans ses cheveux courts, et prononça quelques mots. Wang se leva du fauteuil et se dirigea, lui aussi, vers le juge.

Hongli s'éclaircit la gorge et observa sa femme qui venait de s'arrêter. Elle salua respectueusement le juge d'une petite révérence.

Colette observa Wang avec une étrange appréhension dans les yeux lorsqu'il s'approcha de la table des magistrats.

La cloche de ralliement du terminal résonna.

L'un des ingénieurs, un homme robuste au visage constellé de taches de pigmentation, acheta une assiette de haricots à la sauce tomate que proposait une femme dans la foule.

— Ils ont dit quand tout ça est censé commencer ? demanda Marta.

— Je crois que ça a déjà commencé, répondit Jasmine à mi-voix.

L'épouse de Hongli s'excusa et, en souriant, présenta sa requête. Le juge se contenta d'agiter la main pour se débarrasser de la vieille femme. Wu Wang arriva à leur hauteur et, sans une hésitation, planta un couteau dans le ventre de Dong Xin. Tous deux restèrent absolument immobiles. Le regard de Wang était doux et luisant. Jasmine recula lentement avec Dante. Elle n'était pas sûre d'avoir bien vu. Dong Xin s'efforçait toujours de sourire, mais lorsqu'elle bougea, un mince jet de sang éclaboussa le visage pâle de Wang.

— Il faut s'enfuir! lâcha Jasmine instinctivement.

Attrapant la vieille femme par le cou, Wang arracha le couteau, tout en lui parlant. Le sang jaillit à gros bouillons de la blessure, et Xin appuya ses mains sur son ventre.

Jasmine eut le temps de voir que le couteau dans la main de Wang était une baïonnette qui avait été réduite de moitié.

Le sang coulait dans la gouttière de la lame avant de s'écouler sur le sol.

Sans lâcher Xin, Wu Wang la poignarda deux fois à la poitrine. La lame s'enfonça profondément. Tous deux vacillèrent sur leurs jambes. Xin fit un large mouvement du bras pour garder l'équilibre, et le sang gicla de ses doigts.

Le combat avait commencé.

Ils se trouvaient d'ores et déjà sur le playground.

Les spectateurs hurlèrent en comprenant ce qui se passait, et reculèrent spontanément. Du regard, Jasmine chercha par où ils pourraient fuir tout en notant que l'équipe de Wang se tenait tranquille.

Wu Wang poignarda Xin encore une fois en pleine poitrine, puis la lâcha et fit un pas en arrière. La vieille femme s'effondra, puis tenta de se relever en regardant Wang, qui dit quelque chose avec un sourire distrait.

Les oreilles de Jasmine se mirent à bourdonner – elle eut l'impression d'être de retour au Kosovo.

Dong Hongli se dirigea vers son épouse. Ses mouvements étaient saccadés, il était comme abasourdi. Un des Hollandais l'aperçut et se dirigea sur lui, une machette dissimulée près du corps.

— Attendez! cria Jasmine.

Ting rattrapa Hongli et le tira en arrière. Le géant à la machette s'arrêta et les contempla, l'air songeur.

— Restez groupés! lança Jasmine.

— Ils vont tous nous massacrer! parvint à articuler Grossman.

Ils battirent en retraite, et quelques badauds curieux s'écartèrent de leur chemin. En état de choc, Dong Hongli se laissa entraîner par Ting, en tenant des propos incohérents. Erica trébucha, et Pedro la souleva pour la prendre dans ses bras. Jasmine l'entendit pleurer parce qu'elle s'était égratigné le genou.

48

Jasmine se dit qu'elle devait absolument trouver une arme. Elle jeta un dernier coup d'œil derrière elle, et vit la femme de Dong Hongli à quatre pattes, le sang ruisselant de la poitrine. Il dégoulinait de son menton, et coulait sur ses bras. Wu Wang avait remonté la robe de Xin de sorte que ses fesses soient dévoilées aux ingénieurs de son équipe.

— Il faut qu'on se cache! hurla Jasmine.

— On est sur une place, répondit Pedro. On ne peut pas se cacher sur une...

— On n'est pas obligés de rester là! Vous ne comprenez donc pas? Il n'y a pas de règles, il faut quitter cet endroit, il faut...

— Ils arrivent! hurla Marta d'une voix hystérique.

Trois des hommes de Wu Wang se dirigeaient vers eux. Quelques spectateurs éclatèrent de rire. Jasmine tira Dante avec elle, tout en remontant sa robe pour ne pas se prendre les pieds dedans.

— Courez jusqu'à l'Inspection disciplinaire! cria-t-elle. Il y a un tunnel au sous-sol.

— Maman, pleura Erica.

— Et si j'y arrive pas? demanda Dante, affolé.

— Je m'arrêterai pour te protéger, mais on va essayer quand même, on va essayer de courir, lui souffla Jasmine pour le rassurer.

Les spectateurs se poussèrent quand ils filèrent vers l'imposant édifice. Certains les fixaient avec une expression à la fois fascinée et effrayée. Grossman lança quelques mots d'une voix autoritaire, et les gardes le laissèrent passer avec la famille de Marta.

Dante toussa et dut faire une halte. Il chercha son souffle, toussa de nouveau. Ting et Dong Hongli les dépassèrent. Jasmine jeta un coup d'œil par-dessus son épaule, et vit que les trois hommes avaient accéléré le pas. Deux portaient des machettes, le troisième tenait à la main un objet qui ressemblait à une gaffe.

Elle attrapa de nouveau la main de Dante mais, au moment où ils allaient reprendre leur course, ils furent arrêtés par quatre gardes. L'un d'eux leur parla en chinois.

— Il n'y a pas de règles, répondit Jasmine, hors d'elle. Nous ne sommes pas obligés de rester sur la place.

— Jasmine ? cria Ting qui revenait sur ses pas.

— Qu'est-ce qu'ils me veulent ? hurla-t-elle. Qu'est-ce qu'ils disent ?

— Ils disent que ton portrait vient d'être affiché dans le terminal, sur le dazibao.

— Pas maintenant, haleta-t-elle. Ce n'est pas possible, je ne peux pas… mon Dieu… !

Un garde la prit par le bras, mais elle parvint à se dégager, et traîna Dante avec elle avant d'être de nouveau arrêtée. Ting tenta de parlementer avec les gardes, mais il fut repoussé.

— Je reste, je choisis de rester, cria-t-elle à Ting. Dis-leur que je reste !

Un garde lui hurla dessus et pointa contre sa poitrine le bout de sa matraque. Dante eut tellement peur qu'il se mit à pleurer.

— Tu dois les suivre, dit Ting.

— Pourquoi ? J'échange mon visa avec n'importe qui, je…

— Ton visage est déjà affiché – il est trop tard.

— Je ne veux pas, je ne veux pas !

Le garde la frappa violemment entre les omoplates. Elle eut le souffle coupé et tomba à genoux.

— Maman, maman ! pleura Dante.

— Ne t'inquiète pas, je vais revenir, maman va revenir.

Elle poussa un soupir de douleur lorsqu'ils lui serrèrent les bras derrière le dos et lui passèrent les menottes.

Ils la remirent debout. Dante s'accrochait toujours à sa robe quand ils la forcèrent à avancer. Ting était à ses côtés, il parlait vivement en chinois.

— Ting, promets-moi de t'occuper de Dante jusqu'à mon retour, cria Jasmine. Cachez-vous dans le tunnel souterrain, barricadez l'entrée, je vous trouverai…

— Je te le promets.

— Dante, il faut que tu partes avec Ting maintenant.

— Maman, je veux pas…

Dante hurla, pris de panique, puis lâcha la robe de Jasmine. Ting le prit dans ses bras et se remit à courir vers l'Inspection disciplinaire. À grandes enjambées, les hommes de Wang se lancèrent à leur poursuite. Une centaine de mètres seulement les séparaient. Les spectateurs s'écartèrent, les paris battaient leur plein.

Jasmine comprit qu'elle serait obligée de revenir à la vie pour mourir de nouveau. Il n'y avait pas d'autre moyen. Au lieu de résister, elle coopéra dans l'idée de revenir le plus vite possible.

La robe et les menottes l'empêchaient d'allonger le pas. Elle courait à petites foulées entre ses gardiens, en direction du pignon ouvert du terminal.

Après les pavés rustiques de la place, ils atteignirent le sol lisse de la salle d'attente. Les gardiens tinrent les gens à distance avec leurs matraques. Ils filèrent tout droit au fond du terminal, passant devant les longs bancs en bois où les gens attendaient avec leurs valises, leurs bouteilles d'eau et leurs sacs en plastique. De nombreuses personnes se bousculaient encore pour avoir un aperçu du visage sur le dazibao.

Jasmine eut le temps d'entrevoir le journal mural en passant, collé un peu sur la droite. Les caractères chinois étaient rouges cette fois, mais la photographie n'avait pas changé. La colle n'avait pas encore séché, si bien que son visage paraissait transparent.

Quelqu'un ouvrit une fenêtre derrière elle, envoyant un reflet pâle sur le mur recouvert de photographies défraîchies de ceux qui étaient revenus à la vie. Les minces feuilles, plaquées par couches successives, formaient un gigantesque collage hétéroclite de portraits. Le rayon lumineux tremblant caressa une photo, et Jasmine s'arrêta net.

Elle était face au visage du psychologue Gabriel Popov, jauni par le temps, à moitié masqué par d'autres dazibaos.

Mais c'était lui, sans aucune hésitation.

Gabriel était venu ici.

Le cœur battant, elle réalisa que, d'une manière mystérieuse, Gabriel avait communiqué avec Wu Wang. Voilà pourquoi Wang avait pu rapporter ce qu'elle avait dit à l'hôpital.

En ce moment, il se tient devant la pièce d'observation où je me trouve, pensa-t-elle.

Les gardes l'entraînèrent. Ils longèrent les guichets, et poursuivirent jusqu'à la porte sur le petit côté de la salle d'attente. Le plus jeune des portiers posa sa tasse de café par terre en les voyant, et le plus âgé, qui avait une longue barbe, se leva sans se presser.

Les portiers s'entretinrent brièvement avec les gardes, qui détachèrent les menottes de Jasmine. Des gens s'approchaient. Une femme lança quelques mots d'une voix aiguë.

Jasmine se massa les poignets. Elle nota que, si le portier barbu avait le front orné d'un tilak blanc traditionnel, il était aussi équipé d'un pistolet moderne dans un étui sur la hanche.

Le plus jeune contrôla le visa autour de son cou avant de déverrouiller la porte.

Elle la franchit sans un regard en arrière, et traversa d'un pas déterminé l'arrière-cour jonchée de détritus jusqu'à la tôle ondulée tenant lieu de porte, qu'elle arracha bruyamment avant de se glisser par l'ouverture.

La fillette qui ratissait le gravier eut l'air étonné de revoir Jasmine. Elle posa son râteau et la suivit à l'intérieur de l'antique maison de bois accolée à la paroi rocheuse.

Jasmine ôta son visa et le donna à la vieille femme qui passait des serviettes à la vapeur, pour qu'elle détache la plaque de la chaîne. Celle-ci regarda calmement Jasmine.

— Je suis pressée, précisa Jasmine en commençant à se dévêtir.

Elle défit rapidement les boutons, passa la robe par-dessus la tête, et la balança par terre.

Pendant que la fille et la vieille femme la lavaient, une fatigue s'abattit sur elle, tellement intense qu'elle eut du mal à distinguer quoi que ce soit dans le demi-jour crépusculaire de la pièce. Les deux femmes se parlaient à voix basse. Elles démêlaient ses cheveux, touchaient ses cicatrices, comptaient ses doigts et ses orteils.

Elles firent coulisser le panneau en papier de riz fin. Jasmine descendit l'escalier et s'aventura sur le carrelage mouillé.

Elle songea qu'elle serait bientôt de retour, se dirigea à grands pas vers la brèche, suivit les marches et se retrouva à patauger dans une eau plus profonde. Le courant tiède l'entraîna irrésistiblement. Dans les méandres, une lumière brillait telle une étoile frémissante.

Ses paupières étaient lourdes. Elle s'assoupit un instant tout en progressant, puis rouvrit les yeux, et vit que le ruissellement étincelait comme de l'or.

Elle fut obligée de fermer à nouveau les yeux. Le scintillement de l'eau traversait ses paupières.

Le flux, berçant, se fit plus profond. Elle perdit le contact avec elle-même, et fut remplie de béatitude…

49

Jasmine avait la bouche grande ouverte, mais elle n'arrivait pas à respirer. Il n'y avait pas d'oxygène. En ouvrant les yeux, ses pupilles se contractèrent au point de lui faire mal. Quelqu'un dit son prénom. Ses oreilles tonnaient. Elle toussa, et parvint enfin à inspirer de l'air dans ses poumons.

Elle était en vie, et elle avait mal.

Sa bouche était sèche, elle avait la gorge en feu, mais l'air était merveilleux.

Sa jambe était agitée d'étranges soubresauts.

Reprenant ses esprits, elle comprit qu'elle était allongée par terre sous un lit d'hôpital, la nuque appuyée contre le mur dans un angle peu naturel.

Diana la regardait, figée de terreur.

Jasmine toussa de nouveau, ses yeux se remplirent de larmes. Un goût de sang lui envahit la bouche. Toute sa cage thoracique était douloureuse, comme lorsqu'on a essuyé des tirs sur un gilet pare-balles.

— Tu m'as presque fait peur, dit Diana faiblement.

— Il faut que j'y retourne, haleta Jasmine. Il faut que tu me refasses une injection, une dose plus forte.

On frappa à la porte, et elle sortit de sous le lit en s'aidant des coudes et des jambes. L'effort lui brouilla la vue. À travers un fort bourdonnement, elle entendit Diana demander à Gabriel de leur accorder encore une minute. Il montait la garde, mais voulait entrer à présent.

Gabriel, songea Jasmine.

Elle venait de voir son visage sur un ancien dazibao. Il avait séjourné dans le port, il savait depuis le début qu'elle disait la vérité.

Jasmine leva la tête, sa respiration était difficile.

D'une façon ou d'une autre, Gabriel envoie des messages à Wu Wang, songea-t-elle. Peut-être utilise-t-il des patients mourants comme pigeons voyageurs.

Ça pourrait fonctionner.

Gabriel veille à ce qu'ils tiennent une lettre à la main au moment de mourir, puis quelqu'un, de l'autre côté, s'en empare avant qu'ils se réveillent dans l'établissement de bains.

En gémissant, elle roula sur le ventre, puis essaya de se relever. La douleur lui vrillait la tête, ses veines brûlaient comme si son sang était toxique.

— Reste allongée encore un peu, lui conseilla Diana.

Ses bras furent pris de tremblements lorsqu'elle se força à se mettre à genoux. Elle cracha par terre.

— Il faut que j'y retourne. J'y étais, le port, la ville, ils existent – tout existe pour de vrai, réussit-elle à articuler en s'efforçant de fixer Diana à travers ses larmes. Dante y est encore, il faut que j'y retourne, il faut que j'y retourne tout de suite.

Elle parvint à se relever en posant une main sur le lit. Sa poitrine s'embrasait à chaque battement de cœur. Elle tituba jusqu'à la baie vitrée donnant sur la salle d'opération. Ses jambes la portaient à peine. Elle appuya le front contre le verre, et essaya de comprendre ce qu'elle voyait.

On devinait la silhouette menue de Dante sous le tissu vert. Le médecin et les infirmières exécutaient leurs tâches sous la puissante lumière du Scialytique. Une assistante tendit au médecin une pince hémostatique avant de s'écarter. Il y avait du sang partout, la cage thoracique était maintenue ouverte, le médecin tenait le cœur arrêté de Dante au creux de sa main.

— Ça va bien se passer, chuchota Diana. Tout le monde dit que…

— Et si ça ne se passe pas bien ? l'interrompit Jasmine. S'ils n'arrivent pas à redémarrer son cœur ?

— Ils feront une défibrillation à même le muscle cardiaque, répondit Diana. Ils injecteront de la Cordarone en IV. Ne t'inquiète pas, ça va aller.

On frappa de nouveau à la porte. Diana la déverrouilla et fit entrer Gabriel. De la main, il lissa sa moustache tombante, puis il posa ses yeux mélancoliques et fatigués sur Jasmine.

— Je voulais juste vous avertir – votre ex-mari est apparemment ici, dit-il en avançant dans la chambre.

— Mark, murmura-t-elle.

— Il est en train de monter – ça va ?

Elle hocha la tête. Elle avait l'impression que son cerveau était anesthésié, qu'elle se tenait à deux pas d'elle-même et de sa propre voix quand elle se força à quitter des yeux le corps inanimé de Dante pour parler avec Gabriel.

— Je viens de me faire injecter cent cinquante milligrammes d'adénosine, et j'y suis retournée, murmura-t-elle. Ne me dites pas que je suis folle – quand mon cœur s'est arrêté, j'étais de retour dans la ville portuaire.

— Il peut toujours s'agir d'un rêve, répondit-il d'une voix aimable.

— Un rêve, d'accord… Je sais que je ne devrais pas dire ça, mais j'y étais… pour de vrai. Je me suis retrouvée mêlée à une épreuve, un concours complètement tordu… Mon équipe s'est enfuie, c'était la panique totale, mais on a repéré une cachette, un vieux trolleybus pas très loin du quai.

— Un trolleybus ?

Il s'approcha, et l'odeur de fumée de cigarette se fit plus nette. Les revers de son blouson en jean étriqué étaient tellement élimés qu'ils étaient devenus tout blancs.

— On va s'y retrouver dès qu'on pourra – on restera cachés dans le bus jusqu'à ce qu'ils en aient assez de nous chercher, expliqua-t-elle en tentant de sourire.

— Tant mieux.

— Vous ne croyez toujours pas à la ville portuaire ?

— Je vous crois, vous, mais vous devez aussi m'écouter. Vous ne pouvez pas continuer à vous mettre en danger.

— Mais je n'avais pas le choix, répondit-elle en le regardant droit dans les yeux.

— Très bien, dit-il en se tournant vers Diana. Vous, vous êtes médecin. Vous savez que Jasmine agit contre tout bon sens, n'est-ce pas?

— Elle n'y est pour rien, précisa Jasmine aussitôt.

— Diana, je sais que vous essayez seulement d'aider votre sœur, poursuivit-il. Mais ce n'est pas la bonne méthode, vous risquez d'être radiée.

Il quitta la pièce sans attendre de réponse, et Jasmine comprit qu'il était tombé dans le piège. Gabriel croyait à son mensonge, il avait probablement hâte maintenant de transmettre à Wu Wang ce qu'il venait d'apprendre : que l'équipe de Jasmine avait l'intention de se cacher dans un vieux trolleybus. Il allait s'installer au chevet de quelqu'un dont la fin était proche, prononcer des paroles apaisantes, peut-être proposer de faire venir un pasteur, se donner le temps de placer une lettre dans la main du mourant.

— Il sait que la ville portuaire existe.

— Ce n'est pas l'impression qu'il donne, répliqua Diana doucement.

— Il fait semblant, il y a été lui-même, il aide Wu Wang…

— Je croyais que c'était le Dr Dubb qui…

— Tu nous fais perdre du temps, l'interrompit Jasmine. Va me chercher une autre dose, plus forte cette fois. Je dois y retourner. Je suis sérieuse, je sauterai par la fenêtre si tu ne…

— Ça m'est égal.

— Diana, écoute-moi, dit Jasmine en tâchant de maîtriser sa voix. Il faut que j'y retourne, c'est la seule chose qui compte. Une dernière fois, mais il faut faire vite, s'il te plaît, je t'en prie…

— Je refuse, murmura-t-elle.

— Tu as une minute pour aller chercher la seringue. Je suis obligée de le faire.

Le visage de Diana était fermé. Elle détourna les yeux, ouvrit la porte et quitta la pièce.

Jasmine vit Mark arriver et embrasser rapidement Diana. Elle l'entendit lui présenter ses condoléances pour la mort de leur mère.

— Ils sont en train d'opérer Dante, annonça Diana.

— Je sais.

— Jasmine est à côté, dit-elle avant de repartir dans le couloir.

50

Mark entra, referma doucement la porte derrière lui, puis s'approcha de Jasmine devant la fenêtre d'observation. Il était grand, et portait son habituel gilet noir matelassé sur une polaire vert kaki qui moulait ses larges épaules et ses bras musclés. Ses yeux étaient injectés de sang. Jasmine vit sa main trembler lorsqu'il la passa sur sa bouche.

En silence, tous deux observaient Dante. Une tubulure rouge sang se courbait en un grand looping, des disques d'acier décrivaient de lentes rotations. Le chirurgien retourna lentement dans sa main le cœur inerte de Dante.

— Ils disent qu'il va s'en sortir, dit Mark à voix basse, l'haleine chargée de café.

— Il faut que j'aille voir ce que fabrique Diana, déclara Jasmine.

En se retournant, elle chancela et fit tomber une pile de serviettes en papier recyclé. Elle essaya de les ramasser, mais fut prise de vertige. Elle s'appuya contre le dosseret du lit, et vit Mark se pencher pour le faire à sa place.

— Jasmine, écoute… Je suis désolé pour ta mère, mais… il faut qu'on soit là pour Dante quand il se réveillera.

— J'ai un truc à régler d'abord.

Sur des jambes flageolantes, elle alla jeter un coup d'œil dans le couloir.

— Tu t'es disputée avec Diana ?

— Je n'ai pas le temps de t'expliquer, dit-elle sans le regarder.

— Tu sais que je ne déconne jamais sur le terrain, poursuivit Mark en se frottant vigoureusement le visage. Mais ici…

parmi les gens ordinaires, je ne suis pas très doué… Dis-moi ce que je dois faire. Tu veux que j'aille parler avec le docteur ?

— Je ne sais pas, fais-le si tu en as envie. Ce n'est pas à moi de te dire ce que tu dois faire.

— C'est ce que tu faisais avant.

— Oui, et tu as vu le résultat, marmonna-t-elle en s'approchant d'une armoire fermée à clé.

— Tu es le meilleur commandant que j'aie jamais eu, déclara-t-il sans détour.

— Ce n'est pas vrai. Ne dis pas des choses pareilles… Je n'ai aucun droit de décider à la place d'un autre.

— Jasmine, être secrétaire, c'est très bien, mais tu es faite pour…

— Arrête, s'il te plaît, l'interrompit-elle, et elle se concentra de nouveau sur l'armoire.

Mark s'assit sur le bord du lit, et regarda Jasmine arracher la porte du meuble et se mettre à farfouiller sur les étagères.

— Tu te souviens de la photo que tu avais du commando au Kosovo… Tout le monde essayait d'avoir l'air cool, toi avec ta grosse M240 Bravo et moi avec…

— On était des crétins immatures, l'arrêta-t-elle.

— D'accord, lieutenant, répondit-il en lui adressant un sourire qui fit gonfler les tatouages de son cou. Mais sans toi, aucun de ces crétins ne serait revenu.

— Lars et Nico sont morts par ma faute, proféra Jasmine, tout en remettant à leur place les cartons de compresses.

— Tu sais que j'ai ta médaille chez moi.

— Tu n'as qu'à la mettre à la poubelle.

Elle trouva un bistouri sous emballage stérile. Sans prêter attention aux objets qui tombaient des étagères, elle s'en empara, retourna devant la vitre, et regarda le corps plein de sang de son fils. Avec des mains tremblantes, elle ouvrit l'emballage et le jeta par terre au moment où Diana entrait et verrouillait la porte derrière elle. Ses yeux avaient une étrange expression vitreuse, les pleurs avaient rougi son nez.

— Tu as apporté le produit ? demanda Jasmine d'une voix mal assurée.

— Mark, dit Diana. Je ne peux pas dire non à ma sœur, mais toi, tu le peux, tu peux l'empêcher de faire ça.

— Jasmine sait ce qu'elle doit faire – depuis toujours.

Diana lui donna la seringue. Elle l'observa, et la leva vers la lumière pour vérifier la graduation.

— Il n'y a même pas cent cinquante milligrammes, protesta-t-elle. Il faut qu'il y ait...

— La première fois, je t'ai donné de l'adénosine. Cette fois, c'est du chlorure de potassium, tu as dit que tu souhaitais un arrêt cardiaque plus long.

— C'est dangereux ?

— Oui, répondit Diana d'une voix creuse.

— Peu importe.

Jasmine se tourna de nouveau vers la salle d'opération, à laquelle le puissant éclairage conférait un aspect spectral. L'enveloppe corporelle de Dante se trouvait sous le tissu vert, mais lui n'était pas là. Du sang coulait sur les doigts du chirurgien qui suturait méticuleusement la déchirure de l'artère coronaire sur la face postérieure du cœur.

— J'ai aussi apporté de l'adrénaline et du gluconate de calcium au cas où tu ne te réveillerais pas au bout de deux minutes, dit Diana lentement.

— Très bien, répondit Jasmine en dissimulant le bistouri dans sa main.

— Je sais que tu penses bien faire, tu crois que le royaume des morts existe réellement et que tu dois y aller pour sauver Dante, poursuivit Diana en regardant sa sœur dans les yeux. Mais tu peux aussi décider de faire confiance aux médecins...

— Oui.

— Parce que ça se présente vraiment bien. Il leur faut juste un peu de temps.

— Un peu de temps...

— Je t'en prie, tu n'es pas obligée de le faire.

Diana semblait très fatiguée. Il y avait une vibration tout au fond de sa pupille, comme si une inexorable fatalité tournait en boucle dans son cerveau.

— J'ai besoin d'aide pour l'injection, dit Jasmine, en remontant sa manche.

— Mais…

— Ça presse.

— Je viens d'avoir un coup de fil à l'instant, des soins intensifs de l'hôpital de Danderyd.

— Vas-y, dis.

— Ils m'ont annoncé que l'homme dont tu parlais, Li Ting…

— Oui ?

— Je suis désolée, Jasmine… mais c'est fini, ils ont abandonné toute tentative de le réanimer.

Jasmine hocha la tête, passa la langue sur ses lèvres gercées, et sentit seulement un calme incompréhensible traverser tout son être tel un bruissement, comme si la nouvelle ne la touchait pas.

— Fais-moi l'injection maintenant, dit-elle en s'asseyant sur le lit.

— C'est tellement mal, chuchota Diana, et les larmes ruisselaient sur son visage.

Avec précaution, elle expulsa l'air de la seringue jusqu'à l'apparition d'une minuscule goutte. Jasmine observa la chevelure rousse de sa sœur, si semblable à la sienne.

— Diana… je t'aime, tu le sais, n'est-ce pas ?

Leurs regards se croisèrent. Il n'y avait rien de plus à dire. Les doigts de Diana étaient glacés lorsqu'elle déplia le bras de sa sœur.

L'aiguille pénétra sa peau et élargit la veine, et Jasmine eut peur une fois encore. Elle se força à garder le bras immobile, alors que tout son être lui hurlait de faire le contraire. Son cœur s'emballa, ses oreilles bourdonnèrent, la poussée d'adrénaline fit frissonner son corps entier.

— Vas-y, murmura-t-elle.

Elle sentit le liquide frais couler dans sa veine quand Diana poussa le piston. Puis sa sœur retira l'aiguille, et appuya une petite compresse sur la goutte de sang. Elle évitait de regarder Jasmine, alors que Mark l'observait d'un œil inquiet.

Il ne fallut que quelques secondes avant qu'un vertige violent dérobe la chambre au regard de Jasmine.

Soudain, son cœur ralentit. Elle ouvrit la bouche pour dire qu'elle avait peur, mais aucun son n'en sortit. Diana voulait qu'elle reste allongée, mais Jasmine résista, sans savoir pourquoi. Son cœur battait de plus en plus lentement, sa vue se brouilla. Elle sentit que Diana et Mark la tenaient, tous les deux. Elle serra le manche en plastique strié du bistouri. Une brûlure se répandit dans le bout de ses doigts, puis son thorax fut comprimé. Une détonation résonna contre ses tympans, et elle fut éblouie par un horizon blanc – une ligne qui flambait comme du magnésium embrasé.

51

Jasmine sut tout de suite où elle se trouvait lorsqu'elle ouvrit les yeux dans l'obscurité. Le bistouri qu'elle serrait dans sa main était poisseux de sueur. Sans hésiter, elle se laissa glisser sur le sol mouillé, prit la pile de vêtements et sortit de la cabine. Sur la terrasse, elle s'habilla aussi vite qu'elle put, enfila les chaussures en toile et dévala l'escalier pendant qu'elle boutonnait le chemisier.

Elle se mit à courir, bousculant au passage une vieille femme qui vendait des lanternes en papier rouges.

Il fallait qu'elle retrouve Dante.

Ses pensées tournaient en boucle pendant qu'elle se ruait à travers la ville : pourvu qu'il ne soit pas trop tard, pourvu qu'ils le protègent, qu'ils le cachent dans le couloir souterrain, pourvu que Ting reste près de lui.

Incapable de penser à la mort de Ting, elle se persuadait qu'il vivait encore ici dans le port. Qu'il existait.

Les images de ce qui s'était passé quand le playground avait commencé défilaient dans son esprit.

Wu Wang avait poignardé l'épouse de Dong Hongli devant la table du juge.

C'était de la folie.

Elle n'avait pas le temps de passer par la balance. Une seule chose avait de l'importance : trouver Dante avant qu'il soit trop tard. La cohue de la ville portuaire se densifiait à mesure qu'elle approchait de la place. À tous les coins de rue, on proposait des paris. Jasmine joua des coudes pour avancer, enjamba une charrette chargée de vieux lampadaires, rasa la façade d'une maison, claqua la porte au nez de quelqu'un qui était sur le point de sortir de chez lui, avant de replonger dans la fourmilière. Ce n'est qu'en arrivant sur la place qu'elle comprit que, s'il y avait tant de monde, c'est parce que le playground avait attiré de nombreux spectateurs pendant son absence.

Un cri de douleur strident, suivi d'applaudissements épars. Jasmine tenait le bistouri dissimulé contre sa hanche en essayant de s'ouvrir un chemin vers le centre du vaste espace.

La foule était immense. Il était difficile d'avancer, et les gens se bousculaient de tous les côtés pour mieux voir. D'autres arrivaient des hutongs en un flot ininterrompu, des jeunes avaient grimpé sur des bâtiments pour avoir une meilleure vue.

Pourvu qu'il ne soit pas trop tard, se répéta-t-elle. Pourvu qu'il ne soit pas trop tard.

Un homme souriant portait un enfant sur ses épaules. Deux femmes tentaient de vendre des amandes grillées. Un adolescent coiffé d'une casquette de baseball prenait des paris à tour de bras.

Les spectateurs en première ligne criaient, applaudissaient.

La chevelure de Jasmine s'accrocha à un objet saillant, qui lui arracha des cheveux.

Le tonnerre gronda au-delà de la ville, le sol sous ses pieds trembla.

Un homme, estimant qu'elle le bousculait, l'attrapa par le chemisier et se mit à l'injurier. Mais dès qu'il vit son visage, il se tut et la lâcha.

Les vêtements en désordre, elle progressa parmi l'attroupement jusqu'au cœur de la place. Quelqu'un lança un juron en espagnol. Un couple était occupé à se peloter, indifférent au chaos qui l'entourait. Le public la fit avancer, Jasmine dut suivre le mouvement de la marée humaine pour ne pas tomber. On lui comprima le sein, elle n'y prêta pas attention, se contentant de se dégager. Il fallait qu'elle voie, il fallait qu'elle comprenne ce qui se passait.

Tout à coup, la moitié de la foule se mit à pousser dans l'autre sens, et Jasmine se trouva prise entre deux feux. Ses poumons se vidèrent, ses pieds ne touchaient plus le sol, elle eut le bras droit bloqué dans le dos. Lorsqu'elle sentit à nouveau les pavés sous ses pieds, elle s'efforça de contrer la poussée, gémit de douleur et perdit prise sur le bistouri qui lui échappa des mains. Elle tituba en arrière, s'agrippa aux épaules d'un homme âgé et parvint à se maintenir debout.

Un enfant hurla, la voix brisée.

Jasmine réussit à avancer, et put enfin entrevoir une surface dégagée à travers l'effervescence.

Des gardes munis de matraques éloignaient le public de la table des magistrats.

Quelque chose se produisait à cet instant, des acclamations retentirent.

Du bras, Jasmine écarta une jeune femme, se glissa devant elle, et aperçut le vieux Dong Hongli entre les spectateurs et les gardes. Il s'éloignait du poteau de fer en titubant, et essuyait le sang de son visage avec la main. Ses yeux étaient remplis de frayeur quand il tenta de prononcer des mots rassurants, tout en reculant.

Wu Wang le suivait, sans se presser. Le visa de Dante s'était emmêlé à sa cravate. Ses cheveux blancs pendaient de part et d'autre de son visage, le costume marron était sale.

Le cœur de Jasmine galopa.

Elle parvint à avancer encore un peu, et vit l'épouse de Hongli par terre, morte. Couverte de sang, entièrement nue, les cuisses écartées. Ils avaient placé une bouteille d'alcool dans sa main et glissé une cigarette entre ses lèvres.

Wang était toujours armé de la baïonnette raccourcie. Il se campa devant Dong Hongli, le fixa de ses yeux luisants, prit le couteau dans l'autre main et le frappa à la tête pour le provoquer.

Le vieil homme ne rendit pas le coup, il cherchait simplement à contourner Wang pour atteindre la table du juge. Il encaissa un autre coup, détourna le visage, lança quelques mots aux magistrats, puis resta immobile, le menton tremblant.

Il cria de nouveau. Soudain, Jasmine entendit des spectateurs derrière elle s'exprimer en anglais.

— Qu'est-ce qu'il fait, là? Il faut qu'il demande grâce! s'exclama une femme.

— Il se contente de répéter que c'est anticonstitutionnel de punir des innocents, répondit un homme.

Colette Darleaux tenta de donner une hache à Hongli pour qu'il puisse se défendre, mais celui-ci ne la saisit pas, et avança d'un pas chancelant en direction du juge. Il criait des propos en chinois sur un ton désespéré. Des spectateurs applaudirent, mais le juge ne répondit pas.

— Il dit que le tribunal populaire devrait demander l'avis du peuple, expliqua l'homme.

Jasmine se tourna vers celui qui parlait anglais. Il avait des yeux rapprochés et une petite bouche comme celle d'un chérubin.

— Que s'est-il passé? demanda-t-elle. Où est le reste de l'équipe?

— Ils se sont enfuis à l'Inspection disciplinaire, ils ont provoqué un éboulement au sous-sol.

— C'est là qu'ils sont maintenant? Au sous-sol?

— Les hommes de Wu Wang sont en train de creuser pour…

Un soupir parcourut le public. Jasmine vit Hongli chanceler et se tenir l'oreille. Wang se lissa la cravate, et lança quelques mots qui firent rire les soldats hollandais.

Dong Hongli est resté ici, tandis que les autres rejoignaient le sous-sol, songea Jasmine.

Son regard se tourna vers la façade lugubre de l'Inspection disciplinaire. Un tunnel donnait accès au sous-sol. C'est ce qu'il avait dit, elle en était certaine. S'ils en avaient bloqué l'entrée après s'y être engouffrés, alors ils étaient encore en vie.

Wu Wang ramassa les lunettes de Hongli, et les lui tendit. Pleurant d'effroi, le vieil homme se contenta de les prendre et de les tenir dans sa main.

Jasmine se souvint des paroles de Hongli : le couloir souterrain menait aux Archives du tribunal cinq pâtés de maisons plus loin.

Du doigt, il avait montré la rue qui passait devant le temple jaune.

Jasmine regarda autour d'elle, commença à reculer, et chercha à comprendre la configuration des lieux.

Avec un sourire, Wang exhiba son couteau au public, puis il se tourna vers Hongli et parla tout en déboutonnant sa veste. Son langage corporel indiquait qu'il avait l'intention de mettre fin au combat. La décharge d'adrénaline modifiait ses mouvements. Il bougeait, tapi sur lui-même, avec une agressivité retenue, alors que le vieil homme restait figé, à contempler ses lunettes cassées.

Jasmine comprit qu'il y avait urgence. Elle devait rejoindre les archives au plus vite, trouver un moyen d'y pénétrer, et dénicher l'autre entrée du tunnel avant que les hommes de Wang aient le temps de déblayer un chemin vers le souterrain.

Ses pieds glissèrent sur les pavés. La foule cherchait à s'approcher du spectacle.

Wang chargea Hongli avec le poignard, et les spectateurs hurlèrent. On aurait dit l'attaque d'un scorpion. Une estocade rapide comme l'éclair, et le sang se mit à couler du ventre de Hongli.

— Non…, chuchota Jasmine.

Le vieillard chancela, l'air confus. Il se contentait toujours de tourner et retourner ses lunettes entre ses mains tremblantes.

Wang lança une autre offensive, et le sang ruissela du flanc de Hongli. Il lâcha ses lunettes et toussa, à bout de forces.

Jasmine se retourna, et se fraya un chemin à travers la foule. Une fermeture éclair lui érafla le ventre. Elle vit une femme regarder le combat, des larmes aux yeux avant de se mettre soudain à haleter. Jasmine tourna la tête vers Dong Hongli. Il vacillait mais restait debout, fit un pas vers le poteau en fer, et s'y appuya.

Wang le poignarda de nouveau, dans les reins.

La femme à côté de Jasmine poussa un tel cri que Colette Darleaux regarda dans sa direction. Jasmine détourna le visage, s'accroupit et recula. Difficile de dire si la Française l'avait aperçue, mais elle la vit s'avancer entre les spectateurs, à l'affût, la hache à la main.

52

La foule était moins dense lorsque Jasmine arriva dans la rue commerçante. Elle n'était pas sûre d'être réellement poursuivie, mais elle préféra quand même éviter de courir.

Elle longea un stand de flacons de shampooing russes recouvert d'un plastique sale, des guirlandes en papier mouillées pendaient au-dessus d'une caissette de boulettes de riz.

La vendeuse était en train de parler avec un client. Sur la table, à côté d'un panier rempli de pains azymes, était posé un linge blanc. Sans s'arrêter, Jasmine saisit le bout de tissu et s'en empara. Elle poursuivit son chemin en rasant les murs, et noua le linge sur sa tête pour cacher ses cheveux.

Un enfant au visage sale lavait de vieilles bouteilles de bière dans une bassine.

Dans une ruelle, un énorme papillon en argent, pourpre et rouge sang avait été tagué par-dessus une grille d'aération et une armoire électrique.

Les Archives du tribunal devaient se trouver dans le grand édifice au large escalier en pierre qu'elle avait vu lors de son précédent passage.

Jasmine s'efforça de marcher à un rythme normal. Un poursuivant remarquerait immédiatement une allure pressée.

Elle s'arrêta une seconde devant une boutique chic, où des vigiles étaient postés derrière les portes. Elle observa les passants dans les reflets des vitres, guettant la silhouette de Colette Darleaux.

Personne en vue – elle put continuer sa route en marchant plus vite.

Des cris et des applaudissements s'élevèrent sur la place.

Elle ne comprenait pas ce qui attirait les spectateurs, leur cruauté lui donnait la nausée. Pourquoi y avait-il toujours un public pour les exécutions, même ici, où tout le monde était déjà mort ?

Dans un local enfumé de l'autre côté de la rue, un groupe de vieillards jouaient au mah-jong. Ils éclatèrent de rire, ne prêtant manifestement aucune attention à ce qui se déroulait sur le playground.

Tout en se hâtant, Jasmine tâchait de rester concentrée, mais les images du visage ensanglanté de Hongli surgirent dans son esprit. Son cerveau jonglait avec de drôles de pensées... Elle se dit que le public sur la place était une synthèse de la nature humaine : tout en témoignant une fascination malsaine pour le sensationnel, il aspirait au confort d'une soumission morale.

C'est peut-être comme ça pour tout le monde, pensa-t-elle. On n'hésite pas à se délecter du massacre d'autrui, et on abandonne le pouvoir à la religion, à la loi ou à un commandement supérieur.

Elle était à deux doigts de vomir.

Une poubelle débordante répandait une puanteur infecte. Elle fit quelques pas de côté, et eut juste le temps de percevoir le parfum d'encens qui émanait du temple voisin quand quelqu'un frôla son épaule. Elle aperçut les deux frères hollandais devant elle, leur machette près du corps. De toute évidence, ils la cherchaient.

Elle entra rapidement par la porte ouverte du sanctuaire, et monta d'un pas vif les marches d'escalier. Le vestibule plongé dans la pénombre était chargé de décorations dorées. Un récipient d'encens se renversa, faisant voler un nuage de cendre autour de ses jambes.

Le cœur tambourinant, elle entra plus avant – un tissu rouge safran capturait un peu de lumière au fond.

Se cacher ici était trop dangereux. Elle traversa rapidement le lieu de culte. Il y avait forcément une autre issue.

Des centaines de bâtonnets d'encens brûlaient et faisaient scintiller les murs dorés.

Les visiteurs se bousculaient devant un autel orné de fleurs en papier. L'air était chaud et étouffant à cause de la fumée. Jasmine longea un mur, et heurta une peinture d'ancêtres. Le cadre racla bruyamment contre le plâtre. Il y eut des éclats de voix assourdis près de la porte, et elle se retira vivement derrière une grande sculpture du général Guan Yu avec sa longue barbe et son visage rouge.

Une grande bouteille de Coca-Cola vide était posée à côté d'un distributeur d'eau poussiéreux.

Elle franchit un portail sculpté de dragons ondulants et de poissons gras, et atteignit enfin une porte. En tâtonnant le long du chambranle, elle trouva un verrou, qu'elle poussa. Elle se retrouva dans une ruelle étroite, et regarda autour d'elle.

La porte grinçante se referma.

Un câble pendouillait devant une façade à la peinture écaillée.

Soudain, elle avisa le bruit de pas derrière elle. Comment avait-elle pu ne pas l'entendre avant ?

Sans rien laisser paraître, elle continua à avancer en direction d'un tuyau en fer qui traînait à côté d'une grille d'évacuation rouillée. Quand il fut à portée de main, elle devina un mouvement du coin de l'œil et se retourna brusquement.

Ce n'était qu'un garçon.

Peut-être douze ans, le visage sale, un short élimé et un tee-shirt arborant la photo de Justin Bieber.

— Tu as traversé tout le temple, constata-t-il en anglais.

— C'était une erreur – je m'étais trompée de chemin, répondit-elle, et elle se remit en marche.

— Tu m'as donné des brioches un jour, dit-il en clopinant derrière elle.

— Ah bon ?

Elle se rappela tout à coup le garçon qui balayait l'escalier devant le temple.

— Je m'appelle Timo, je n'ai jamais eu l'occasion de te remercier, déclara-t-il en la fixant de ses yeux bizarrement adultes.

— Je suis un peu pressée, il faut que je m'en aille.

— "Pressée", c'est un mot amusant, remarqua Timo avec un sourire radieux.

— Peut-être bien, acquiesça Jasmine sans s'arrêter.

Le passage était encombré de vieux cartons et de polystyrène crissant.

— Est-ce que l'empressement va t'aider à entrer aux Archives du tribunal ?

Elle s'arrêta net. De petites gouttes de pluie tombaient du ciel sombre. Des ronds se formaient sur l'eau dans un seau contenant de vieux téléphones mobiles.

En boitant, Timo s'approcha d'elle, un sourire aux lèvres. Son pied gauche était déformé, il semblait plus lourd, la cheville toute ronde était tournée vers l'intérieur.

— Qu'est-ce qui te fait croire que je veux entrer aux archives ?

— Je transcris en anglais et en cantonnais pour les secrétaires des archives. Je connais le vieux tunnel qui mène à l'Inspection disciplinaire. ..

53

Du linge grisâtre pendait au-dessus de la ruelle qui menait au bâtiment massif des Archives du tribunal. Un homme pâle, en gilet et chemise déboutonnée, fumait sur l'escalier de l'entrée du personnel. Timo boitilla jusqu'à lui et parla d'un ton tranchant. L'homme répondit, puis resta la tête baissée pendant que le garçon ouvrait la lourde porte en fer et faisait entrer Jasmine.

Ils empruntèrent un couloir défraîchi équipé de quatre lavabos en zinc. Le sol était recouvert des restes de colle d'une moquette. Ils pénétrèrent dans une salle aux fenêtres étroites, contenant des armoires d'archivage.

— Dis-moi simplement comment trouver le tunnel. Ensuite, je me débrouillerai toute seule, déclara Jasmine.

Les ombres projetées à travers les carreaux ternes des fenêtres coulaient sur les murs. La pluie avait commencé à tomber sur la ville. Le garçon prit une liasse de papiers sur un chariot avant de conduire Jasmine dans une grande rotonde. C'était comme se trouver au fond d'un gigantesque tonneau. Les murs incurvés étaient recouverts d'étagères sur quinze mètres de hauteur, garnies de minces classeurs. Il doit y avoir des centaines de millions de dossiers, songea Jasmine. Des assistants se déplaçaient en silence dans des escaliers et sur des coursives, et retiraient des classeurs en se référant à des listes.

Personne ne sembla réagir à leur présence. Le garçon traversa la salle, et Jasmine le suivit en prenant un air las, comme si son affaire traînait en longueur.

Une femme portant une dizaine de classeurs dans les bras s'arrêta pour les regarder, puis se dirigea vers un homme qui attendait.

Jasmine accompagna Timo jusqu'à la magnifique cage d'escalier avec ses vitres serties au plomb. L'escalier en fer forgé se vrillait sur lui-même tel un serpentin. Leurs pas tintèrent contre le métal des marches quand ils descendirent.

Au moment de passer le premier sous-sol, ils croisèrent un vieil homme. Le garçon échangea quelques mots avec lui. Le vieillard toussa légèrement, parla, puis agita la main pour minimiser ses paroles. Une fois qu'il eut disparu en haut, au niveau de la rotonde, Timo se tourna vers Jasmine.

— Il a dit que la police cherche le gang de la triade en bas.

— Ici ? À l'intérieur ?

— On va être obligés de rester à l'abri jusqu'à ce qu'ils aient fini, indiqua le garçon avec insouciance, et il ouvrit la porte du premier sous-sol.

Ils débouchèrent sur une salle remplie de meubles à petits tiroirs en bois contenant des fichiers.

— Il n'y a aucun autre chemin ? demanda Jasmine.

— Pas pour le moment.

— Mais je ne peux pas attendre, je suis obligée de descendre.

— Obligé, c'est un mot amusant, souligna Timo, et il afficha de nouveau son grand sourire. Nous ne sommes pas obligés, mais nous ferions absolument mieux de rester ici jusqu'à ce qu'ils aient fini… ou plutôt… Viens avec moi, se reprit-il. Là-bas, il y a un département réservé aux *chongsheng*, ceux qui sont revenus plusieurs fois, ça pourrait t'intéresser.

— Tu sais donc qui je suis ?

— À ce stade, pratiquement tout le monde le sait.

Jasmine pénétra dans une salle annexe avec le garçon. Elle s'efforçait de garder en tête l'orientation du bâtiment par rapport à l'entrée du personnel et l'entrée principale. Ils continuèrent dans une autre pièce, tout en longueur. Une odeur de poussière et de livres anciens flottait. Les lampes à huile fixées aux murs diffusaient une faible lumière jaune sur les étagères et le plafond. De toute évidence, certaines parties de cet édifice étaient très vieilles.

En silence, Timo chercha parmi les dossiers rangés par nom de famille transcrit en mandarin. Il finit par sortir un classeur, le feuilleta, puis regarda Jasmine.

— Tu es venue dans le port cinq fois sous le même nom.

— Quatre fois, le corrigea-t-elle.

— Oui…, murmura-t-il.

— C'est écrit cinq?

— Ton cœur s'est arrêté quand tu es née, répondit-il en inclinant la tête. Tu es une *huang hun.*

— C'est ce qui est écrit?

— Nous sommes aux Archives du tribunal, beaucoup de choses sont écrites… Tu as une affaire civile en cours au Tribunal populaire de première instance, tu as été lieutenant, mais tu as abandonné ta carrière militaire après une blessure par balle au Kosovo, tu as été soignée à…

— Je n'aurais jamais dû y être, l'interrompit-elle.

— Les guerres sont inutiles et déraisonnables, déclara Timo en parcourant le dernier feuillet.

Une idée prit forme dans l'esprit de Jasmine.

— Tu pourrais trouver une fiche pour moi?

— Tous ceux qui sont nés plusieurs fois sont fichés ici, dit-il en la regardant de ses yeux étranges.

— Son nom est Gabriel Popov.

Sans se presser, le garçon traversa la pièce jusqu'au mur opposé qu'il suivit sur une vingtaine de mètres avant de s'arrêter. Il sortit un classeur et commença à lire.

Jasmine s'approcha de Timo. Elle vit sa propre ombre sur le sol dallé, projetée en plusieurs couches translucides. Elle savait que ce phénomène était dû à la lueur des lampes à huile le long des murs, mais cela lui évoquait néanmoins les cinq voyages.

Mon âme repose dans cinq couches transparentes, songea-t-elle.

Adossé à l'étagère, Timo se grattait derrière la tête pendant qu'il parcourait le dossier. Ses bras étaient maigres et crasseux. Il lisait en articulant silencieusement les mots. Puis il baissa le classeur et leva les yeux.

— Gabriel Popov a une insuffisance cardiaque congénitale. Il est venu ici trois fois en son propre nom.

— Qui est-il ?

— Après le premier arrêt cardiaque, il a été soigné à l'hôpital d'Ersta selon la loi sur les soins psychiatriques sous contrainte, deux fois marié, pas d'enfants… Avant de devenir psychologue, il a étudié le droit pendant deux ans à l'université d'Örebro… Ici, dans le port, il faisait partie du *Corpus juris*, il était dans l'entourage du docte juge suprême, il était assesseur…

Timo se tut brusquement, et tourna le regard vers la porte. Un voile d'inquiétude recouvrit son visage tel un masque vénitien.

— Quoi ? chuchota Jasmine.

— Les policiers remontent, répondit-il, et il se mit en marche.

— Ils ont fini ?

Jasmine le suivit à travers la salle annexe puis la salle des fichiers, jusqu'à la cage d'escalier. Ils refermèrent doucement la porte derrière eux, et écoutèrent en silence. Au-dessus de leurs têtes, le fer forgé de l'escalier hélicoïdal grinça. Jasmine se tint à la main courante froide en suivant le garçon dans la spirale métallique.

Au niveau inférieur du sous-sol, le plafond était plus bas, et la lumière de quelques lampes éparses caressait le dos des livres. Les anciennes affaires du tribunal n'étaient pas conservées dans des classeurs, les documents manuscrits étaient rassemblés dans de lourds volumes.

— On aurait dû vérifier si Wu Wang figurait parmi les revenants, dit Jasmine.

Timo s'excusa de ne pas pouvoir rester avec elle, il devait retourner à son travail. Il lui fit encore traverser deux petites salles remplies d'énormes fichiers à tiroirs. Pour finir, il déplaça une malle contenant des accessoires de bureau au rebut, et ouvrit une porte peinte en blanc donnant sur un souterrain sombre en bas d'un petit escalier.

54

Par la porte du souterrain, Jasmine huma une faible odeur de vieux livres et de pierre.

Elle essaya d'imaginer Dante quelque part à l'intérieur du passage obscur, et l'angoisse l'étreignit.

Pourvu que ce soit vrai, pourvu qu'ils se serrent les coudes et protègent les enfants, pourvu que les hommes de Wang ne parviennent pas à forcer l'entrée.

Avant de descendre, elle prit quelques feuillets dans la malle, les plia et s'en servit pour bloquer la porte afin d'avoir un peu de lumière. Les parois de part et d'autre du couloir étaient recouvertes d'étagères chargées de dossiers antédiluviens.

Quelques mètres plus loin, le tunnel changea de direction, et le pâle flot de lumière des archives disparut. Elle ne voyait pratiquement plus rien, et fut obligée d'avancer à tâtons.

Laissant une main courir sur le dos des livres, elle gardait l'autre tendue dans le vide devant elle.

Elle avait une conscience aiguë des pièges qu'il pouvait y avoir, dressés à l'intention de Wang et de ses hommes.

L'air paraissait de plus en plus lourd. Au loin, dans les ténèbres, elle entendit un grincement et un chuchotement.

Elle tendit l'oreille quelques secondes, poursuivit sa progression hésitante, et sa main tendue heurta un obstacle.

Comprenant qu'elle se trouvait devant une barricade, elle se glissa sur le côté. On avait brisé des étagères et assemblé les morceaux en chevaux de frise.

— Ohé? lança-t-elle.

Un cliquetis, un raclement, puis la petite flamme d'une allumette. Jasmine distingua une main qui allumait une lampe à huile. La lumière jaune éclaira un visage. Celui de Pedro. Derrière, elle distingua Marta et Erica. Une deuxième lampe fut allumée, et elle put apercevoir Ting, Grossman et Dante.

Jasmine passa de l'autre côté de la barrière, puis la remit soigneusement en place. Ting vint à sa rencontre en tenant Dante par la main. Grossman resta sur place avec la lampe, fermant les yeux de soulagement. Dante la fixa comme s'il avait oublié qui elle était, ou avait abandonné depuis longtemps l'espoir de la revoir. Ses joues étaient striées de crasse et de larmes.

— J'ai fait aussi vite que j'ai pu, dit Jasmine, et elle s'agenouilla devant son fils.

Voyant qu'il faisait de grands efforts pour ne pas pleurer, elle le serra fort dans ses bras. Il la serra fort aussi, et appuya son visage contre sa joue. Elle sentit son haleine se répandre dans ses cheveux. Il tremblait de tout son corps, et ses petites mains ne voulaient pas la lâcher.

— On peut rentrer à la maison maintenant? chuchota-t-il.

— Bientôt. Bientôt.

Elle pensa à sa chambre avec la lumière arc-en-ciel de la veilleuse tournoyant sur le papier peint et sur l'affiche de Jack Sparrow.

La maison était bien loin.

Elle embrassa son front plusieurs fois, le regarda de nouveau, lui dit qu'elle l'aimait et lui tapota les joues avant de le soulever et de se tourner vers ses compagnons.

Tous les cinq avaient les yeux braqués sur elle, leurs visages étaient pâles et fatigués. Marta tenait un couteau à la main droite, Ting et Grossman étaient armés de bâtons affûtés.

— Salut, chuchota Ting.

Jasmine pensa à Ulysse descendu aux Enfers pour parler aux morts, à sa rencontre avec Achille qui préférait être un domestique sur terre plutôt qu'un roi régnant parmi des ombres.

— Ils sont en train de creuser un passage pour accéder au sous-sol, annonça Jasmine.

— Mon Dieu, murmura Marta.

Jasmine posa Dante, mais garda une main glissée autour de sa nuque.

— Si on reste ici, dit Ting en se grattant le ventre, si on choisit de rester ici, il faut qu'on se prépare un max. Il faut qu'on fabrique d'autres obstacles, qu'on prévoie des embuscades.

— Mais il n'y aura pas de combat, objecta Marta avec impatience.

— Juste au cas où… Si jamais combat il y a, on aura plus de chances en restant ici, expliqua Grossman. Je veux dire, Sun Tzu et le *Wei Liao Zi* sont d'accord pour…

— Figure-toi que je m'en fous de tes leçons d'histoire, l'interrompit Marta.

— Je veux juste dire que le premier arrivé sur les lieux dispose toujours d'un avantage.

— Qu'est-ce que vous vous imaginez ? demanda Marta avec un sourire. Nous ne savons pas nous battre, c'est tout simplement ridicule, redescendez un peu sur terre et…

— On va tout faire pour éviter la violence, évidemment, la rassura Ting.

Jasmine hocha la tête, et laissa son regard courir sur les étagères remplies de données personnelles jaunies qui tapissaient les parois.

— Pedro et moi, nous avons l'intention de nous rendre immédiatement, déclara Marta. Dong Hongli était absolument certain que le playground est contraire à la Constitution.

— Il est resté pour l'expliquer au juge, fit savoir Ting à Jasmine.

— Personne ne l'a écouté, répondit-elle laconiquement.

— Hongli est plus âgé que les ingénieurs, poursuivit Marta en s'adressant à Ting. Ils sont obligés de l'écouter.

— Mais j'étais sur la place et…

— Ce n'est pas à toi que je parle, la coupa Marta, tranchante.

— Très bien.

— Qu'est-ce que tu allais dire ? lui demanda Ting.

— Ils ont tué Hongli, répondit Jasmine d'une voix assourdie.

— Je ne te crois pas ! s'écria Marta, les yeux rougis par les pleurs. C'est de ta faute, tout est de ta faute !

— Ce n'est pas la faute de Jasmine, et tu le sais, s'interposa Pedro.

— C'est la mienne peut-être ? lança Marta, de plus en plus en colère. C'est ça que tu es en train de me dire ?

— Non, mais…

— À qui la faute, alors ?

— Chérie, calme-toi.

Pedro serra Marta contre lui, elle se mit à pleurer dans ses bras.

— Est-ce qu'on a d'autres couteaux ? demanda Jasmine à Ting.

— Seulement le mien, dit Pedro.

— Ne lui parle pas ! gémit Marta.

— Avez-vous dressé des barricades de ce côté-là aussi ? voulut savoir Jasmine en levant le menton en direction de l'entrée effondrée.

— Oui, répondit Ting.

— Le même genre ?

— Un peu plus grandes.

— On a eu le temps de fabriquer deux lances. Enfin, je ne sais pas comment on peut appeler ça…

— Des manches à balai affûtés, précisa Grossman.

— Ça fera l'affaire, indiqua Jasmine.

— Tu es secrétaire, ou je me trompe ? demanda Marta. C'est bien ça, non ?

— C'est ça. Une excellente secrétaire, qui plus est, répondit-elle à voix basse.

55

Quelques heures plus tard, ils avaient dressé plusieurs barricades derrière les chevaux de frise, empilé de vieux livres, inséré des pieux ici et là. Ils avaient aussi déposé des stocks de pierres à des endroits stratégiques.

Jasmine arracha une lourde charnière d'une porte latérale pour fabriquer une arme, un peu sur le modèle des fléaux utilisés autrefois pour le battage des céréales. Son idée était de l'attacher par un bout à un gros bâton pour donner de l'élan lorsque la partie mobile de la charnière partirait en avant.

Elle se demanda dans combien de temps le message de Gabriel à propos du trolleybus parviendrait à Wu Wang.

Marta avait cessé de pleurer, mais elle restait assise, le visage fermé, à côté de Pedro. Erica et Dante jouaient ensemble, très concentrés. En soufflant bruyamment, Grossman cassait des étagères à coups de pied, et assemblait les planches aux bouts pointus en d'autres chevaux de frise.

Jasmine, agenouillée, tapait avec une pierre sur la pièce de métal pour la chauffer. Peu à peu, elle parvint à la courber autour du bâton que Ting avait façonné. Elle la tourna légèrement pour que la charnière s'insère dans la fente.

Dante éclata de rire. Jasmine le regarda juste au moment où Erica le soulevait du sol.

Ting taillait de courts pieux pour mettre au point une sorte de palanque. Il utilisait le couteau de Pedro, travaillait vite et méthodiquement. Ses muscles scintillaient dans la douce lumière. Des éclats de bois volaient en tous sens. Jasmine coupa son foulard improvisé en lanières qu'elle mouilla dans l'eau boueuse du sol avant de les chauffer au-dessus de la lampe à huile.

— Tu es revenue, dit Ting sans quitter le couteau et le bois des yeux. Je sais que ce n'est pas pour moi, mais ça me fait plaisir quand même.

Jasmine s'assit en face de lui, les bandes de tissu chauffées sur ses genoux.

— Tout est tellement compliqué et…

Elle n'avait pas de mots pour lui dire ce qui était survenu, le peu qu'elle savait, si bien qu'elle se tut, entortilla la première bande sur elle-même, puis commença à en entourer le bout de son arme aussi serré que possible.

— Tu penses au théâtre ? C'est difficile pour toi… ce qu'on a fait ?

— Non, ce n'est pas ça, répondit-elle en souriant. C'était… ce sont des choses qui arrivent, je veux dire, on est des adultes.

— Des choses qui arrivent ? répéta-t-il, l'air interrogateur.

— Enfin, c'était bien, dit-elle en baissant la voix. Pour moi, c'était vraiment très bien, je ne sais pas comment dire, mais…

Elle se tut de nouveau, et détourna le regard en direction du tunnel pour dissimuler sa gêne.

— Tu as quelqu'un, à Stockholm ? demanda Ting.

— Je suis séparée.

— Moi, j'avais une copine. Mais je ne peux pas me remettre avec elle.

— Tu n'es pas obligé de raconter.

— Elle était avec moi quand j'ai fait mon overdose.

— Toxicomane, elle aussi ?

— Oui.

Pedro se leva, vint chercher les piquets que Ting avait terminés, les apporta à Grossman, et aida ce dernier à les fixer tels des crocs le long d'une poutre.

— Je n'ai pas l'intention de prendre de la Méthadone ou un truc comme ça, expliqua Ting tout en continuant à aiguiser ses bâtons. Je vais m'arrêter net, je vais rompre avec le passé.

— C'est bien, chuchota Jasmine en vrillant la bande suivante.

— Je ne mérite peut-être pas de revenir, mais je…

271

— Si, tu le mérites. Bien sûr que tu le mérites.

— En tout cas, je le veux, plus que jamais, affirma-t-il en la regardant longuement. Je ne sais pas, mais je sens ma vie à travers toi dès qu'on est près l'un de l'autre.

Jasmine tendit sa main, toucha la perle à son oreille, caressa sa joue et tâcha de retenir ses larmes.

— Il faut qu'on parle, dit-elle en avalant sa salive.

— Jasmine, je ne dis pas qu'on va se marier. Mais j'ai promis à Dante de lui montrer ma maison… Tu pourras nous accompagner si tu veux. Tu verras, c'est assez original parce que, au départ, c'était un vieux hangar à bateaux, et j'ai posé un sol en verre au-dessus de l'eau dans la chambre.

— C'est vrai, tu es menuisier.

— On pourrait juste rester assis par terre, manger de la pizza, regarder les vagues frapper les rochers et lécher le verre.

— J'aurais tellement aimé.

— On le fera, on va la gagner, cette bataille.

Elle hocha la tête, pensa à la neige qui tombait sur Stockholm, au cœur de Dante, au visage chagriné de Diana et à la photographie du Kosovo.

— C'est ton grand-père qui m'a parlé du playground. C'était un mythe chinois d'un général… Je ne me souviens pas de son nom, mais il avait réussi à revenir parce qu'il avait choisi de régler ses comptes sur le playground.

— On va gagner, affirma-t-il à nouveau, et son regard était si intense qu'elle sentit des chatouillis dans son ventre.

— Oui.

Il se releva, des éclats de bois et des copeaux tombèrent autour de ses pieds. Dante et Erica avaient cessé de jouer. Ils étaient collés à Marta, qui venait de sortir un petit paquet de biscuits aux amandes. Elle avait aussi ouvert une boîte de viande de soja qui ressemblait à des lamelles de magret de canard. Grossman essuya les paumes de ses mains sur son pantalon et s'approcha doucement. Jasmine suivit Ting et vit Marta enlever le papier doré d'un morceau de chocolat.

— Regarde, maman ! s'écria Dante.

— Elle, je ne lui en donne pas, lança Marta en direction de Jasmine.

— Mais enfin, lui dit Pedro. Ça ne t'avance à rien de…

— Il n'y en a pas pour tout le monde, l'interrompit-elle.

— Et pour Dante? demanda Jasmine, estomaquée.

— Ils n'ont qu'à trouver leur propre nourriture, trancha Marta sur un ton agacé.

— Viens, dit Jasmine, et elle prit Dante par la main et l'entraîna.

— Tout est de sa faute, poursuivit Marta derrière eux. Elle ne pense qu'à elle et à Dante, je ne vois pas pourquoi elle mangerait mes provisions.

Dante suivit Jasmine, malgré la faim qui le tenaillait. L'injustice ne lui était pas inconnue, tous les enfants savent ce que c'est, et il avait déjà appris que supplier ne servait à rien.

56

Jasmine et Dante s'éloignèrent dans l'obscurité plus dense du passage souterrain. Elle entendit Ting les suivre.

— Je croyais que Wu Wang était gentil, dit Dante au bout d'un moment.

— Ce n'est pas ta faute. Il t'a trompé, il a trompé tout le monde, répondit-elle.

— Sauf toi.

— Oui.

De faibles coups résonnèrent du côté de l'escalier de l'Inspection disciplinaire. L'équipe de Wu Wang mettrait plusieurs heures avant de pénétrer dans la galerie, et Jasmine aurait bien aimé manger quelque chose d'ici là.

— Attends, lança Ting dans son dos. Attends, je vais aller parler avec Marta.

— Laisse tomber.

— J'ai faim, chuchota Dante, et il tira sur la main de sa mère.

— Je comprends qu'elle m'en veuille, tout le monde a le droit de m'en vouloir, mais faire payer Dante, c'est odieux, s'indigna-t-elle, et elle s'assit contre une étagère en prenant Dante sur les genoux.

— Je vais leur parler, il faut juste que Marta se calme, dit Ting, et il se laissa glisser par terre en face d'eux.

Dante était lourd dans les bras de Jasmine, comme s'il allait s'endormir. Elle pensa à la vie, au corps de son fils engourdi de sommeil le matin quand elle le portait dans la cuisine ensoleillée. Elle pensa au café et aux tartines grillées, à l'aurore rose au-dessus des toits des immeubles enneigés. Aux feuilles lui-santes des tulipes et au merle qui picorait la pomme déposée sur le balcon.

— Comment ça va se passer avec papa maintenant? demanda Dante au bout d'un moment, et elle vit ses grands yeux scintiller.

— Tu penses à quoi?

— Si tu te maries avec Ting.

— Dante, tu auras toujours ton papa, ne t'inquiète pas pour ça. Quoi qu'il arrive, tu auras ton papa.

— D'accord.

— C'est à ça que tu pensais?

— Oui.

— Tout ira bien, tu verras.

— Le papa et la maman de Ting, ils viennent de Chine, déclara Dante.

— C'est vrai? dit Jasmine en feignant la surprise.

— Ils sont partis de la Chine quand il avait six ans. Et le papa de Ting, il avait un nom bizarre... Il a construit un radeau, mais Ting n'avait pas le droit de l'utiliser tout seul.

— Bien sûr, il était beaucoup trop petit.

— Du coup, Ting, il a pris un cochon noir, un chat et un poisson rouge.

— Comme ça, je n'étais pas seul, se défendit Ting.

— Son papa et sa maman étaient d'accord?

— Je ne crois pas, répondit Dante, le regard rivé à Ting.

— Non, sûrement pas, renchérit Jasmine sans pouvoir s'empêcher de sourire.

— Tout le monde est tombé à l'eau, mais il n'y a que le poisson rouge qui a disparu... Ting descendait à la plage tous les jours et lui lançait des miettes de pain.

On entendait plus nettement les coups de pelle maintenant. Jasmine estimait qu'ils avaient encore plusieurs heures devant eux, mais il était quand même plus prudent de se mobiliser pour le combat et de veiller aux derniers préparatifs : dresser la poutre hérissée de piques contre le mur, occuper leurs positions, éteindre les lampes.

— Je n'arrive pas à comprendre que le Comité central gaspille tant de ressources humaines dans une bureaucratie totalement inutile alors qu'il n'y a pas assez de policiers, dit Jasmine à mi-voix.

— C'est comme ça partout dans le monde, répondit Ting. La Suède non plus n'a pas réussi à empêcher la criminalité organisée de...

— Mais ici, ça devrait être possible – forcément.

— Sauf que les gangs sont trop grands, trop forts... J'ai compris que la triade qui contrôle le port est associée à une autre appelée la 14K... qui émane de Hong Kong.

— Je ne les connais pas.

— C'est une des plus grandes triades du monde. Au début, c'était un groupe anticommuniste après la...

— Erica! s'écria soudain Dante, et il se redressa.

La petite fille s'approcha d'eux. Elle déplia un papier contenant un peu de viande de soja, trois petits carrés de chocolat et quatre biscuits aux amandes émiettés.

— Merci, dit Jasmine en anglais. Mais ta maman risque de se fâcher si...

— Je m'en fiche, la coupa Erica. J'ai honte, je trouve qu'on devrait toujours partager.

— Tu as bien raison.

— On peut manger? demanda Dante.

— Commence par la viande, lui conseilla Jasmine.

Dante enfourna un morceau de viande de soja souple, le mâcha, et fit une bise à Erica pour la remercier. Ting mangea un bout avant de ramper jusqu'à Jasmine et de glisser un biscuit dans sa bouche. Dante et Erica pouffèrent de rire en les voyant. Ting l'embrassa rapidement sur les lèvres, puis la gratifia d'un grand sourire.

— Qu'est-ce qu'il y a encore?

— Pour de vrai... j'aimerais savoir à quoi servent tous tes petits points...

— Et tes yeux, pourquoi ils sont comme ça? riposta Jasmine.

— Comme ça? plaisanta-t-il en tirant sur ses paupières.

— Oui, fit-elle en souriant.

— C'est Mao qui l'a voulu, certifia Ting.

— Tu es beau, dit-elle, soudain sérieuse.

— Pourquoi?

— Parce que.

— Tu sais qu'ils ont lancé un concours de sosies dans toute la Chine?

— Non.

— Tout le monde a gagné.

— En fait, je ne trouve pas très drôle de...

— Tu sais pourquoi il n'existe pas de Disneyland en Chine?

Il se tut et tourna le visage vers les Archives du tribunal. Un petit souffle de vent lui caressa la peau. Jasmine ramassa son arme et se releva. Erica fourra dans la bouche de Dante le dernier carré de chocolat, et retira vite ses doigts comme si elle avait peur de se faire mordre.

— Ils arrivent? murmura Ting.

— Dante, dit Jasmine en reculant.

Au loin dans le tunnel s'éleva un grésillement, tel le bruit d'un feu de cheminée, puis le vent se manifesta de nouveau. On aurait dit une multitude de petites pierres en train d'éclater.

57

Grossman avait entendu le bruit. Il vint les rejoindre et scruta l'obscurité. Pedro se tenait juste derrière lui, le couteau à la main.

— Que se passe-t-il ? chuchota Grossman.

— On ne sait pas, répondit Ting.

— C'est Wang, dit Marta d'une voix brisée, et elle pointa son doigt en direction des archives. Il arrive par le même côté que Jasmine, il l'a suivie.

— Je ne crois pas, répliqua Jasmine, et elle perçut une faible odeur de fumée.

— Il faut qu'on retourne les pièges, insista Marta en essayant d'entraîner Pedro.

— Faites comme vous voulez, mais moi, je suis presque certaine qu'il y a un incendie sous l'Inspection disciplinaire, déclara Jasmine. C'est pour ça que l'air file par là et…

— Elle n'en sait rien, trancha Marta.

Personne n'est entré dans le souterrain par l'autre côté, songea Jasmine en écoutant le silence. Ils ont juste réussi à creuser une petite ouverture à partir de la cave sous l'Inspection disciplinaire, puis ils y ont versé de l'essence ou du pétrole.

— Le vent afflue vers le foyer et la fumée monte, dit-elle. Tant que les flammes trouvent du combustible, elles s'approcheront de nous.

— D'accord, allons nous réfugier dans les archives, suggéra Ting.

— Si on éteint l'incendie, on peut rester ici, répondit Jasmine.

— L'éteindre ? On n'a même pas d'eau pour boire, s'insurgea Pedro.

— Mais on peut créer un contre-feu. Un feu qui rencontrera le leur – j'ai déjà vu ça, ils s'éteignent mutuellement.

— Parce qu'il n'y a plus de combustible, expliqua Grossman aux autres.

— C'est vraiment possible ? demanda Pedro, sceptique.

— Je l'ai vu, répéta Jasmine.

— Si ça fonctionne, on aura un avantage, en convint Ting. Ils ne penseront jamais qu'on a pu rester planqués ici après un tel désastre.

— C'est trop dangereux, dit Marta.

— Fuir est encore plus dangereux, rétorqua Jasmine.

Le visage de Ting était grave. La profonde cicatrice sur sa paupière gauche semblait tracée avec un crayon bien aiguisé.

— Tu es sûre de ce que tu avances ?

— Je ne vois pas ce qu'on pourrait faire d'autre, répondit-elle.

Ils apportèrent des lances et des chevaux de frise jusqu'à la volée de marches qui menaient au niveau inférieur des archives puis retournèrent dans le tunnel, et décidèrent d'allumer le contre-feu à la première barricade. Tous contribuèrent à retirer le matériel inflammable de leur côté et à remplir le couloir de l'autre côté avec de gros livres, pour que les flammes ne puissent emprunter qu'une seule direction.

À présent, l'incendie dans le souterrain parvenait nettement à leurs oreilles. Il tonnait, soufflait. Ils perçurent aussi des détonations et des crépitements.

— Nous n'avons pas le temps d'en enlever davantage, cria Pedro.

— Je voudrais un périmètre de sécurité de quinze mètres, hurla Grossman, les bras chargés de vieux papiers.

— Il sera bientôt trop tard ! s'exclama Jasmine.

Elle renversa une étagère à livres, puis fit sauter les tablettes à coups de pied, se blessant au tibia d'une profonde éraflure. Pedro et Marta lancèrent les morceaux par-dessus la barricade, puis partirent en chercher d'autres. Dante et Erica portaient une longue planche. Le feu exhala son haleine sur eux.

L'odeur chaude de bois et de fumée les atteignit avant que le souffle soit aspiré en arrière.

— J'allume ? demanda Ting, une lampe à huile à la main.

— Oui, vas-y, répondit Jasmine, et elle recula avec Dante et Erica.

Il jeta la lampe par-dessus la barricade de sorte que l'huile enflammée éclabousse les vieilles reliures et les embrase.

Ils sentirent une agréable chaleur sur leur visage, puis le vent des archives qui balayait leurs cheveux.

Les flammes s'élevèrent jusqu'au plafond, le barbouillant de suie, puis s'inclinèrent en s'éloignant d'eux, se répandirent parmi les bouquins secs et cherchèrent immédiatement à rejoindre l'autre foyer.

Grossman et Ting apportèrent la poutre plantée des nombreuses lances pour préparer le premier piège. Dante était ensorcelé par le brasier, mais Jasmine l'entraîna vers la sortie. Marta et Erica étaient déjà assises sur une marche d'escalier, toutes pâles. La porte donnant sur le niveau inférieur des archives était presque fermée.

— Tu peux ouvrir la porte pour faire entrer de l'air ? demanda Jasmine.

— Bien sûr, répondit Marta sans la regarder.

Jasmine se mit à trier les armes qu'ils avaient emportées. Elle posa les longues lances rectilignes à part. Marta ouvrit la porte, et Jasmine vit rouler les papiers qu'elle avait coincés en dessous. Un grondement s'éleva dans la galerie, des pierres s'effondrèrent. Des étincelles et de fines particules de suie volaient à travers l'obscurité.

— Dante, monte l'escalier, dit-elle rapidement. Emmène Erica !

De la fumée noire coulait sous le plafond. Les deux foyers n'étaient pas censés se croiser si tôt. Le premier avançait trop vite, il était devenu trop chaud. Ça pouvait devenir dangereux. Jasmine se précipita pour chercher les autres. Des escarbilles l'atteignirent dans le souffle d'air chaud. Le grondement augmenta d'intensité et se transforma en un hurlement lorsque l'incendie se précipita sur elle. Elle tomba à la renverse, tandis que le feu se faisait refouler vers le haut. Une étagère à côté d'elle commença à s'embraser. Jasmine se redressa et vit Ting arriver en courant, plié en deux, avec Pedro sur ses talons, la main devant la bouche.

— Venez! hurla-t-elle en se déplaçant à reculons.

Les flammes repassèrent à l'attaque, lançant leurs langues vers le plafond, à la recherche d'oxygène. Ting arriva à côté de Jasmine et lui dit en toussant de continuer à courir. Elle avait les yeux qui piquaient. Plus loin dans le passage, ils aperçurent la silhouette vacillante de Grossman, au milieu du brasier. Ting la tira en arrière.

Chuintantes, rugissantes, les liasses de documents flambaient tout autour d'eux. Grossman s'écroula à quatre pattes. Des bouts de papier enflammés tombèrent lentement sur lui. Dans les profondeurs du souterrain, des soupirs retentirent lorsque l'oxygène fut avalé par la fournaise. Pedro dépassa Jasmine, la main toujours plaquée devant sa bouche. Elle mobilisa toutes ses forces, s'arracha de la main de Ting et retourna en direction de Grossman. Des fragments incandescents virevoltaient. La température grimpa, mais Jasmine progressa malgré tout. Le vacarme était assourdissant. Grossman la regarda sans bouger.

— Cours! lui hurla-t-elle.

Il secoua la tête, mais elle l'attrapa par les bras et le releva.

— Cours! rugit-elle.

Il chancela en avant, fit quelques pas et se mit enfin à courir. Il était désormais impossible de respirer. Ting vint la chercher, et la traîna sans ménagement vers la sortie.

L'air terrifié, Marta tenait la porte ouverte. Pedro était derrière elle, secoué par une quinte de toux. Jasmine s'empara d'une lance et s'aperçut que la manche de son chemisier avait pris feu. Ting monta l'escalier en butant sur les marches, se tourna vers elle et lui tendit la main. Jasmine la saisit et présenta le bout arrondi de sa lance à Grossman. Le dos de sa chemise était en flammes. Il attrapa la lance, et elle le tira vers elle. Il tomba en avant et essaya de ramper en haut du petit escalier. Ting aida Jasmine à le hisser lorsqu'une nouvelle vague incendiaire arriva.

Marta n'eut pas le temps de refermer la porte derrière eux. Le grand fichier à tiroirs était déjà la proie des flammes. Les murs émirent des sifflements lorsque la colle du papier peint commença à bouillir. Ils traînèrent Grossman devant la malle, traversèrent les pièces du sous-sol et s'engagèrent dans la grande cage d'escalier.

— Dante, continue à monter! cria Jasmine.

Ils enlevèrent les restes fumants de la chemise de Grossman. Celui-ci eut un accès de toux et vomit puis, de la main, il fit le signe v à Jasmine. Le feu avait envahi la salle, il lécha une bibliothèque pour aller s'installer au plafond. La sirène d'une alarme incendie retentit sans interruption. Sur le dos de Grossman s'étalait un champ carbonisé, comme l'empreinte de la patte d'un lièvre, entouré de peau rouge et cloquée.

— Tu peux marcher? demanda Ting.

— C'est dommage pour la chemise, répondit-il presque sans voix.

Des parties du plafond s'effondrèrent dans des nuages d'étincelles. Grossman gémit de douleur lorsque Ting l'aida à se relever. Ils montèrent les marches en fer. En contrebas, les flammes se propulsaient contre les vitres de la cage d'escalier.

Jasmine courut rejoindre Dante et Erica, les prit par la main, et continua à monter tout en leur expliquant que pour s'en sortir, ils devraient lui obéir sans poser de questions.

En arrivant dans la rotonde, elle s'aperçut que les salles tout autour brûlaient déjà. L'incendie avait traversé la charpente. Un homme au visage strié de noir sortit en titubant d'un bureau, des brûlures aux mains. Des classeurs, des feuilles volantes et des porte-documents jonchaient le sol.

— Il y a une autre entrée! cria Jasmine en essayant de se souvenir du trajet qu'elle avait emprunté en arrivant.

Elle se tourna vers le corridor : des parties du sol s'effondraient. Des flammèches jaillirent et partirent à l'assaut des murs. La température insoutenable les refoula impitoyablement. Il était trop tard pour prendre ce chemin-là. Le brasier remplit la pièce jusqu'au plafond. Du regard, elle chercha une issue de tous les côtés sans lâcher les mains des enfants.

Derrière les comptoirs administratifs, elle aperçut Timo. Il restait concentré sur son travail et poussait un chariot de documents, mais il s'arrêta et lui fit un signe de la main en la voyant.

Erica se dégagea et toussa. Marta fut tout de suite à ses côtés et l'éloigna de quelques pas.

Timo prit un classeur sur le chariot et contourna rapidement les comptoirs pour venir à la rencontre de Jasmine.

— Qu'est-ce que tu fais là ? Il faut que tu sortes ! lui lança Jasmine.

— Tu voulais savoir pour Wu Wang, répondit-il en lui tendant le classeur.

— Ça ne signifiait pas que tu devais m'attendre.

L'alarme incendie ne cessait de hurler. Une épaisse fumée remplissait tous les couloirs et montait dans la rotonde. Jasmine arracha les feuilles du classeur et les plia rapidement.

— Il y a un tas d'hommes armés devant la porte, annonça Timo.

— Est-ce qu'il y a une autre issue ?

— Plus maintenant, à moins de grimper sur le toit...

— Dieu du ciel, gémit Marta.

Des particules de suie ardentes volèrent à travers la grande rotonde avant d'être dévorées par la fournaise.

— Il faut que tu sortes maintenant, dit-elle à Timo, tout en glissant les feuilles dans sa poche.

— Si tu n'as pas besoin d'aide pour...

— Va, dépêche-toi, l'interrompit-elle, au désespoir.

— Le ciel s'intéresse au salut des hommes, répondit-il calmement, les yeux exempts de crainte.

Jasmine cracha de la salive noirâtre par terre et partit avec Dante. La chaleur fit exploser une lampe à huile, et le feu partit aussitôt à l'attaque des rideaux.

— Retournez à la cage d'escalier ! cria Ting.

Courbés en deux, ils coururent vers l'escalier protégé par les vitres. Pedro trébucha sur une chaise renversée, Erica hurla en le voyant tomber. Une frise en bois joliment sculptée atterrit devant eux. Machinalement, Jasmine écarta Dante. Ils contournèrent le bandeau incandescent, et atteignirent la cage d'escalier.

Ils grimpèrent les marches métalliques au pas de course. Pedro était de nouveau debout, mais Erica pleurait de terreur. Les murs en verre vibraient. Les flammes dans la rotonde se contentaient de tourner sur elles-mêmes dans une lourde fumée sombre.

— Maman, supplia Dante. Il faut que je m'arrête...

L'alarme incendie se tut, d'autres lampes explosèrent, tout le bâtiment des archives flambait, les murs se gondolaient, la salle était comme un puits embrasé. La chaleur finit par faire éclater les carreaux de la cage d'escalier. Ça crépitait, grinçait, claquait, puis l'ensemble du vitrage s'effondra. Ils poursuivirent leur montée dans l'escalier nu, encerclés par le feu et l'épouvantable vacarme.

Sous l'effet du métal brûlant, les semelles de leurs chaussures devenaient collantes. La structure sous leurs pieds geignait et se lamentait. Une section d'étagères haute de dix mètres s'écroula et disparut dans le brasier infernal. Des parties fumantes de la toiture commencèrent à tomber.

Tout un pan du plafond s'abattit sur l'escalier à un mètre au-dessus d'eux et se cassa en plusieurs morceaux. L'escalier tout entier vibra. Dante hurla quand des éclats de bois enflammés se mirent à pleuvoir.

58

La dernière section d'escalier les mena à travers le grenier suffocant sur le toit du grand bâtiment des archives. L'air était merveilleusement frais et saturé de petites gouttes de pluie. Ils se tinrent, toussant et haletant, sur un rebord étroit qui faisait le tour de la coupole. Entre eux et le vide, il n'y avait qu'un petit garde-fou métallique. Se tenant plaquée contre le dôme, Jasmine vit le scintillement diaphane des lumières de la ville en dessous d'eux. Au-delà des habitations régnait une obscurité absolue.

Nous sommes tous morts, songea-t-elle. Mais nous ne sommes pas effacés, nous existons, nous ressentons des émotions.

Une colonne de fumée mêlée d'étincelles s'élevait de l'entrée principale, un bruit sourd gronda à l'intérieur de la coupole.

Ça s'arrêtera bien à un moment ou un autre, se dit-elle.

Une petite foule s'était rassemblée quinze mètres plus bas. Pour la première fois, elle eut un mauvais pressentiment : le dénouement ne serait peut-être pas celui qu'elle avait imaginé. Derrière elle, Ting expliqua à Grossman qu'ils se dirigeaient vers une nouvelle cachette. La main de Dante était glissante de sueur, elle manqua plusieurs fois d'échapper à la prise de Jasmine.

Une sorte de soupir fusa à côté d'elle. Marta poussa un hurlement. Une flèche noire garnie de plumes blanches s'était plantée dans son bras, traversant tout le muscle. Du sang coulait de la pointe. Entraînant Dante avec elle, Jasmine s'accroupit, mais elle eut le temps de voir Wang dans la rue, à côté d'un tireur à l'arc.

— Par ici! cria Ting.

Les gens dans la rue les montraient du doigt, et se déplaçaient pour suivre leur progression autour de la coupole.

Ils nous ont repérés, songea Jasmine. On est de retour sur le playground.

Une nouvelle flèche passa au-dessus de leurs têtes, mais ils se trouvaient déjà de l'autre côté de l'édifice, hors de toute ligne de tir possible. Ting aida Grossman à descendre une petite échelle jusqu'à un toit attenant, situé à un mètre seulement en contrebas des archives. Jasmine devina au-delà une succession de bâtiments de la même hauteur.

Ils avaient une issue.

Ting revint vers l'échelle pour réceptionner Dante et Erica. Jasmine leur répéta plusieurs fois qu'ils devaient rester assis là sans bouger et se contenter d'attendre.

Grossman était à moitié couché sur le côté, les yeux fermés, la bouche ouverte.

Marta poussait des gémissements de douleur. Le sang coulait le long de son bras, mais Jasmine constata que la flèche n'avait traversé que la partie superficielle du muscle. Aucun vaisseau sanguin important n'était touché. Pedro essaya de lui parler, mais elle était en état de choc, incapable de répondre. Elle chancela, et la pointe de la flèche frotta contre la coupole derrière elle.

— Tu veux que je te la retire? proposa Jasmine. La blessure n'est pas grave, mais je sais que ça fait très mal…

Marta acquiesça d'un faible hochement de la tête, s'humecta les lèvres, et avant qu'elle ait le temps de répondre, Jasmine saisit la pointe, tint fermement son bras et retira la flèche qu'elle donna ensuite à Pedro. Elle essuya le sang sur son pantalon, arracha une bande de tissu du chemisier de Marta, et improvisa un garrot autour de la plaie.

Le feu s'était attaqué à la façade des Archives du tribunal. Des flammes sombres tremblaient au vent telles des voiles sauvages. La torsade de fumée noire tendait vers un ciel tout aussi noir.

Jasmine aida Marta et Pedro à descendre sur l'autre bâtiment avant de les suivre. Elle prit garde à ne pas s'approcher du bord donnant sur la rue. Ils n'entendaient plus les gens en bas, mais elle savait qu'on les guettait.

— Il faut qu'on avance, dit-elle. Ils seront bientôt là.

Le toit suivant était recouvert de tuiles brun orangé. Il était assez pentu, avec des bords relevés. Les pièces de recouvrement grincèrent sous leur poids. Pedro, Marta et Erica se précipitèrent vers le pignon, puis s'arrêtèrent net et reculèrent. Quand Jasmine les eut rejoints avec Dante, elle comprit leur hésitation. Il y avait du vide entre les deux maisons. Le vent passa dans ses cheveux, elle dut les rassembler et les éloigner de son visage pour bien voir. L'espacement n'était pas très grand, il devait être assez facile de sauter par-dessus.

Ting la dépassa, et franchit résolument le petit espace vide d'un bond souple. Il atterrit en douceur, fit quelques pas, puis s'immobilisa quelques secondes avant de se retourner vers eux avec un sourire. Grossman eut l'air de souffrir le martyre quand il s'approcha du rebord d'un pas prudent.

— Tu vas y arriver, tu crois ? demanda Jasmine.

— Je me sens comme une piñata, répondit-il en essayant de sourire.

Ting tenta de l'atteindre avec son bras, mais la distance était trop grande. Grossman fit plusieurs pas en arrière, courut et sauta en poussant un gémissement. Il arriva de l'autre côté, mais rata sa réception et se blessa probablement. Une tuile se détacha et glissa jusqu'à l'avant-toit. Des éclats volèrent et tombèrent dans le vide. Pedro fit le signe de croix et sauta en même temps qu'Erica et Marta. Jasmine souleva Dante, s'approcha de la bordure et regarda la ruelle en bas, où le public se bousculait.

Les volets des maisons de l'autre côté de la rue commerçante s'ouvrirent.

Il ne restait qu'eux deux maintenant.

Elle embrassa son fils sur la tête, et lui chuchota de s'agripper à elle. Puis elle prit son élan. Son ventre se contracta juste avant de sauter. Au milieu du bond, elle sentit fuser dans son esprit un sinistre reflet de l'abîme.

Son pied glissa à l'atterrissage, et elle se cogna le genou sur une tuile, mais elle ne lâcha pas Dante.

— Ça va aller ? demanda Ting, voyant qu'elle s'était fait mal.

— Oui, répondit-elle sans s'attarder sur le sujet.

Puis elle se releva et se remit en marche en tenant Dante par la main.

En elle, la sensation de l'abîme s'attardait. Comme si les ténèbres qu'elle hébergeait s'étaient dévoilées dans ce reflet.

Elle avait parfaitement conscience que son destin était moins limpide désormais – cette fois, elle n'était pas passée par l'antique balance.

L'équipe continua de fuir en silence. Jasmine souleva Dante et le posa sur le toit du bâtiment suivant, puis elle grimpa à son tour. En se retournant vers les archives, elle vit l'édifice entièrement enveloppé de flammes. On aurait dit une pellicule de verre. L'incendie ne produisait presque pas de lumière. Le ciel nocturne pesait sur eux, terne et opaque. Ting aida Grossman à monter, et Jasmine réceptionna son lourd corps. Sa respiration était superficielle, il transpirait comme s'il avait de la fièvre.

Au moment de tendre la main à Marta, Jasmine repéra une silhouette en haut de l'immeuble voisin des archives, un homme qui se redressait après avoir refermé une trappe.

— Ils sont à nos trousses ! s'exclama-t-elle. Ils sont là !

Ils se précipitèrent sur le toit suivant, en cuivre oxydé. Leurs pas tambourinaient sur le métal. Dante tenait sa mère par la main, il avançait aussi vite qu'il pouvait. Derrière elle, Jasmine entendit les plaintes de Marta et la respiration haletante de Grossman.

En s'approchant du bord, elle s'aperçut qu'à cet endroit également, il y avait un espace vide entre les deux bâtisses. La distance était à peu près la même, mais l'autre maison était située plus bas.

— Il faut qu'on saute, cria-t-elle à Dante, en pleine course.

Il ne répondit pas, mais il la suivit jusqu'au bord. Elle le tenait par le poignet, et ils s'élancèrent ensemble. Elle savait qu'ils réussiraient. Ils atterrirent loin sur le toit plat en béton. Dante manqua de trébucher, mais il parvint à retrouver l'équilibre.

Les autres arrivaient derrière, Ting leur dit de se dépêcher. Jasmine se précipita avec Dante vers le bâtiment suivant, puis s'arrêta net.

Devant eux s'étendait une grande verrière ancienne. Les carreaux rhomboïdaux étaient fixés avec du mastic sur une fine structure de bois formant de grands losanges. L'ensemble fragile reposait manifestement sur des liteaux, entre les murs et l'épaisse poutre centrale.

— Le bazar, dit Grossman en s'arrêtant.

— Le vieux marché aux épices, précisa Ting.

Loin en bas sous la toiture, on apercevait une vaste cour intérieure au carrelage en damier. Des détritus traînaient par terre entre des tables de café et une vieille brouette renversée.

59

Ils étaient bloqués, et impossible de faire demi-tour : le soldat de Wang était à leurs trousses. Accroupi sur les tuiles du faîtage, ce dernier jeta un regard dans la rue, fit un signe aux hommes en bas et continua à progresser.

— On peut le neutraliser si on s'y met tous, proposa Jasmine.

— Sans armes, je ne vois pas comment...

— Tu as toujours ton couteau, Pedro ? demanda-t-elle. Tu en avais bien un...

— Je l'ai perdu, tout est allé trop vite.

— On n'a pas le choix, il faut passer de l'autre côté, déclara Ting, et il se mit à plat ventre.

Lentement, il se laissa glisser sur la structure vitrée. Il y eut de faibles craquements. Jasmine vit qu'il cherchait à répartir son poids sur autant de carreaux que possible. Il fallait traverser dix mètres pour atteindre l'autre bord. Du vieux mastic se détacha et tomba sur le sol. Marta essaya de calmer Erica, et Jasmine entendit Grossman dire qu'il refusait d'y aller.

— Je n'ai pas peur, dit-il. Mais ça, c'est de la folie.

Quand Ting eut traversé et se tourna vers eux, la figure luisante de sueur, Jasmine s'approcha tout de suite de la verrière avec Dante.

— Tu as vu comment Ting a fait ?

— Oui, comme ça, répondit-il en allongeant les bras.

— Essaie de te faire aussi grand et plat que possible.

— D'accord.

— N'aie pas peur – ça va bien se passer.

Par un mouvement de reptation, Dante partit à l'assaut du toit en verre. À travers les vitres, Jasmine aperçut les gens affluer dans le bazar, le visage tourné vers eux.

Elle s'obligea à ne pas parler à Dante.

Ça ira, pensa-t-elle, il est si léger.

Elle s'allongea à son tour pour le suivre, attendit quelques secondes, puis commença à ramper. Le verre était frais contre sa joue. Elle vit sur le sol sa propre ombre tel un ange aux ailes déployées, à l'endroit où personne n'osait se tenir.

— Dépêchez-vous! cria Marta.

— Doucement, Dante, le rassura Ting. Tu y es presque.

Dante, impatient, essaya d'avancer à quatre pattes sur les derniers mètres. Le verre se brisa, et son genou traversa un carreau. Jasmine lui hurla de ne plus bouger. Une pluie de verre s'abattit sur le public en dessous, qui s'écarta. Dante remonta sa jambe. Ses yeux étaient pleins d'affolement. Jasmine sentit les battements de son cœur tonner dans ses oreilles. Avec précaution, elle se traîna vers lui. Le verre tourmenté craqua, des miettes de mastic dégringolèrent.

De l'autre côté, Ting s'était déjà allongé, il tentait d'atteindre les mains de Dante.

— Ne bouge surtout pas, je vais t'attraper. J'y suis, voilà, accroche-toi maintenant…

Jasmine attendit qu'il ait mis Dante hors de danger. Elle resta immobile quelques secondes, sentit le vent lui caresser le dos, puis rejoignit Ting, qui saisit sa main et la hissa à côté de lui. Les jambes en coton, elle se releva et s'éloigna du bord.

— Dieu du ciel, souffla-t-elle, et elle serra Dante et Ting contre elle.

Marta était déjà arrivée à mi-chemin, elle encourageait Erica, qui n'osait pas se lancer. Pedro, inquiet, se mit à la gronder. Le soldat de Wu Wang s'approchait. L'air terrorisé, Erica pleurait tout en rampant en direction de sa mère. Pedro comprit qu'il devait se maîtriser. Avant de se lancer à son tour, il lui cria qu'elle se débrouillait très bien. Grossman était le dernier, il tenait une pierre à la main et observait le soldat. Puis il posa sa pierre et commença à se traîner maladroitement sur le vitrage.

Jasmine et Ting accueillirent Marta, et l'aidèrent à monter sur le béton. Son regard était vide lorsqu'elle se retourna pour encourager Erica en lui promettant une nouvelle poupée.

— Maman, j'ai peur, pleura la petite fille, qui se mit soudain debout.

— Rallonge-toi ! hurla Jasmine, mais il était trop tard.

Le carreau sous la fillette se brisa. Elle passa à travers, et resta suspendue aux lattes par les aisselles. Ses jambes s'agitaient, des bouts de verre tombèrent dans le vide. Le public hurla. Marta ne réfléchit pas : elle fit un pas en direction de sa fille, et passa immédiatement à travers un carreau, elle aussi. Ting fut rapidement près d'elle et la souleva en arrière. Elle se dégagea en criant qu'elle devait sauver sa fille.

Erica resta pendue, immobile, les yeux grands ouverts en direction du sol où le public était à l'affût. Jasmine se mit à plat ventre et rampa doucement vers elle. La petite fille n'était pas loin. Pedro lui cria de ne surtout pas bouger. Il y eut un petit craquement sous le genou de Jasmine lorsqu'une vitre se fendit sur toute sa longueur. Elle attrapa Erica par la main, mais ignorait totalement comment la remonter. Elle n'avait rien pour lui servir d'appui. La petite fille remua les jambes, une de ses chaussures tomba dans le vide. Au même instant, Jasmine repéra l'archer de Wang, agenouillé sur les dalles en damier. Il visait Grossman.

— Grossman, attention ! cria-t-elle.

Celui-ci roula sur le côté, et toute la verrière trembla sous son poids. La flèche passa à travers la vitre, le manquant de peu. La construction se mit à grincer. Du mastic et des fragments de verre volèrent. La seconde d'après, le liteau céda sous son poids. La moitié du toit s'affaissa de dix centimètres, soutenue uniquement par la poutre maîtresse. Une vingtaine de carreaux se brisèrent, les profilés métalliques se vrillèrent sous le poids de l'ensemble de la toiture, les cadres étaient hérissés de bouts de verre.

— Je ne te lâcherai jamais, cria Jasmine en tenant la main d'Erica avec une poigne de fer.

Grossman se trouvait toujours juste au-dessus de la poutre centrale. Allongé, bras étendus, sans bouger un cil, Pedro avança vers sa fille. Ting cria quelque chose à Jasmine, qu'elle ne comprit pas. De violentes vibrations se propagèrent dans l'ouvrage. Jasmine comprit qu'il commençait à se détacher du côté où elle se tenait. Les minces lattes se rompirent les unes après les autres. Le liteau porteur céda, et ils tombèrent encore un peu. Marta hurla de terreur. Les éclats de verre virevoltaient, la moitié de la structure pendait dans le vide. Pris de panique, les gens en dessous coururent se mettre à l'abri. Reposant sur la poutre maîtresse qui émettait de sinistres grincements, le toit ne tenait plus que par un coin. Jasmine s'efforça de reculer tout en tirant Erica vers elle lorsque le bâti se mit à bouger de nouveau. Tout s'accéléra. Les profilés cédèrent, et Erica accompagna leur chute, mais Jasmine ne lâcha pas sa prise autour de son poignet. L'ossature fut retenue par un bout de liteau, et la jeune femme parvint enfin à tirer la fillette près d'elle. Elles n'étaient pas loin du bord. Pedro les rejoignit, et ensemble, ils traînèrent Erica en arrière, en sécurité. Marta serra sa fille dans ses bras en pleurant. Il y eut deux grosses détonations. Ce qui restait de la verrière plia de part et d'autre et s'effondra sur le bazar dans un fracas proche de l'explosion. Grossman resta agrippé à la poutre, entouré d'un nuage de poussière qui montait de la cour intérieure.

60

Visiblement mal en point, Grossman rampa sur la poutre nue au-dessus du bazar. Son visage était baigné de sueur. Un vent froid chargé de fumée sillonna le silence. Il n'y avait plus personne dans la cour. Tout le monde s'était réfugié dans un local adjacent, et se bousculait dans l'embrasure d'une porte pour avoir un aperçu des événements. Grossman ferma les yeux, et s'arrêta comme s'il s'était égaré dans un souvenir. Ses bras tremblaient sous l'effort. Des morceaux de verre tombaient dans le vide. Au bout de quelques secondes, il rouvrit les yeux et poursuivit sa reptation.

Ting et Jasmine l'aidèrent sur le dernier tronçon, et le hissèrent sur la toiture-terrasse. Les bris de verre l'avaient blessé aux mains, mais il sourit lorsque Dante lui apporta une chaise de jardin malmenée. Il s'y assit lourdement malgré sa brûlure au dos, on aurait dit qu'il allait fondre en larmes. Ses lèvres tremblaient, ses yeux troublés étaient injectés de sang.

Le soldat de Wu Wang avança lentement jusqu'à la verrière écroulée. Il resta immobile à observer Ting et Pedro : penché dans le vide, Ting donnait des coups de pied à la poutre maîtresse pour la faire sauter tandis que Pedro le retenait. Avant même qu'ils soient parvenus à rejeter la grosse pièce de bois sur le côté, l'homme avait fait demi-tour et rebroussé chemin.

Marta était assise, sa fille dans les bras. Elle lui caressait les cheveux et lui parlait pour faire cesser ses pleurs. Planté un peu à l'écart, Dante attendait qu'Erica le voie.

Ting lança quelques mots, puis Jasmine entendit la poutre atterrir au sol parmi les restes de la structure.

Les deux hommes rejoignirent les autres. La main de Pedro saignait, le visage de Ting était crasseux, il respirait la bouche ouverte quand il demanda :

— Vous avez assez de force pour marcher encore un peu ?

La petite troupe meurtrie emboîta le pas de Ting sur un toit de tuiles pentu, devant un alignement de cheminées. Tous faisaient très attention à rester dissimulés à la vue des spectateurs dans la rue. Ils couraient dès que c'était possible, et s'efforçaient sinon de marcher à vive allure. Ils traversèrent ainsi sept différentes toitures avant que Ting les conduise en bas d'un escalier métallique. La rouille avait rongé des boulons d'assemblage. L'escalier trembla sous leur poids, du ciment s'effrita sur les marches. Grossman poussa des gémissements de douleur, des larmes silencieuses coulaient sur les joues noires de suie de Marta. Ils débouchèrent sur une étroite coursive à l'arrière de l'immeuble, dépassèrent au pas de course une enfilade de portes fermées, écartèrent un vieux matelas, suivirent Ting en bas de deux autres escaliers jusqu'à la coursive inférieure, changèrent de direction, enjambèrent trois vélos renversés, frôlèrent du linge mis à sécher, tournèrent au coin d'un bâtiment, et s'arrêtèrent finalement devant une porte d'appartement défraîchie, sans mention de nom.

Jasmine maintenait Grossman debout. Il transpirait, et elle se rendit compte que sa fièvre était encore montée. Dante tenait Erica par la main, Pedro et Marta se parlaient à voix basse. Ting se passa la main dans les cheveux et regarda furtivement Jasmine avant de frapper à la porte. Au bout de quelques secondes, elle fut entrouverte de cinq centimètres avant d'être bloquée par la chaîne de sûreté et aussitôt refermée. Puis une femme aux pommettes hautes et aux yeux noirs et brillants l'ouvrit entièrement.

— Mister Wonderful ! dit-elle doucement. Ça y est, tu reviens avec le café ?

Elle contempla Ting, lèvres pincées comme pour chasser un sourire. Ses cheveux en broussaille pendaient sur ses épaules à la mode des hippies, des bracelets cliquetaient à ses poignets et son peignoir en soie pourpre n'était que sommairement noué à la taille.

— On a besoin d'aide, Antonia.

— Jolie boucle d'oreille, répliqua-t-elle en touchant la perle.

— C'est un cadeau.

— Je m'en doute.

Ses yeux foncés s'attardèrent un instant sur lui avant de faire un pas de côté et de les laisser passer.

Pedro aida Jasmine à faire entrer Grossman, puis les autres suivirent. La femme prénommée Antonia referma la porte à clé derrière eux, mais Jasmine retourna fermer la deuxième serrure et remettre la chaîne de sûreté. Elle pensa à l'expression de l'homme de Wang quand il les guettait de l'autre côté de la verrière effondrée. Dans sa vie de lieutenant, elle avait parfois croisé ce même regard chez des criminels de guerre et des enfants-soldats. Pour eux, l'individu n'existait plus. Tout être humain était en réalité déjà mort.

— Il faut tirer les rideaux ! lança Jasmine d'une voix forte.

— Ils sont déjà tirés, indiqua calmement Antonia.

— Maman, chuchota Dante. Ce n'est pas poli de…

— Y a-t-il d'autres sorties ?

— Non, répondit Ting.

— Les fenêtres se trouvent à quelle hauteur par rapport à la chaussée ?

— Pas très haut, dit Antonia.

— Trois mètres, précisa Ting.

— Il est donc possible de sauter ?

— C'est une bonne cachette ici, lui assura Ting.

— Qu'est-ce qui vous arrive ? demanda Antonia en retenant un sourire. Vous êtes dans le pétrin ?

— Je t'expliquerai, répondit Ting. On a juste besoin de…

— As-tu des armes ?

Jasmine parlait d'un ton pressant, mais Antonia la regarda tranquillement.

— Non.

— Des couteaux de cuisine ?

— Ça oui, évidemment.

Dans l'appartement vétuste, ils trouvèrent un homme tout nu au lit, en train de fumer.

— Voici Jet, le présenta Antonia.

Elle lui lança un pantalon, et il s'habilla sans montrer la moindre gêne. Ses bras étaient recouverts de tatouages, et ses cheveux blonds lui pendaient sur les oreilles.

Ting et Dante suivirent Jasmine dans la cuisine. Elle ouvrit les tiroirs, rassembla les couteaux et les aligna sur la table. Il y en avait deux à lame rigide. Le plus convenable était un couteau japonais, l'autre un couteau d'office assez court.

— Celui-ci a besoin d'être aiguisé, constata Jasmine en se saisissant d'un troisième couteau à la lame longue et mince. Et celui-ci peut faire l'affaire si on entoure la moitié de la lame de scotch...

— Calme-toi un peu, lui conseilla Ting d'une voix assourdie.

— Il nous faut une pierre à aiguiser, commanda-t-elle.

— Jasmine, on doit d'abord s'occuper des blessures.

— Vas-y, toi, qu'est-ce que tu attends ? répliqua-t-elle sèchement.

Elle prit le bidon d'eau et remplit un verre qu'elle donna à Dante. Il but et s'essuya la bouche du dos de la main. Ting restait campé là, à la regarder.

— On a besoin de repos, avança-t-il avec précaution. Ici, on a l'opportunité de...

— J'ai été officier, l'interrompit Jasmine en dégotant derrière la porte un balai-brosse avec un long manche.

— Je l'avais presque compris.

— J'ai fait des choses que je n'aurais pas dû faire, poursuivit-elle, puis elle dégagea la brosse d'un coup de pied et commença à tailler le bout du manche en pointe.

— Mais tu ne crois pas que ça suffit pour l'instant ?

Il posa une main chaude sur son bras. Jasmine croisa son regard, comprit qu'il avait raison, mais continua à tailler le manche à balai.

C'était fiché dans son cerveau, comme un petit éclat pointu qui gouvernait ses gestes. Elle était incapable de se calmer. Elle pensa au corps outragé de Xin sur la place, et à Hongli tenant ses lunettes à la main pendant que Wang le poignardait. Elle pensa aux visages des gens dans la cour intérieure, qui espéraient et à la fois redoutaient qu'elle se fracasse en bas et meure.

61

Une fois sa lance terminée, Jasmine sortit de la cuisine, et s'arrêta sur le seuil de l'autre pièce. Elle resta là, une main sur la nuque de Dante, le couteau japonais dans l'autre.

Assise sur le lit en jupe et soutien-gorge, Marta regardait Pedro défaire le bandage improvisé autour de son bras. Le sang ne coulait plus, mais la plaie était suintante.

Grossman était allongé sur un drap, par terre. Sa respiration était rapide et tourmentée. Agenouillée devant lui, Antonia essayait de nettoyer la brûlure. La peau noircie entre les omoplates paraissait avoir durci. Le reste du dos, la nuque et l'arrière de la tête étaient cloqués et sanguinolents.

La jeune femme trempa le chiffon dans un seau d'eau, l'essora, et un doux clapotis se fit entendre.

Jet entra avec une pile de serviettes propres. Grossman retenait son souffle tandis qu'Antonia le lavait. La douleur était à la limite du supportable. De la suie ruisselait sur ses hanches avec l'eau rosie par le sang.

— Alors, comme ça, vous avez défié une bande d'extraterrestres à un combat rapproché ? demanda Antonia en s'attaquant à la partie la plus abîmée du dos.

Grossman poussa un cri, puis se mit à haleter d'impuissance quand elle mouilla un nouveau chiffon. Jasmine se rendit compte qu'elle serrait le manche du couteau japonais tellement fort qu'elle en avait des élancements dans les doigts. Elle entra dans la pièce. En la voyant, Pedro s'en prit à elle :

— Nous aurions pu mourir dans le souterrain par ta faute.

— J'ai juste dit qu'il est possible d'éteindre un incendie avec un autre incendie, se défendit-elle.

— Et tu trouves ça réussi ?

— Non.

— Est-ce que tu comprends au moins ce à quoi tu nous as exposés ? surenchérit Marta.

— Marta, je croyais que ça allait fonctionner, rétorqua Jasmine avec raideur. Mais on a trop attendu, le premier incendie a eu le temps de prendre de l'ampleur.

— Le problème, c'est que tout le monde t'a fait confiance, observa Pedro.

— Je n'en demandais pas tant.

— Tu ne nous as pas écoutés, insista-t-il.

— Je pensais avoir raison, répliqua-t-elle en détournant le visage. On aurait dû fuir immédiatement... même si c'est ce à quoi ils s'attendaient de notre part.

— Allez, rends les armes, lui suggéra Pedro.

— Mais on ne gagnera jamais si on n'agit pas de manière inattendue.

— Jasmine, j'en ai assez de me prendre la tête avec toi, déclara Marta d'une voix fatiguée. Mais je n'ai plus confiance en toi, sache-le. Tu ne te soucies que de toi-même et de ton fils.

— Très bien, alors je sais à quoi je...

— Ne dis plus rien ! l'interrompit-elle.

— Pardon ?

— Tu fais du tort aux autres dès que tu ouvres la bouche, articula Marta en la regardant droit dans les yeux.

— C'est faux, chuchota Jasmine, et elle sentit son visage s'empourprer.

— Tu as dit quelque chose ? lança Marta hors d'elle. On ne t'a rien demandé.

— Tu ne peux pas m'empêcher de parler.

— Je te tuerai, fit Marta silencieusement en formant sa réplique avec les lèvres.

— Tu n'y arriveras jamais.

Antonia haussa les sourcils, étala doucement une pommade sur le dos de Grossman, se releva et referma plus étroitement son peignoir.

Le grand corps de Pedro était affaissé, lourd de fatigue. Marta serrait ses lèvres pâles.

— Ça y est, j'ai compris… C'est de vous que tout le monde parle dans la rue, dit Jet avec un sourire. Votre cote a grimpé, pas de bol ; un dollar misé sur vous en rapporte quatre-vingts si vous gagnez.

— Nous n'allons pas nous battre, affirma Marta. Parce que nous ne pouvons pas gagner.

— Non, soupira Jasmine.

— Ta simple présence dans cette pièce me met hors de moi, poursuivit Marta. Comment fais-tu pour te supporter ? Toi et Dante, vous feriez mieux d'aller vous rendre.

— On ne peut pas faire ça, répondit Jasmine.

— Alors, on vous forcera, on vous foutra dehors et…

— Non, cria Erica. Tu es méchante !

— Tais-toi, la coupa Marta.

— Marta, ça suffit ! aboya Ting qui avait suivi l'altercation.

— Nous n'avons qu'à voter…

— On ne va pas voter, l'interrompit Ting. Tu sais ce qu'a dit le juge : Wang est obligé de tuer tous les membres de notre équipe pour être déclaré vainqueur.

Ses paroles résonnèrent comme une sentence, dissipant le tonnerre. Ne restait que la peur. Jasmine regarda le couteau japonais dans sa main. Toute la pièce se reflétait dans sa lame lisse. Les personnes présentes s'y dessinaient comme de minces traits serrés les uns contre les autres.

— Alors, quel est votre plan ? demanda Antonia sur un ton léger pendant qu'elle entourait le torse de Grossman d'un bandage.

— Ma famille et moi, nous avons l'intention d'entrer en clandestinité, répondit Pedro. Nous pensons pouvoir rester cachés jusqu'à ce que Wang en ait assez de jouer.

— C'est-à-dire des mois, nota Ting, sceptique.

— Bah, il finira bien par se trouver un autre visa et par disparaître, rétorqua Pedro en ouvrant ses mains en un large geste.

— Quand on entre en clandestinité, observa Jasmine, on est totalement dépendant de…

— Tais-toi, la coupa Marta.

— Je voulais juste dire qu'on a besoin d'aide pour…

— La ferme!

— Arrête un peu, Marta, dit Ting avec lassitude.

— Ça ne fait rien, répondit Jasmine, et elle quitta la pièce avec Dante.

62

Dans la salle de bains, Jasmine posa le couteau sur l'armoire à miroir à côté d'une petite brosse pleine de cheveux noirs. Elle mit Dante debout sur l'abattant des toilettes et le déshabilla. Outre une coupure à la jambe et des bleus partout, il était très sale. Elle le lava, et la mousse devint grise. Dante remarqua son silence et demanda :

— Tu es triste, maman ?

— Je voudrais rentrer à la maison, répondit-elle sans pouvoir soutenir son regard.

— On pourra rentrer quand on aura gagné le concours, répliqua-t-il.

Jasmine s'obligea à repousser l'inquiétude. Elle rinça le petit corps de son fils en racontant que l'eau était en réalité des vagues qui passaient par-dessus le bastingage d'un bateau pirate. Les yeux du garçon pétillaient, et il éclaboussa les murs en riant.

— On va utiliser la grand-voile pour te sécher, dit-elle en attrapant une serviette.

Jasmine le frotta tout doucement. Elle remarqua qu'il reluquait le soutien-gorge rouge qui balançait sur le porte-serviette.

— Tout va bien ?

— Elle est belle, constata-t-il en descendant de la cuvette des toilettes.

— Qui ça ? Antonia ?

— Tu crois que Ting est amoureux d'elle ? demanda-t-il en se rhabillant.

— Peut-être.

— Ton nez est tout cracra! lança-t-il avant de quitter la salle de bains.

— Ne pars pas, attends-moi derrière la porte!

Après avoir fermé à clé, elle resta plantée devant son reflet dans le miroir. Elle était couverte de crasse : ses narines étaient noires après toute la fumée inhalée, son visage et son cou parsemés de plaies, ses lèvres gercées, ses yeux injectés de sang, épuisés. Ses vêtements étaient déchirés et ensanglantés, la manche de son chemisier avait brûlé, son bras la faisait souffrir. Tous ses ongles avaient cassé, et les jointures de ses doigts étaient éraflées.

Elle se lava la figure et le cou, fit mousser le savon et se lava encore une fois. Puis elle enleva le chemisier et se lava les aisselles et autour des seins, sentant l'eau couler à l'intérieur du pantalon.

De l'autre côté, Dante était appuyé à la poignée de porte.

Quand toute la saleté fut partie, elle put de nouveau voir ses taches de rousseur. Une égratignure rouge courait de la clavicule au sein droit. Ses pommettes plus marquées, ses yeux immenses et foncés lui donnaient un air à la fois sauvage et sévère.

Jasmine chercha dans le linge sale d'Antonia parmi des pantalons, des chaussettes et des culottes en soie fine, et dénicha un débardeur blanc à la faible odeur de musc qu'elle enfila.

— Je n'en ai plus pour longtemps, dit-elle à Dante à travers la porte.

— D'accord.

Dans l'armoire, elle trouva un flacon sans étiquette. Elle huma le liquide jaune qui lui rappela *Chanel N° 5*, même si ça ne pouvait être qu'une contrefaçon. Le liquide la brûla quand elle en versa quelques gouttes sur ses poignets et sur son cou. À côté du flacon était posé un bâton de rouge à lèvres sans capuchon. Elle hésita un instant avant de se donner un peu de couleur aux joues et aux lèvres. Elle démonta précautionneusement le rasoir mécanique, et glissa la mince lame dans la poche arrière de son pantalon avant de refermer le meuble.

Elle mouilla sa tignasse rousse pour la dompter un peu, ramassa ses boucles, et les attacha dans la nuque. Ce n'était pas terrible, mais ça irait.

Avant de quitter la salle de bains, Jasmine rinça le lavabo afin d'enlever le plus gros de la crasse, puis elle reprit le couteau japonais sur l'armoire où elle l'avait posé.

Marta et Jet étaient en train de parler à voix basse dans l'entrée.

En arrivant dans la pièce, Jasmine découvrit Grossman assis sur un tabouret, et Antonia lui faisant avaler une potion à la cuillère. Celle-ci leva la tête et l'observa quelques secondes.

— Ça t'ennuie si j'emprunte ton débardeur ?

— Tu brilles, comment tu fais ? fut la seule réponse.

Jet revint dans la pièce avec une pince à épiler pour enlever un morceau de verre fiché dans la paume de Grossman. Le sang goutta sur le plancher. Jet jura tout bas, inclina l'abat-jour de la lampe et essaya encore une fois. Grossman avala une autre cuillerée de médicament, et sourit lorsque Jet redressa le dos et exhiba un grand éclat de verre rose.

Ting arriva de la cuisine affublé d'un tablier par-dessus ses vêtements souillés. Il s'arrêta devant Dante et lui ébouriffa les cheveux.

— Mister Wonderful ! s'exclama Antonia. Ça avance le repas ?

— Il ne te reste plus de vin ?

— J'ai caché deux bouteilles derrière les livres de cuisine pour que tu ne les trouves pas, répondit-elle gaiement.

— C'est là que je vais chercher alors, répliqua-t-il en quittant la pièce.

Le peignoir d'Antonia s'était entrouvert. Jasmine vit qu'elle avait attaché quelques plumes au visa qui scintillait entre ses seins nus.

— C'est quoi ce truc avec Mister Wonderful ? demanda Jet. Je veux dire, je suis qui alors ?

— Tu es Mister OK.

Jet jura *in petto* en arpentant la pièce, agacé. Jasmine fut obligée de dissimuler son sourire derrière sa main.

— Alors, pourquoi tu me fréquentes ? finit-il par demander.

— Parce que tu es OK, répondit-elle avec sincérité.

— C'est une hippie, tu comprends, tenta d'expliquer Jet à Jasmine. Tout ça, c'est plus fort qu'elle, il faut qu'elle critique le pouvoir et...

— Le pouvoir ? dit Antonia en riant.

— Je travaille au port, et le port est un élément administratif du *Corpus juris* et...

Antonia éclata de rire, puis lui tapota la joue en disant qu'il était quand même OK. Les tresses de sa chevelure embroussaillée étaient décorées de perles qui s'entrechoquèrent quand elle se pencha sur Grossman pour lui donner une dernière cuillerée de médicament.

Le lourd visage de Grossman avait repris des couleurs, et ses yeux pétillaient de nouveau. Il avança les lèvres et ouvrit docilement la bouche.

— Ça a l'air bon, c'est quoi ? demanda Jasmine.

— De la thériaque, répondit Jet en extrayant un deuxième morceau de verre de la main de Grossman.

— Je me sens déjà mieux, dit-il en ouvrant encore la bouche. C'est incroyable comme remède.

— La thériaque contient pas mal d'opium. Ceci explique sans doute cela, précisa sèchement Antonia.

Erica fit signe à Dante d'approcher. Il eut l'air content et s'exécuta. Elle lui montra les pansements sur ses bras, et il lui montra la plaie sur sa jambe. Marta et Pedro revinrent de la cuisine. Marta, silencieuse, garda les yeux baissés pour suivre son mari jusqu'à Jasmine.

— On fait la paix ? demanda-t-elle.

— D'accord, répondit Jasmine en lui tendant la main.

63

Ting, Pedro et Marta avaient disposé sur la table de la vaisselle dépareillée : des verres, grands et petits, des tasses, des baguettes chinoises et des couverts. La vapeur montait des casseroles et des plats de service débordant de spécialités culinaires : il y avait des dumplings, des nouilles, des pousses de bambou, des épis de maïs miniature au curry rouge, des haricots blancs à la tomate, des saucisses cocktail de chez Wing Wa et des petits boudins. Une bouteille de pomerol et cinq de Tsing-tao étaient alignées sur la table.

— Quelle générosité! dit Jasmine à Antonia.

— On m'a donné carte blanche, s'excusa Ting.

— Seulement pour la cuisine, fit remarquer Antonia en rougissant légèrement.

On servit les enfants en premier. Jasmine vit Dante ciller pour chasser les larmes quand il commença à manger. Assise en face de lui, Erica faisait désormais fi des bonnes manières.

Quand Jasmine inspira l'odeur de son assiette, elle réalisa qu'elle n'avait pas mangé depuis très longtemps. Subitement, elle eut tellement faim qu'elle en tremblait. Elle avala sans vraiment mâcher. La sauce piquante au curry lui brûla la bouche, et ce ne fut qu'en engloutissant son troisième dumpling chaud que son corps commença à se détendre. Ses muscles se relâchèrent dans un tiraillement presque douloureux.

Pedro but de la bière directement à la bouteille, et Ting versa du vin dans un grand verre à eau. Dante et Erica partagèrent une canette de Sparletta Creme Soda.

Tout en mâchant des légumes en conserve, Jasmine examina ses compagnons debout ou assis autour de la table. Grossman semblait vaseux, il était manifestement incommodé par les bandages qui serraient son torse et ses mains. Marta mangeait tête baissée avec de petits mouvements prudents à cause de son bras blessé. Quant à Pedro, son visage était soucieux et creusé de sillons.

La dernière fois qu'ils avaient mangé ensemble, c'était juste avant le procès. Tout le monde était enjoué et plein d'espoir. Ils se regardaient dans les yeux, un sourire aux lèvres. Qui aurait pu imaginer que la fin était si proche?

Jasmine observa son fils qui avait déjà tant appris sur l'art de contrôler ses sentiments et ses besoins. Les liens qui nous unissent rendent la mort incompréhensible, songea-t-elle. Après la naissance, on doit développer une sorte de système racinaire qui nous attache à notre identité et qui s'étend à travers la vie entière, jusqu'ici, jusqu'au port.

L'univers et l'éternité nous paraissent abominables.

Mon moi, tous mes souvenirs, tous mes désirs, ne seraient donc qu'un reflet de soleil dansant sur un mur de brique avant qu'il soit de nouveau plongé dans l'obscurité?

Et l'amour alors? D'où vient sa force?

Ting se balança sur sa chaise, mangea une petite saucisse avec les doigts, puis s'essuya les mains sur son pantalon déjà plein de taches.

Même les joues de Marta avaient repris des couleurs. La sauce rouge des nouilles coulait sur son menton.

Pedro poussa un soupir d'aise sonore, et se pencha vers un plat.

— Qu'est-ce que tu as? demanda Ting en s'adressant à Jasmine.

— Je ne sais pas. Je me sens perdue, j'essaie de comprendre ce que j'aurais dû faire différemment.

— Tu as fait ce que tu devais faire. Sinon, Dante aurait perdu son visa et…

— Hongli aurait tenté de faire appel, bougonna Marta, la bouche pleine.

— Mais ça n'a aucune importance, Marta. On fait face à l'injustice pure, dit Pedro en posant sa bouteille de bière. N'est-ce pas ? Je veux dire, je n'arrive pas à comprendre qu'il y ait autant de failles dans notre système judiciaire.

— Exu ne devrait plus avoir le moindre pouvoir, avança Marta, et une ride profonde se forma entre ses sourcils. Tout cela est un vestige des temps anciens.

— D'après le mouvement de résistance, il y avait plus de justice autrefois, objecta Antonia.

— Quel mouvement de résistance ? lui demanda Jasmine.

— Il n'y a plus de résistants aujourd'hui. Il n'empêche qu'ils soutenaient qu'un tribunal inique avait pris le pouvoir politique.

— Ce n'est pas un système parfait, mais sans l'appareil judiciaire, c'est la triade qui se serait emparée de la ville… et je ne dis pas ça parce que je fais partie du *Corpus juris*, déclara Marta. Tout le procès s'est mal déroulé, voilà pourquoi on se retrouve ici… Prétendre que c'était mieux à l'époque de l'empire, c'est tordu.

— La plus grande menace contre la justice, c'est la triade, avança Pedro.

— Tout le monde dit que ça va mieux maintenant que le tribunal serre la vis, répliqua Grossman.

L'ambiance autour de la table avait changé, on se montrait nettement plus circonspect. Marta racla son assiette avec la fourchette, et Erica demanda à voix basse qu'on la reserve.

— En fait, ce n'est pas si mal ici, déclara Pedro en regardant sa famille.

— Et en même temps, c'est étrange, vous ne pouvez pas le nier, rétorqua Antonia. Rien que ce truc avec le temps, qui n'existe pratiquement pas.

— Qu'est-ce qui nous manque sur cette planète ? demanda Grossman. Je veux dire, à part les amis et la famille ?

— La lumière… la vraie lumière du soleil quand on est en mer, répondit Ting, et il se resservit en vin, sans voir que Pedro lui tendait son verre.

— La musique me manque, avoua Marta pensivement.

— Il y a de la musique ici, fit remarquer Jet.

— Oui, mais... ce n'est pas pareil. Rien n'est amusant, on ne danse pas, on ne se sent pas heureux.

— Faire une virée au Mexique avec les potes, pêcher des bonites et des sérioles, lâcha Grossman.

— De la nourriture fraîche, de la salade, du basilic, soupira Pedro. Ce qu'on mange ici, c'est bon, mais se faire griller un bon steak...

— C'est vrai, répliqua Ting, avant d'attraper un dumpling avec ses baguettes et de le tremper dans la sauce chili.

— Ça ne fait qu'un jour que je suis ici, observa Jasmine. Mais j'aimerais dormir... C'est peut-être parce que j'ai trop mangé, mais imaginez : un vrai sommeil plein de rêves.

Grossman acquiesça.

— Le foot me manque, confessa Pedro.

— Le shopping, plaisanta Antonia.

— Est-ce que quelqu'un ici regrette son téléphone ? tenta Jasmine.

Tous éclatèrent d'un rire fatigué et secouèrent la tête. Ting but du vin et la fixa un moment.

— Être enceinte, articula Marta avec gravité. Aucune femme ne tombe enceinte ici, ce qui en dit long.

— Moi, j'ai adoré être enceinte, avoua Jasmine, et Marta déclara qu'elle aussi.

— Mon chien Bella me manque ! s'écria Erica.

— Je sais, compatit Marta, et elle posa sa main sur la sienne.

— Vous parlez de quoi ? demanda Dante à Jasmine.

— On parle de tout ce qui nous manque, de tout ce qu'on a laissé.

— Moi, c'est papa qui me manque, fit-il savoir, et ses grands yeux devinrent tout luisants. Parce que quand il a oublié mon anniversaire... je lui ai dit au téléphone que je ne voulais plus revenir chez lui, mais c'est pas vrai... j'ai très envie de revenir... et après, j'ai pas pu y aller parce qu'on a eu l'accident.

— Il le sait, le rassura Jasmine.

— Je ne veux pas que papa soit triste.

Elle le prit dans ses bras, le serra contre elle et chuchota qu'elle ferait l'impossible pour qu'ils puissent rentrer à la maison.

— Maman ?

— Oui?

— J'ai changé d'avis, je vais me marier avec Erica quand je serai grand, annonça-t-il avec gravité en se laissant glisser par terre.

Pedro se pencha pour cueillir un baiser de Marta, puis il trinqua avec elle et Grossman.

— Qu'est-ce que tu faisais avant d'atterrir ici? demanda Pedro à Grossman, qui se tortilla.

— Oh, rien de sensationnel…

— Attends… laisse-moi deviner, s'interposa Marta. Tu viens de Californie. Je pense que tu es professeur d'histoire militaire à Stanford.

Grossman rit en secouant la tête.

— J'avais un boulot ordinaire à San Diego, mais je lisais beaucoup pendant mon temps libre.

Dante et Erica pouffaient et se donnaient la béquée avec de petits biscuits. Ting se resservit d'un peu de tout, rota et s'excusa.

— Je travaillais dans une station d'épuration. On était chargés des eaux usées, cent quatre-vingts millions de gallons tous les jours, raconta Grossman. C'est pas très glamour, mais ça me plaisait assez, et mes collègues étaient super.

— Comment tu es arrivé ici? demanda Marta, un voile de tristesse dans la voix. Tu peux nous en parler?

Il hocha la tête, but une gorgée de bière et passa la main sur son front en sueur.

— J'étais au boulot, mais je devais partir en avance… Mon fils Eliot venait de décrocher un rôle dans une comédie musicale, j'étais invité chez lui et son copain, ils faisaient une fête. Seulement, on avait une alarme qui tombait en panne sans arrêt dans le dépôt de produits chimiques, et je voulais y jeter un coup d'œil avant de m'en aller… Je ne sais pas trop ce qui s'est passé quand je suis descendu, j'ai senti des picotements dans les doigts, j'ai eu mal à l'épaule et au bras… Mon supérieur m'a appelé, puis j'ai senti une pression sur la poitrine… C'est à ce moment-là que les extraterrestres ont décidé de me prendre.

Jasmine ne put s'empêcher de lorgner du côté de Ting et Antonia. Il enfourna une bouchée, dit quelque chose à Antonia, puis mâcha en souriant. D'abord, elle crut qu'il avait renversé du vin sur son tee-shirt, mais lorsque la tache rouge s'élargit jusque sur son ventre, elle comprit qu'il saignait.

64

Jasmine se leva, prit Ting par le bras et lui demanda de venir avec elle.

— Tu saignes.

— Quoi?

Il se tâta l'abdomen sous le muscle pectoral gauche, puis regarda sa main pleine de sang.

— Je vais t'aider, dit-elle.

Il la suivit dans la salle de bains en emportant son verre.

— Qu'est-ce qu'il t'est arrivé?

— Oh, rien, répondit-il, et il but une gorgée de vin.

— Déshabille-toi.

— J'ai foncé sur une de nos lances quand il y avait le feu dans le tunnel.

Il posa le verre sur l'armoire et souleva son tee-shirt.

— Mon Dieu...

— C'est juste une égratignure. Je l'ai scotchée.

Le scotch argenté pendouillait. Le sang suintait de la blessure et coulait sur ses côtes.

— Je vais laver la plaie, et on verra, dit Jasmine en s'efforçant de paraître calme.

Ting retira complètement son tee-shirt, et Jasmine défit le scotch pour nettoyer la blessure. Il l'observait d'un œil guilleret, et l'embrassa sur la bouche lorsqu'elle se pencha pour l'examiner.

— Arrête! Laisse-moi te soigner!

— Tu es si sérieuse, nota-t-il en riant.

— Ça n'a pas l'air trop méchant, constata-t-elle, soulagée.

— C'est bien ce que je te disais.

Il chuchota tellement près de son oreille qu'elle en eut des frissons.

Elle prit une compresse propre qu'elle appliqua sur la lésion en posant ses doigts sur l'arrondi du muscle pectoral.

— C'est étrange, mais Antonia a raison. Tu rayonnes vraiment, dit-il, et il toucha doucement sa joue. Comment tu fais?

— C'est juste une impression. Il fait tellement sombre partout ici.

— Je suis sûre que tu brilles autant à Stockholm.

— Tout le monde se retourne sur mon passage, ironisa-t-elle.

— J'imagine.

Il tendit le bras derrière son dos, et tourna la clé dans la serrure.

— Je plaisantais, bien sûr, dit-elle en enlevant la compresse.

— Je sais que tu seras tout aussi lumineuse quand on se reverra, murmura-t-il en l'embrassant sur le front.

— Tu ne saignes presque plus.

Jasmine prit une autre compresse, avec des bords adhésifs. Ting l'embrassa sur la joue, elle tourna le visage et reçut un baiser sur le menton avant que leurs lèvres se rencontrent. Jasmine accueillit la langue de Ting dans sa bouche et sentit son pouls s'accélérer. À cet instant, elle essaya d'oublier tout le reste. Il se serra contre elle, la chaleur qui émanait de lui était presque fiévreuse.

La respiration de Ting se fit plus lourde quand ses mains se faufilèrent sous son débardeur, enveloppant son dos. Jasmine déboutonna son jean, et il l'embrassa de nouveau dans le cou et sur la bouche.

Lorsqu'il caressa ses reins et ses fesses, elle sentit les papiers pliés dans sa poche et fit un pas en arrière. Elle les sortit et s'obligea à reprendre ses esprits.

— C'est quoi?

— Tu peux traduire ce qui est écrit là? demanda-t-elle d'une voix aussi calme que possible.

— D'où tu sors ça?

— Des archives, d'une section réservée aux gens qui sont revenus à la vie plusieurs fois. Je ne me souviens plus du nom précis. Ce sont les papiers de Wu Wang.

Ting inclina les feuilles vers la lampe au-dessus du lavabo, murmura que c'était écrit dans un chinois archaïque, puis commença à lire d'une voix hésitante.

— Il... est né à Shanghai et...

Ses joues pâlirent tandis qu'il lisait en silence, puis il s'interrompit, le regard perdu.

— Alors ?

— Je ne comprends pas bien... Il est né au milieu de la dynastie Qing, c'est super bizarre...

Ting reprit sa lecture, sa bouche articulait les mots sans un bruit.

— Dis-moi simplement ce qui est écrit, le supplia Jasmine, inquiète.

— Il est venu dans le port plein de fois sous différents noms.

— Il s'appelait comment la première fois ?

— Je ne suis pas tout à fait sûr, c'est assez difficile à interpréter... mais je crois que son nom de famille est Zhou... Dans ce cas, son nom complet serait Zhou Shuguang.

— Tu veux dire qu'il a échangé son visa et vécu la vie d'autres personnes plusieurs fois – c'est ça ?

— Oui, c'est-à-dire... on dirait, oui, convint Ting d'une voix inquiète. Wu Wang a été mêlé à onze échanges à l'Office des transports... et il y a eu... sept procès civils au tribunal, si je compte bien.

— Mais c'est fou ! Il a forcément des liens avec la triade, c'est la seule explication.

— Tu as bien dit que c'est lui qui a pendu le vieillard dans...

— C'est forcément lui – tu ne crois pas ?

— Je ne suis pas encore arrivé au bout, mais même s'il n'est pas clairement mentionné qu'il a volé des visas, ces documents prouvent qu'il n'est pas celui qu'il prétend être, et donc qu'il a menti au tribunal.

— Il faut qu'on montre ce document au juge. Je ne sais pas comment, mais ça pourrait mettre fin au playground.

— On va avoir du mal à arriver jusqu'à lui.

Jasmine sortit la compresse de son sachet stérile, et l'appliqua doucement sur la plaie. Ting saisit sa main pour la poser sur son cœur. En sentant les battements contre sa paume, elle pensa à ce que Diana lui avait dit. Ting était mort. Elle avait presque réussi à l'oublier.

— Tu es où, là ? demanda-t-il, et il se pencha en avant pour l'embrasser de nouveau.

— Ici, avec toi.

— On devrait se réjouir de tout ce qu'on a appris sur Wu Wang ! On va le montrer au juge, on va s'en tirer.

— Oui, répliqua-t-elle, en reculant malgré elle.

Il émit un petit rire de surprise, avant de retrouver son sérieux.

— Jasmine, je dois... Ce n'est peut-être pas l'occasion idéale, mais... j'aimerais savoir si cette histoire de se voir chez moi... Tout ça... Ce n'est pas pour de vrai, n'est-ce pas ?

— J'aimerais que...

— Mais on ne les pense pas vraiment.

Elle le regarda droit dans les yeux, et à nouveau, le chagrin l'envahit. Impossible de lui dire ce qu'elle avait appris.

— Pardon, articula Ting d'une voix fatiguée. Ce n'est pas pour t'embêter, je sais bien qu'ici, tout est différent, on fait des choses qu'on ne ferait pas autrement...

— Ah bon ?

— C'est ma faute si j'y ai cru... Je suis si jeune, tu vois, et... enfin, bref... J'aurais dû comprendre que tu ne fréquenterais jamais un toxico pour de vrai.

— Réglons d'abord le problème du playground, dit-elle doucement, et elle sentit sa voix sur le point de se briser.

— C'est comme ça qu'on fait quand on est adulte ?

— Arrête !

— Je ne veux pas arrêter – il faut que je sache.

Jasmine hocha la tête et, avec le pouce, essuya une tache de vin au coin de sa bouche. Elle fit son possible pour se dominer avant de parler.

— Tu as raison. Tu es beaucoup trop jeune pour moi, tu es irresponsable et fatigant et... je l'avoue, nous ne sommes pas faits l'un pour l'autre, mais je n'y peux rien.

— C'est-à-dire ?

— Je suis tombée amoureuse, avoua-t-elle, les joues en feu.

Un grand sourire illumina le visage de Ting.

— Alors, on réglera tout ça ensemble.

— Oui.

Jasmine s'efforça de sourire, mais elle fut incapable de dissimuler son tourment. Ting le remarqua.

— Qu'est-ce qui ne va pas ?

— Rien, chuchota-t-elle.

Elle essaya de l'embrasser, mais il se détourna.

— Tu me caches quelque chose. Je le sens...

— Je ne veux pas, l'interrompit-elle.

— Tu ne veux pas quoi ?

— S'il n'y avait pas Dante, on aurait pu rester ici et...

— Pourquoi on resterait ici ?

— Je veux dire, comme Marta et Pedro...

Elle se tut, et comprit qu'elle était obligée de dire la vérité.

— Jasmine, pourquoi tu dis qu'on aurait pu rester ici ?

— Tu es mort. Tu es mort à l'hôpital... Je suis terriblement désolée...

Il la lâcha lentement, et resta figé un petit instant. Avec la lenteur d'un rêve, il retira la perle de son lobe d'oreille, posa la boucle sur le bord du lavabo et sortit de la salle de bains. Jasmine prit le bijou et le suivit. Il s'était arrêté dans le vestibule, et regardait la coursive à travers le judas optique.

— Tu t'en vas maintenant ? Tu veux nous quitter ? Eh bien, vas-y, lança-t-elle avec une indignation retenue. Tu n'as qu'à partir.

— C'est ça, rétorqua-t-il en se retournant vers elle.

Ses yeux étaient noirs, et ses lèvres gonflées de chagrin.

— Ce n'est pas ma faute si tu es mort, dit-elle un peu trop fort.

— Non...

— C'est ta propre faute, s'emporta Jasmine, les larmes aux yeux. Je ne comprends pas comment tu as pu détruire ta vie et...

— Tu ne sais rien du tout.

— C'est tellement con, c'est tout.

— D'accord, répliqua-t-il en haussant les épaules.

— Je t'en veux tellement, tu ne peux pas savoir, poursuivit Jasmine d'une voix chancelante. Tu as tout gâché pour rien, juste pour...

— En quoi est-ce que ça te concerne?

— Donne-moi les papiers de Wu Wang.

— Je vais les montrer au juge.

— Tu ne peux pas y aller, c'est trop dangereux, il faut qu'on élabore un plan.

— De toute façon, je suis déjà mort.

Elle le poussa contre la porte d'entrée, il trébucha et fit tomber un parapluie.

— Tu n'es pas mort, tu existes ici, on est là, on existe.

Il déverrouilla la porte, puis s'arrêta.

— Jasmine? Je...

— Laisse tomber, le rabroua-t-elle, puis elle retourna dans la salle de bains.

65

Lorsque Jasmine eut fini de pleurer, elle se lava le visage, mit la boucle d'oreille et quitta la salle de bains. Ses mains tremblaient, et l'angoisse l'envahit de nouveau.

Dans la cuisine, elle vit Dante et Erica jouer sous la table et les adultes discuter à voix basse.

Elle sentit qu'Antonia l'observait, mais elle n'eut pas le courage d'affronter son regard. Au lieu de quoi, elle commença à débarrasser la table d'un air absent.

— La seule possibilité, c'est *Shuiyuan*, les sources, disait Grossman.

— Et si jamais il n'y a pas de pièces vides pour se cacher? fit remarquer Marta.

— Il y a de l'espace, répliqua Antonia. Le port ne pourrait pas fonctionner si le hall d'arrivée n'était pas sans cesse agrandi.

— C'est bien ce que je dis, acquiesça Grossman.

— Jet, il y a combien de nouvelles cabines?

— Avant de me retrouver dans l'administration du port, je travaillais dans le nouveau hall – nous avons réalisé cinq sections totalisant vingt-huit mille cabines lorsque le chantier a été interrompu.

— Et ces parties-là sont vides? voulut savoir Pedro.

— Elles seront mises en service dans quelques années, quand le besoin se fera sentir, répondit Antonia.

— Comment on y entre? demanda Marta.

— Je me sentirais plus rassuré si Jet allait d'abord inspecter les lieux, dit Grossman.

Pedro hocha la tête, et Jasmine comprit qu'ils parlaient de la possibilité de se cacher dans les parties les plus récentes de l'établissement de bains, de se tenir à l'écart jusqu'à ce que Wang abandonne, quel que soit le temps que cela prendrait.

Dante et Erica chantaient une comptine, éclatant de rire quand ils se trompaient.

Marta, Pedro et Grossman projettent d'entrer en clandestinité, songea Jasmine. Ça vaut le coup d'essayer, ça peut marcher, mais si Ting ne parvient pas à montrer l'acte des archives au juge, nous vivons probablement nos dernières heures.

Elle pensa aux yeux sombres de Ting, à ses battements de cœur rapides et à sa bouche chaude sur ses lèvres.

Qu'est-ce que ce serait, de mourir au royaume des morts ?

Jasmine se rappelait la sensation de l'injection qui lui avait provoqué un arrêt cardiaque. Elle se souvenait des yeux terrifiés de sa sœur, de l'obscurité qui gagnait du terrain, de la panique totale.

Ses mains cessèrent de bouger lorsqu'elle songea à la tendance innée d'opposer une résistance.

Elle se souvenait de son réveil sur le sol à l'hôpital, de la douleur, de l'incroyable dynamisme de son corps, de la pulsion qui poussait son cœur à battre, de la volonté de ses poumons de respirer l'air douceâtre.

Mais l'idée de mourir d'une mort violente ici dans la ville portuaire, d'être arrachée à Dante, était insupportable. C'était inconcevable.

La lumière de l'applique vacilla et s'éteignit. Les ombres jaillirent, puis s'évanouirent lorsque le générateur redémarra.

— Dante et moi, on pourra venir avec vous ? demanda-t-elle sans regarder personne en particulier.

— On y compte bien, répondit Pedro gentiment.

Son ton chaleureux lui fit monter les larmes aux yeux.

— Merci, chuchota-t-elle.

— Je veux bien aller y jeter un coup d'œil, mais je crois que le gardien voudra être payé, déclara Jet, et il enfonça un bonnet sur ses cheveux blonds.

— Combien ? demanda Marta.

— Je ne sais pas, je vais essayer de négocier avec lui.

— Je n'ai que quinze dollars sur moi, précisa Marta, et elle sortit une enveloppe d'une pochette qu'elle portait sous son chemisier.

Grossman fouilla ses poches, et en tira quelques billets froissés.

— Voilà dix... douze dollars de plus.

— Nous, on n'a pas d'argent, déplora Jasmine.

Antonia descendit une coupe en porcelaine rangée en hauteur sur un des meubles de cuisine et la posa sur la table.

— Il y a plus de trois cents dollars, déclara-t-elle. Vous aurez besoin d'une aide extérieure, quelqu'un qui vous achètera de la nourriture et vous la fera parvenir en douce.

— Combien de temps on va tenir avec ça ? demanda Grossman.

— Nous, on a près de mille dollars à la maison, dit Marta à voix basse.

— Ah bon ? s'étonna Pedro.

— J'ai fait des économies, expliqua-t-elle vaguement.

— Pourquoi ? Pourquoi tu as... ?

Jasmine les entendit échanger quelques mots en portugais, mais Marta n'avait apparemment aucune envie d'aborder ce sujet ici et maintenant.

— Où est Ting ? demanda soudain Grossman.

— Je crois qu'il est sorti fumer une cigarette, répondit Jasmine d'une voix rauque.

— Il fait toujours ça quand il faut casquer, gloussa-t-il.

66

Dante s'était blotti dans le fauteuil comme pour dormir. Jasmine était assise adossée au mur, le couteau à la main. Le minuscule pied de son fils tressautait de temps en temps. Le rembourrage s'était détaché sous le siège, et traînait par terre. Sur un bureau bas se trouvait une lampe avec un abat-jour posé de travers et maculé de taches brunes là où l'ampoule avait brûlé le tissu.

Jet était parti depuis un bon moment.

Grossman avait trouvé des cartes à jouer françaises dans un tiroir, il jouait avec Pedro dans la cuisine. Marta et Erica étaient dans la salle de bains, Jasmine entendit l'eau couler des robinets.

Antonia entra dans le salon et alluma un bâton d'encens. L'odeur rappela à Jasmine celle des sacs de couchage de son enfance. Une odeur de renfermé, de tissu humide et de sommeil agité qui vous défiait dans un endroit inconnu.

— Je peux te demander un truc ? dit Jasmine, puis elle baissa la voix quand Antonia s'approcha. Pourquoi le mouvement de résistance prétend-il que tout était plus juste avant ?

— Ce ne sont que des paroles en l'air.

— Oui, mais j'aimerais comprendre.

Antonia se laissa tomber à côté d'elle, ajusta son peignoir de soie, et se mit à murmurer :

— Plus personne ne connaît le mouvement de résistance… Il s'appelait *Hudie*, ça veut dire papillon, une allusion subtile à leur non-violence, expliqua-t-elle en haussant les épaules.

— Mais que cherchaient-ils ?

— Tout le monde sait qu'ici, dans le port, fut un temps, bien avant la révolution culturelle en Chine, où le peuple avait pris le pouvoir... Mais le mouvement de résistance soutenait qu'un nouveau coup d'État, secret celui-là, avait eu lieu quelques années après le processus de démocratisation.

— Ce qui signifie ?

— D'après le mouvement, ce sont le juge et ses acolytes qui détiennent le pouvoir réel, pas le Comité central... et évidemment pas le peuple.

— Le juge ? répéta Jasmine, en réprimant un frisson.

— Oui, c'étaient le juge et son équipe qui appliquaient les nouvelles lois... Et ils ont progressivement veillé à créer un nouveau système... à partir d'un tas de conventions et de règles à l'intérieur des règles. Une sorte de coup d'État bureaucratique silencieux – il a fallu du temps avant que quelqu'un comprenne ce qui s'était passé, et à ce moment-là, le pouvoir avait déjà changé de main.

Elles entendirent toutes les deux Marta et Erica quitter la salle de bains et se rendre dans la cuisine.

— Mais qu'est-ce que ça signifie concrètement ? demanda Jasmine avec prudence.

— Je ne suis pas sûre... Peut-être que la sécurité juridique n'est pas supervisée par...

Pedro et Grossman avaient fini leur partie de cartes. En entendant leurs pas dans le vestibule, Antonia se releva vivement et fit semblant d'arranger le bâton d'encens dans son support.

— Pourquoi Ting ne revient-il pas ? demanda Pedro en regardant Jasmine.

— Je ne sais pas.

Dante se redressa et se frotta le visage.

— Tu ne sais rien, donc ?

— Tu as dit qu'il était sorti fumer, fit remarquer Grossman.

— C'est ce que je pensais.

Jasmine se leva, souleva Dante et alla se placer devant la fenêtre. Le corps de son fils était lourd et chaud. Elle posa le couteau devant elle, sur le rebord. Ting s'était aventuré en ville, il parlait la langue officielle, il pourrait peut-être arriver jusqu'au juge sans se faire arrêter.

Par un interstice du store vénitien, Jasmine pouvait observer la rue brillante de pluie. Un homme solitaire dépassa la lueur rouge d'une enseigne au néon. Il parlait tout seul, et remuait les bras comme s'il cherchait à comprendre.

— Qu'est-ce qu'il a dit avant de partir? demanda Marta qui avait entendu Grossman.

— J'ai lavé et pansé sa plaie, répondit Jasmine en se tournant vers eux.

— Tu as lavé sa plaie avec la porte fermée à clé, souligna Marta, et elle vint se planter devant elle.

— Oui, répondit-elle en posant Dante par terre.

— Et il te l'a rendue, poursuivit Marta à voix basse en touchant la perle de sa boucle d'oreille.

— On s'est chamaillés, admit Jasmine à contrecœur.

— C'est une blague? dit Marta.

— Enfin, tu sais bien qu'on a besoin de lui, lâcha Grossman. Il est le seul à bien parler chinois.

Jasmine se tourna de nouveau vers la fenêtre, et prit le couteau dans sa main droite. La rue était complètement vide maintenant. Quelques lumières éparses étincelaient derrière des volets à moitié fermés.

— Regarde-moi! s'écria Marta. Tu réduis nos chances de survie pour une querelle d'amoureux!

— Calme-toi! s'exclama Pedro.

— Mais pourquoi on la laisse faire? Elle ment, elle divise notre groupe et...

Marta se tut net lorsqu'on frappa à la porte. Pedro se hâta d'ouvrir. Il y eut des voix dans le vestibule, mais ce n'était pas Ting qui revenait, c'était Jet. La pluie avait trempé ses vêtements, et il avait l'air préoccupé lorsqu'il retira son bonnet. Il expliqua qu'il avait obtenu une clé.

— Le gardien voulait dix dollars par jour, j'ai payé pour trois jours... Une avance ni trop grosse ni trop petite.

— Bien raisonné, le complimenta Grossman.

— On ferait mieux d'y aller tout de suite, suggéra Jet en essayant de respirer plus calmement. Parce que Wu Wang et son équipe viennent de mettre le feu à un vieux trolleybus près du quai...

— Ça nous donne un léger répit, constata Pedro en commençant à boutonner le gilet d'Erica.

— Cette histoire de playground s'est transformée en fête populaire, poursuivit Jet. Certains suivent Wu Wang, mais la plupart restent sur la place. Ils cuisinent, boivent... Un tournoi de poker a été lancé dans l'attente de la bataille à venir.

— Quoi qu'il en soit, nous devons nous préparer au combat, déclara Jasmine. Il faut élaborer un plan qui...

— Personne ne t'écoute, siffla Marta.

— Je dis seulement...

— Tu n'auras pas le droit de venir si tu...

— C'est moi qui décide désormais, rugit Grossman. On va rester tous ensemble, et on partira dès qu'on sera prêts.

— Je pense qu'il vaudrait mieux partir tout de suite, répéta Jet.

— Mais que va-t-il se passer pour Ting? s'inquiéta Pedro.

— Antonia va rester ici, répondit Jet. Il reviendra.

— Non, il ne reviendra pas, ronchonna Marta. Il n'a pas besoin de nous, il s'en sortira bien mieux tout seul.

— Tout le monde est prêt? demanda Grossman en se relevant péniblement.

Pedro prit Erica par la main. Tout le monde suivit Jet dans le vestibule puis dans la rue. Ils étaient silencieux et crispés, conscients que ceci serait peut-être leur seule chance de s'en sortir.

Jasmine vérifia que le couteau était glissé dans sa ceinture.

— Bonne chance, lui lança Antonia.

Jasmine la remercia, et regarda longuement Antonia avant que celle-ci ferme la porte et la verrouille derrière eux. Les autres avaient bien avancé le long de la coursive, Grossman commençait déjà à descendre l'escalier. Dante prit la main de Jasmine et l'entraîna.

— Tu sais pourquoi Ting a disparu? lui dit Jasmine à voix basse.

— Non.

— Parce qu'il essaie de nous aider. On a trouvé un document qui prouve que Wang ment à tout le monde... Et Ting va le montrer au juge.

— Et alors le juge va se fâcher ?

— Je pense qu'il dira que nous pouvons rentrer à la maison.

— Super ! s'exclama Dante avec un grand sourire.

L'air s'était refroidi avec la pluie. Les restes d'un long cerf-volant en papier jonchaient la petite cour où avait eu lieu la fête du printemps. Jet leur fit traverser un terrain vague, puis un hutong encombré de détritus.

Jasmine songea à ce qu'elle avait fait : elle avait privé Ting de tout espoir en lui révélant qu'il ne reviendrait pas à la vie.

La colère et la tristesse de savoir qu'il avait gâché sa vie s'étaient estompées. Elle s'était sentie blessée, abandonnée et coincée à la fois. Mais ce n'était pas une excuse. Elle aurait dû le consoler, l'aider. Ils seraient séparés dans si peu de temps.

Elle entendit un faible bruit métallique. Elle crut d'abord que c'était la pluie qui tambourinait contre une échelle d'incendie, avant de comprendre que le bruit provenait de plus loin.

Elle posa sa main sur l'épaule de Dante pour l'arrêter lorsque Jet leva la main. Ils se collèrent au mur, et Jasmine sortit lentement son couteau japonais.

Un rickshaw passa dans la rue transversale. Les rayons cliquetaient, et les roues émettaient un chuintement visqueux sur le bitume mouillé.

Ils attendirent que le silence soit revenu avant de poursuivre jusqu'à la rue. Des enseignes éparses chatoyaient plus loin. Deux individus étaient assis sur le perron d'une porte d'entrée, les genoux remontés sous le menton. L'un d'eux tenait une marionnette représentant le singe pèlerin. Il faisait de petits bruits étouffés avec sa bouche tandis que l'autre martelait un rythme irrégulier.

67

Ils dépassèrent deux bennes à ordures débordantes devant lesquelles avaient été déposés des meubles de cuisine Ikea attaqués par la moisissure. Dante se cramponnait à la main de Jasmine, et lui jetait de temps en temps un petit coup d'œil. Cette partie de la ville était pratiquement déserte. Les portes et les fenêtres étaient closes, les façades mornes et fermées. Cinq lanternes rouges se balançaient au vent, grinçant au bout de leur fil de fer.

Une fois franchi un portail en pierre de style gothique, Jasmine aperçut l'immense établissement de bains. Il se dressait telle une muraille défensive le long de la montagne. Des kilomètres de murs et de toits aux bords recourbés, de portes et de volets, de terrasses, d'escaliers de vérandas, qui couraient depuis les parties les plus anciennes près de la place pour aboutir à ce lieu.

Au loin, dans l'obscurité brumeuse, elle distingua de nouveaux arrivants en train de quitter les bains pour rejoindre la marée humaine qui déferlait dans les rues principales en direction du port.

Un flot de morts constant, inépuisable.

Elle sentit un tiraillement au creux de son ventre en pensant au quai et aux eaux sombres, à sa mère qui avait disparu à bord d'un bateau.

Ils sautèrent par-dessus un fossé rempli d'eau, passèrent devant des panneaux d'avertissement sur lesquels on voyait des intrus se faire abattre par des gardes, enjambèrent un ruban de fanions réfléchissants entre des cônes en plastique jaune, puis pénétrèrent sur le chantier.

Des grillages et un amoncellement de barres d'armatures rouillées traînaient sur le sol boueux. Le terrain était recouvert de tas de bois de charpente humides, de tuyaux d'écoulement en PVC et de bâches sur lesquelles l'eau de pluie s'accumulait.

Ils montèrent une rampe d'accès tachée d'éclaboussures de béton, et s'engouffrèrent sous l'immense ossature en bois. Des milliers de poteaux étaient dressés sur l'assise, liés entre eux par des lambourdes et des fermes de toit aux assemblages complexes.

Leur petit cortège traversa la dalle de béton. Marta et Jet marchaient en tête, suivis de Grossman et Pedro. Dante tenait Erica par la main, et Jasmine fermait la marche.

— Erica, dit Jasmine à voix basse.

— Oui.

— Est-ce que tu sais ce que c'est, le *Corpus juris* ?

— Ce sont tous ceux qui ont le juge suprême pour chef.

— Ta mère le connaît bien ?

— Elle ne lui a jamais parlé.

— Tu sais comment il s'appelle ?

— Zhou Chongxi, répondit-elle en aidant Dante à franchir un amas de poteaux.

Ils se déplaçaient en silence devant des chevalets de sciage posés dans des monceaux de sciure humide, et contournèrent une caisse en bois remplie de clous et d'eau couleur rouille.

Des cris retentirent au loin. Jasmine contempla la ville derrière elle. Il n'y avait personne en vue.

Devant eux se trouvaient les parties les plus achevées, avec des murs et des portes. Le vent avait arraché un bout de bâche en plastique qui frottait bruyamment contre le mur.

Jet déverrouilla une porte dans le mur bâché, et fit entrer Pedro et Erica. Dans la pénombre, Jasmine aperçut un sol revêtu d'un beau carrelage.

— Ce serait bien si l'un d'entre nous entrait d'abord jeter un œil, suggéra-t-elle doucement.

— J'y suis déjà allé, répondit Jet avec impatience.

— Ne t'inquiète pas, lui dit Grossman.

— Marta, tu viens ? s'exclama Pedro d'une voix angoissée.

Grossman et Marta franchirent la porte. Jasmine et Dante les suivirent dans un vestibule octogonal orné d'une fontaine asséchée. Des sacs-poubelle poussiéreux contenant du vieux plâtre et des restes de matériaux d'isolation étaient posés contre un des murs.

Jet les guida plus avant dans l'établissement de bains. Grossman leur fit signe de marcher plus vite, et ils arrivèrent dans une grande pièce.

Certaines cloisons ne consistaient qu'en des bâches tendues entre des poteaux, tandis que d'autres étaient terminées, avec leur faïence murale et des gaines électriques pointant en l'air. Le carrelage était posé partout. On n'avait pas encore fait venir l'eau. Les sols et les rigoles étaient secs, couverts de poussière de chantier. Au fond de certains bassins étaient déposées des palettes de béton et de mortier.

Personne ne parlait. Tous avançaient avec prudence en se retournant de temps en temps. Il faisait sombre, tout était silencieux. Grossman heurta une vis à plâtre qui partit dans une rigole. Le cliquetis produit était étrangement net entre les murs carrelés.

Avec la clé, Jet pointa la direction à prendre, puis il les guida dans un long couloir.

Jasmine essaya de rassembler ses esprits, de faire appel à son expérience.

Elle pensa à Ting qui tentait d'arriver jusqu'au juge avec les preuves contre Wu Wang.

Son acte juridique prouvait qu'il avait menti au procès. Tout indiquait qu'il avait été en contact avec la triade pendant une longue période.

Il avait trompé le tribunal et les magistrats.

C'était évident, mais il y avait autre chose.

Le mouvement de résistance oublié de tous soutenait que le tribunal avait repris le pouvoir du Comité central. Dans ce cas, personne ne surveillait l'application des lois dans la ville portuaire.

Jasmine avait la sensation frustrante qu'il lui manquait un morceau du puzzle.

Des enfilades de cabines étaient déjà en place, les unes en face des autres. Un petit canal latéral courait tout le long.

Le couloir s'élargissait vers une grande piscine. À droite, ils virent les lumières de la ville à travers les bâches en plastique gris tendues entre les poteaux.

— Vous voyez la grande porte à côté des cabines de l'autre côté du bassin ? demanda Jet en la montrant du doigt. C'est là que nous allons.

Le sol était incliné vers le fond. Pour atteindre la porte, ils seraient obligés de traverser le bassin vide, puis de monter par l'escalier.

Jasmine sentit son cœur battre plus fort.

Peut-être parce que n'importe quel officier sait que les ravins et les cours d'eau sont des lieux dangereux à passer.

Erica faisait semblant de nager, en bougeant ses bras dans l'air, quand elle descendit avec son père.

Jasmine tenta d'avoir une vue d'ensemble de la salle. L'étage supérieur était en cours de construction. Le plastique au-dessus des fermes du toit se recourbait vers le ciel opaque comme poussé par un courant d'air. Le bruit évoquait des vagues venant frapper une plage de sable.

Dante trébucha sur un carton de faïences éventré, Jasmine l'attrapa par l'épaule pour lui éviter de tomber.

D'épais panneaux de contreplaqué étaient posés sur le fond de la piscine. Plus loin, une carrelette entourée d'éclats pointus avait été adossée à une grille d'évacuation.

Un petit bruit métallique retentit derrière eux. Le malaise de Jasmine grandit, et elle essaya de presser la troupe, entraînant Dante en direction de l'escalier, pour rejoindre l'autre côté aussi vite que possible.

Leurs pas résonnèrent entre les parois du bassin.

Sans cesser d'avancer, Jasmine jeta plusieurs coups d'œil derrière elle.

Son regard s'attarda sur une palette chargée de sacs de ciment placée sur un palier, aux avantages stratégiques évidents.

Jet s'arrêta en plein milieu du bassin.

Erica pouffa de rire, et Dante chercha à se dégager de la main de Jasmine pour courir la rejoindre, mais Jasmine resserra sa prise en observant le palier.

Et subitement, la corrélation lui sauta aux yeux.

La montée d'adrénaline crépita dans sa tête. C'était une embuscade : Jet les menait dans un piège, et Marta collaborait avec leurs adversaires.

Ils faisaient tous partie du *Corpus juris* – l'appareil judiciaire tout-puissant.

Wu Wang était de la même famille que le juge, son premier nom de famille était Zhou, tout comme celui du juge. C'était son véritable patronyme avant qu'il commence à échanger ses visas.

Le cœur battant la chamade, Jasmine entraîna Dante vers la pile de panneaux de bois. Avant d'y arriver, elle comprit que quelqu'un était caché derrière les sacs de ciment – un mouvement scintilla dans la faïence murale blanche.

— C'est un piège ! s'écria-t-elle. C'est un piège !

68

Une corde claqua, et une flèche vint frapper le bord du bassin devant eux. Elle rebondit sur le côté, et tomba au fond.

Jasmine dressa un panneau de contreplaqué comme protection contre les flèches. Marta haleta et regarda autour d'elle, paniquée.

— Pedro, aide-moi! cria Jasmine en orientant la plaque vers l'assaillant. Il faut mettre les enfants à l'abri.

Pedro trébucha sur un seau rempli de croisillons, et cria quelque chose en portugais à l'attention de Marta. Dante se cacha à côté de Jasmine. Pedro voulut traîner Erica dans la mauvaise direction, mais Marta la retint.

Un hurlement retentit : une flèche avait perforé la cuisse de Pedro. Le sang jaillit de la blessure, et il tituba en arrière. Grossman s'affaissa juste sous l'archer en se plaquant contre la paroi du bassin.

La respiration de Dante était rapide. Jasmine l'entoura de son bras, et sentit un tremblement le secouer quand Pedro poussa un nouveau cri.

En un éclair, son cerveau fit l'analyse de la situation : le temps entre chaque flèche tirée indiquait qu'il s'agissait d'un tireur isolé. Ils auraient le temps de fuir pendant qu'il sortirait les flèches du carquois, ils pourraient atteindre la porte.

— Pedro! Il faut que tu t'approches de Grossman! lança Jasmine.

Marta et Erica étaient arrivées devant la pile de contreplaqués, mais au lieu de venir à côté d'elle, Marta chercha à lui arracher sa protection précaire.

— Il y a assez de place pour vous aussi! hurla Jasmine.

Marta était prise de panique, elle gémissait en tirant sur le panneau. Jasmine faillit perdre prise, elle s'écorchait les doigts sur les bords coupants.

— Passez de l'autre côté!

Erica entraîna sa mère, et plongea à côté de Jasmine et Dante. Une flèche frôla leur abri à quelques centimètres au-dessus de leurs têtes, et dévia de sa trajectoire initiale en soulevant une pluie d'éclats de bois.

— Après la prochaine flèche, on court jusqu'aux cabines d'en face, chuchota Jasmine.

Marta toussa et se mit à hyperventiler. Erica pleurait. Dante lui tapota la main.

L'adrénaline rendit toute sa lucidité à Jasmine. Elle entendit la flèche que l'archer retirait du carquois, et visualisa l'exacte configuration de la pièce. Ils seraient obligés de sauter par-dessus un sac de ciment pour aller au plus court.

Battre en retraite aurait été plus prudent, mais ensuite, ils se retrouveraient coincés et ne pourraient jamais rejoindre la porte – pas tant que le tireur tiendrait sa position.

Une vibration se fit entendre quand l'arc fut tendu. Marta adressa une prière à la Sainte Vierge. Jasmine prit Dante par le poignet.

— Tu es prêt? chuchota-t-elle.

Une flèche se ficha dans le panneau de bois avec un chuintement. L'impact les fit chanceler sur leurs jambes. Erica poussa un cri.

— Courez! hurla Jasmine aux autres, et elle entraîna Dante avec elle.

Ils foncèrent vers l'escalier pendant que l'archer sortait une nouvelle flèche. Marta empoigna le bras d'Erica et partit dans l'autre sens, vers le couloir, tandis que Pedro restait planté là, immobile, confus, entourant de ses mains la flèche plantée dans sa cuisse.

Dante et Jasmine sautèrent par-dessus le sac de ciment, longèrent le mur entre l'empilement de carreaux et gravirent les marches menant aux cabines. Jasmine ouvrit la première porte et fit entrer Dante.

— Allez, plus vite!

Elle s'apprêtait à le suivre quand elle sentit ses cheveux violemment tirés par-derrière. Elle parvint à s'agripper au chambranle. C'était Jet. Il la poussa sur le côté, et elle perdit prise.

— Maman!

Elle était en train de pivoter pour essayer d'attraper la main de son assaillant lorsqu'une flèche vint transpercer le cou de Jet. Jasmine rejeta sa tête en arrière. La pointe touchait presque son visage. Jet tenait toujours ses cheveux d'une poigne de fer. Le sang ruisselait autour de la flèche, éclaboussant la poitrine de Jasmine. Elle atteignit enfin la main de son agresseur et la tordit de toutes ses forces, entendant nettement ses os craquer. Jet tomba à genoux, et elle sentit quelques mèches de cheveux s'arracher de sa tête.

— Maman!

— Reste où tu es!

Elle recula vers Dante, entendit la corde de l'arc et comprit immédiatement ce qui se passait. Du dos, elle poussa la porte, sachant que la flèche fendait les airs, droit sur elle comme dans un rêve. Un choc dans son épaule puis la douleur – brûlante, elle courut à travers son corps, puis se focalisa en un seul point incandescent. La flèche avait entièrement traversé son épaule gauche et s'était fichée dans la porte en bois. Elle fut prise de vertige lorsque la porte, sous l'impact, pivota sur ses gonds vers l'intérieur et l'entraîna dans son mouvement.

Le sol était plus bas à l'intérieur de la cabine. Clouée comme elle l'était, dos à la porte, elle fut obligée de se mettre sur la pointe des pieds, mais le tireur ne pouvait plus la voir. Du sang chaud coulait sur son aisselle, le long de sa taille, jusque sous son pantalon.

Lorsqu'elle leva la main droite et suivit la flèche glissante des doigts, la douleur fut si intense qu'elle perdit toute acuité visuelle. Elle s'obligea à adopter une respiration rythmée et régulière. La flèche était entrée plus haut que ce qu'elle avait cru, juste sous la clavicule.

Elle baissa la main, gémit de douleur, et s'aperçut que Jet avait laissé tomber la clé par terre.

Jasmine s'efforça de remonter davantage sur la pointe des pieds pour éviter de se déchirer l'épaule. Elle poussa la porte encore plus vers l'intérieur pour mieux se cacher.

Des cris retentirent au loin, en provenance de la ville.

L'homme banda son arc de nouveau et, par l'entrebâillement de la porte, elle vit Grossman monter péniblement sur la margelle et rouler contre le mur juste sous le plateau de l'archer.

Dante s'était glissé sous le banc de la cabine.

— Tu vois la clé ? lui demanda-t-elle.

— Oui, répondit-il en s'extirpant de sa cachette.

— Pas tout de suite, attends.

Le visage clair de Dante brillait comme un disque d'argent dans l'obscurité de la cabine. Pedro laissa des éclaboussures de sang sur le carrelage quand il commença à s'éloigner en clopinant. Il était trop lent. La flèche suivante le toucha dans le dos, entre les omoplates. Il s'arrêta, pendu au rebord par les mains, le souffle court.

— Va prendre la clé, maintenant ! chuchota Jasmine.

Dante sortit en rampant, ramassa la clé, puis se faufila de nouveau sous le banc.

— Bien joué, réussit-elle à articuler.

Il y eut des crépitements dans la porte derrière elle. La douleur était telle que les larmes coulaient sur ses joues.

Elle leva de nouveau la main droite, toucha la flèche, et poussa un cri quand elle tenta de la retirer de la porte. Sa vue se brouilla, ses genoux étaient sur le point de céder.

— Maman ?

— Ce n'est rien. Reste là où tu es.

Elle lâcha la flèche, et laissa tomber son bras.

Elle n'arriverait pas à l'enlever toute seule. Elle n'avait plus de forces, elle avait trop mal.

Grossman était étendu, immobile, contre le mur. Une boîte en fer-blanc était posée pas très loin de lui, d'où pointait le manche d'un marteau. Il y avait également un couteau, mais le marteau ferait l'affaire.

— Grossman, il faut que tu neutralises le tireur ! cria-t-elle. Prends le marteau, juste à côté de toi.

69

Le public arrivait à l'établissement de bains. Les gens affluaient en masse, arrachaient les bâches, s'introduisaient dans le bâtiment. L'agitation était à son comble. Jasmine essaya encore une fois d'atteindre la flèche avec sa main, sans y parvenir. La douleur prenait le dessus – elle allait entrer en état de choc. Son cœur battait beaucoup trop vite. Son bras gauche pendait mollement, le sang tombait goutte à goutte de ses doigts. La porte craquait sur ses gonds.

Elle doutait que Grossman ait perçu son appel, mais elle le vit s'asseoir et regarder dans sa direction.

Les spectateurs étaient là maintenant. Jasmine les entendait très nettement. Leur cachette était repérée. Des ombres vacillaient sur les faïences murales. Elle vit les premières personnes qui filaient tout droit vers la piscine en pointant du doigt Pedro et Grossman, puis se dispersaient le long des murs pour être aux premières loges.

Une nouvelle flèche vint frapper le bras de Pedro. Traversant le biceps, la pointe heurta le bord carrelé du bassin.

Un frémissement parcourut l'assistance.

Grossman se leva avec des mouvements saccadés, prit le marteau dans le seau, et bondit sur le plateau. De l'endroit où se trouvait Jasmine, il était pratiquement impossible de voir ce qui se passait, mais le public cria et se déplaça pour avoir un meilleur aperçu du spectacle.

Grossman se battait avec le tireur à l'arc derrière la palette de sacs de ciment. Il hurlait et frappait avec le marteau. Du sang éclaboussa le mur derrière lui. Le carquois roula sur le carrelage, et les longues tiges empennées s'éparpillèrent partout.

La main de Jasmine tremblait de façon incontrôlée autour de la flèche quand elle tenta une nouvelle fois de l'arracher. Les tendons et le cartilage de son épaule émirent des craquements. Le sang ruisselait le long de son corps.

D'autres spectateurs accoururent, et des applaudissements épars éclatèrent lorsque Grossman se releva, le visage en sang, la main et le marteau maculés de rouge foncé. Il avait du sang jusqu'en haut du bras. Sa bouche était molle, ses yeux semblaient absents. De la morve et des larmes coulaient sur ses joues rebondies.

Colette Darleaux fit son entrée accompagnée d'un groupe de spectateurs. Le public s'arrêta, puis se dispersa le long des murs, tandis qu'elle s'avançait sur le fond sec du bassin. Elle marcha lentement, un sourire aux lèvres. Vêtue d'un élégant chemisier sans manches, elle tenait une hache à la main droite.

La porte à laquelle Jasmine était clouée avait tendance à pivoter, la poussant en avant. Ses orteils glissèrent sur le sol.

Colette s'arrêta devant Pedro, affaissé sur le flanc. Trois flèches pointaient de son corps. Il saignait abondamment, respirait avec difficulté. Des perles de sueur dégoulinaient de son visage pâle. Colette le força à se redresser, et lui parla en français. Il se tint en déséquilibre devant elle, du sang plein les jambes.

— La rouquine est de retour, n'est-ce pas? constata-t-elle en se léchant les lèvres.

Elle fit tourner la hache dans sa main et visa le cou de Pedro, pour se contenter finalement de lui assener une gifle tonitruante de la main gauche. Le public applaudit. Il chancela, et elle saisit la flèche qui avait transpercé son bras.

— Comment peut-elle être de retour? demanda-t-elle, et un trait mordant perçait dans sa voix douce.

— Marta, aide-moi, souffla Pedro. Aide-moi!

Colette le frappa de nouveau, le déséquilibrant. Sa jambe blessée se déroba, et il s'effondra. La flèche dans son dos se brisa sous son poids, et il poussa un hurlement.

Jasmine ferma les yeux et pria que Marta ne réponde pas. Il fallait qu'elle se taise, qu'elle s'enfuie avec Grossman, Erica et Dante. Il fallait absolument qu'ils disparaissent dans les dédales de l'établissement de bains. Qu'ils trouvent une cachette et se tiennent à l'écart jusqu'à ce que Wang se lasse de ce jeu cruel.

Ses mollets tremblaient à force de rester sur la pointe des pieds, mais chaque fois qu'elle essayait d'abaisser ses talons, elle avait l'impression que son épaule allait s'arracher, et ne pouvait s'empêcher de gémir bruyamment.

Colette transpirait. Son front était luisant, et ses joues s'étaient empourprées. Elle s'approcha à nouveau de Pedro et l'observa avec gourmandise, la hache se balançant au bout de son bras.

— Je veux parler avec Wu Wang, s'écria soudain Marta depuis sa cabine de l'autre côté du bassin.

— Il est en route, répondit Colette à voix basse.

Elle chercha Marta du regard, tout en essuyant la sueur de son cou.

— Ma famille n'est pas en conflit avec lui, je fais partie du *Corpus juris*, cria Marta.

— La décision ne dépend pas de moi, indiqua Colette, mais je suis d'accord...

Marta surgit d'une cabine. Erica resta cachée et la regarda s'éloigner. Terrifiée, elle ne se préoccupait pas des larmes qui coulaient à flots sur ses joues.

— Wu Wang a seulement besoin de Jasmine et du garçon, dit Marta en essayant d'avoir l'air calme.

— Je t'écoute, répondit Colette en la fixant du regard.

— Je vous les livre si vous nous assurez l'amnistie, à ma famille et moi.

— Tu nous les livres? demanda Colette, et elle eut l'air de réfléchir. Le garçon *et* la maman?

— Oui, fit Marta, avec une expression où l'on devinait la peine.

Jasmine serra les dents, retint sa respiration, se tendit vers la flèche et essaya de la tortiller pour la défaire, mais ses orteils glissèrent une fois de plus et la porte pivota lentement vers l'extérieur, faisant grincer les gonds. Elle remonta sur ses pieds, trouva un appui contre un joint de carrelage et put pousser vers l'intérieur. Du sang chaud coulait dans son dos.

Colette aida Pedro à se relever, et Marta s'avança sur le sol incliné.

— Dis à Wu Wang que je sais où ils sont, dit-elle. Je peux vous montrer leur cachette si tu promets devant tout le monde de me laisser partir avec ma famille.

— Je pense qu'il appréciera ta proposition, répliqua Colette, et elle tendit la main pour l'inciter à venir plus près.

— Va le lui dire tout de suite, répéta Marta.

Pedro appuya son épaule contre la paroi et essaya de dire quelque chose, crachant du sang. La flèche dans son dos avait probablement perforé un poumon. Marta était presque arrivée à leur hauteur.

— Vous devez promettre de rester ici en attendant, dit Colette, et de nouveau, elle tendit la main comme pour aider Marta.

— Nous allons rester et…

Subitement, Colette leva son bras droit et lui assena un coup avec la face plate de la hache. Le coup fulgurant atteignit Marta à la joue, et elle s'effondra.

Le public poussa des cris de stupeur. Des huées se mêlèrent aux rires et aux acclamations.

Marta essaya de se relever, sans y parvenir. Elle saignait à la tempe, et appuyait sa main contre sa joue.

— Maman ! cria Erica en se précipitant sur elle.

— Ferme les yeux, chuchota résolument Jasmine à Dante.

En larmes, Erica courut vers sa mère. Colette tourna la tête, brandit la hache et atteignit la fillette à la poitrine.

Marta poussa un hurlement rauque. Un silence absolu s'installa parmi le public. La lame était plantée dans la chair d'Erica. Jasmine entendit un sifflement dans ses oreilles.

— S'il vous plaît, je n'ai que sept ans, haleta Erica. Je m'appelle Erica, je…

Colette essaya d'enlever la hache, mais celle-ci était bien logée et ne bougeait pas d'un pouce. Quand Colette la lâcha, le petit corps d'Erica suivit le même chemin et s'écroula au sol.

— Elle est où, la rouquine ? demanda-t-elle.

Sans regarder Marta, elle posa son pied sur la poitrine d'Erica, à côté du fer tranchant, fit bouger la hache d'avant en arrière et l'arracha. Marta poussa un hurlement sans fin.

70

Soudain, une femme du public apparut dans la cabine de Jasmine. Son visage grave était ridé et désolé. Elle joignit ses pouces et forma avec ses deux mains un papillon devant sa poitrine, prononça quelques mots en chinois, puis extirpa la flèche de la porte. Jasmine se laissa glisser par terre en tremblant de tous ses membres. Elle entendit Marta hurler de nouveau. Avec précaution, la vieille femme retira la flèche de son épaule par le trou de sortie, et la donna à Jasmine avant de disparaître.

— Dante, tu ne bouges pas d'ici, dit Jasmine d'une voix étranglée, et elle sortit son couteau de cuisine japonais. Ne regarde pas.

Marta avait rampé jusqu'à sa fille, et s'était allongée sur elle pour empêcher Colette de lui porter d'autres coups. Erica était grièvement blessée. Sa respiration était saccadée, le sang sortait de sa poitrine à gros bouillons.

Pedro s'était de nouveau affaissé, couché sur le côté. Les flèches plantées dans son corps oscillaient à chaque inspiration.

Jasmine manqua de tomber quand elle fit les premiers pas. Le sang palpitait dans son épaule, et son bras gauche était tellement engourdi qu'elle ne sentait pas la flèche ensanglantée qu'elle tenait dans sa main.

Colette attrapa Marta par les cheveux et la traîna sur le carrelage blanc, avant de la lâcher.

— Je ne négocie pas ! rugit-elle.

Erica toussa, et le sang gicla de sa bouche, par saccades. Colette retourna près d'elle, et lui donna un coup violent au visage avec le dos de la hache.

— Non, ne faites pas ça! cria Marta.

Elle tenta de revenir auprès de sa fille, mais Colette l'éloigna à coups de pied. Les spectateurs hurlèrent, d'indignation ou d'excitation, impossible à dire, ils étaient nombreux à taper contre les murs.

— Colette! aboya Jasmine en titubant vers elle.

Elle ne l'entendit pas, le public était trop bruyant. Jasmine tenait la flèche devant elle. Des pieds, Colette étendit le bras d'Erica sur le sol et leva la hache pour le trancher.

— Elle est où? demanda Colette.

— Je suis là, répondit Jasmine d'une voix forte.

Le public se tut, et Colette se retourna.

Jasmine s'approcha de la Française. Il fallait la tuer. Cette certitude se répandit en elle telle une vague brûlante irrésistible. Elle descendit l'escalier en serrant le couteau dans sa main.

Grossman était couché en position fœtale, les yeux fermés, apathique. L'arc et les flèches étaient à côté de lui.

— Grossman! hurla Jasmine. Ramasse l'arc!

Colette respirait la bouche mi-ouverte, les muscles de ses bras tressaillirent. Elle fit un pas vers Jasmine, la hache levée. Un filet de sang visqueux pendait de la lame.

— Marta, ramasse le couteau par terre! ordonna Jasmine.

Colette lui jeta un coup d'œil, puis se déplaça sur le côté. Jasmine avança en tenant la flèche ensanglantée dans sa main presque inerte tout en dissimulant le couteau japonais dans l'autre main, près de sa cuisse.

Marta obéit, et s'empara du couteau à côté de la boîte en fer-blanc, mais elle avait l'air étrangement absente.

Colette tenta de se donner une contenance, redressa la nuque et fit tourner la hache dans une exhibition dépourvue de sens. Quelques hommes ivres du public l'ovationnèrent.

— Grossman, attrape l'arc et tire-lui dessus! commanda Jasmine.

Il demeurait blotti sur lui-même, mais ses yeux s'ouvrirent peu à peu, et son regard s'attarda sur elle, noir et hagard. Marta se dirigea sur Colette, couteau à la main. Jasmine savait que Marta n'avait aucune chance, mais cette tentative lui donnait, à elle, la possibilité de se déplacer. Colette ne savait pas encore laquelle des deux était la plus dangereuse, elle ignorait que Jasmine était formée pour ce genre de situation.

La Française chercha à se tourner vers Jasmine tout en surveillant Marta.

Jasmine entendit Grossman ramasser enfin l'arc. Il laissa tomber une flèche par terre.

On la tient, songea-t-elle.

Le visage de Colette était crispé, la sueur avait assombri le tissu de son chemisier.

Marta tenait son couteau comme si elle voulait se protéger. Colette lança une attaque inattendue avec la hache. Un tintement résonna quand le fer rencontra le couteau de Marta, qui lui échappa des doigts. Le sang gicla, elle hurla et tomba à genoux. Avec un gémissement, elle glissa sa main blessée entre ses cuisses.

Jasmine arriva tellement vite que Colette n'eut pas le temps de terminer son action. Elle se retourna et recula instinctivement. Jasmine la suivit, sentit l'odeur de son eau de toilette. Son bras endommagé commençait à faiblir, elle devait inciter Colette à frapper. Le public était déchaîné. Jasmine brandit la flèche. Du sang chaud dégoulinait de son coude. Colette simula une attaque avant de charger pour de vrai, balayant la flèche de Jasmine. Entraînée par son propre poids, la hache suivit sa trajectoire. Jasmine put alors intervenir et renverser Colette d'un coup de pied bien placé.

Celle-ci bascula à la renverse, mais Jasmine accueillit sa nuque dans le pli du coude et accompagna sa proie dans sa chute tout en remontant le couteau sur sa gorge de l'autre main. La lame trancha net la carotide et les tendons.

Elle s'était entraînée tant de fois à cet enchaînement qu'elle n'avait plus besoin de réfléchir. Ce serait fini en deux secondes. Son bras décrivait toujours son mouvement ascendant quand elle changea le couteau de main. Colette heurta le sol, et le sang jaillit de sa bouche.

Elle porta la main à son cou, et Jasmine plongea la lame rigide dans son cœur, après lui avoir transpercé le sternum.

Sans la regarder, Jasmine posa son pied sur sa poitrine et retira le couteau poisseux. Elle recula pour avoir une vue d'ensemble du public et du bassin. Étendue sur le côté, Marta la fixait. Colette était morte, mais le sang suintait encore de son cou.

Le public resta complètement silencieux. Jasmine glissa le couteau dans sa ceinture, s'essuya les mains sur son pantalon, s'approcha d'Erica et la souleva.

— Ma petite chérie, chuchota-t-elle en la portant précautionneusement dans ses bras.

La fillette n'était pas encore morte. Ses jambes tremblaient, et elle regarda Jasmine à travers ses paupières mi-closes. Ses longs cheveux humides encadraient son visage pâle, collés de part et d'autre.

— Venez, dit Jasmine aux autres, et elle porta Erica en haut de l'escalier pour aller rejoindre Dante.

Elle s'efforçait d'avancer, tandis que le sang chaud de la fillette imbibait ses vêtements. Le public se tenait toujours tranquille. Beaucoup retirèrent leur bonnet. Quand Jasmine passa devant les spectateurs, des mains se tendirent pour toucher le corps d'Erica.

Dante sortit de la cabine et la suivit jusqu'à la porte donnant sur la partie plus ancienne des bains. Son visage était fermé lorsque, sans un mot, il ouvrit avec la clé de Jet.

En marchant sur le sol mouillé, l'eau tiède pénétra dans les chaussures de Jasmine. Marta et Pedro étaient derrière elle. Leurs visages étaient totalement inexpressifs lorsqu'ils entrèrent dans la chaleur humide des bains. Marta soutenait Pedro qui arrivait à peine à progresser, gémissant chaque fois qu'il devait prendre appui sur sa jambe blessée.

C'était comme si un vent cruel soufflait dans leurs âmes, les laissant vides et dévastés.

Lorsque Grossman eut passé la porte avec l'arc et le carquois, Dante la referma derrière eux et tourna la clé. Les murs semblaient ondoyer dans l'obscurité scintillante qui se reflétait dans l'eau.

Ils se trouvaient de nouveau dans la partie des bains où ils s'étaient un jour réveillés à la mort.

La respiration d'Erica était à peine perceptible. Du sang mousseux recouvrait les coins de sa bouche. Les yeux de Marta étaient des abîmes. Son visage se transforma en pierre quand elle accueillit sa fille dans ses bras.

— Merci, chuchota-t-elle.

71

Ils avaient étendu Erica sur un banc. Marta, agenouillée à côté d'elle, chuchotait et l'embrassait sur le front pendant que Jasmine et Grossman retiraient les flèches du corps de Pedro. Ce dernier avait l'esprit embrouillé, et voulut résister, puis il s'effondra, comme absent, et les laissa panser ses blessures. La plaie sur sa jambe était vilaine et devait être cautérisée, mais ils n'avaient aucun moyen de le faire ici.

Le sang de l'épaule de Jasmine coulait toujours dans son dos. C'était douloureux, mais sans gravité, tant que la plaie ne s'infectait pas.

Dante était planté, immobile, un peu à l'écart. Il regardait Erica, qui respirait de plus en plus lentement. Du sang clair bouillonnait de la blessure sur son thorax.

Tendrement, Marta repoussa les cheveux du front de sa fille. Jasmine l'entendit tenir des propos rassurants. Tout allait bientôt s'arranger.

— Vous n'êtes pas obligés de m'attendre, chuchota Erica. Je suis grande maintenant, maman.

Marta lui répondit doucement. Son visage fut agité d'un tressaillement douloureux, et les larmes roulèrent sur ses joues.

— Il faut lui trouver de l'aide, déclara Pedro, confus, et il se leva sur des jambes chancelantes.

De l'eau dégoulinait des murs, s'écoulait dans les canaux. La lumière se reflétait dans les ondulations sombres du ruissellement. Les cuves pleines à ras bord se renversaient en douceur et déversaient l'eau chaude sur le sol carrelé, où elle coulait le long des couloirs et rejoignait de nouvelles rigoles.

Pedro vint à côté de sa fille. De ses mains tremblantes, il essaya de déboutonner son chemisier lacéré.

— Il faut qu'on arrête l'hémorragie, ça peut être grave.

— Pedro, dit Marta d'une voix apaisante.

— On pourrait faire un pansement compressif, expliqua-t-il en les regardant comme s'il avait oublié qui ils étaient.

Le sang coulait de la grande plaie sur sa cuisse et s'épandait tel un nuage foncé dans l'eau autour de lui. Doucement, il prit la petite main inerte de sa fille, et lui promit qu'il la pousserait sur la balançoire du pommier quand elle se sentirait mieux.

Il se tut, faillit chavirer sur le côté et se heurta l'épaule contre le lambris. Grossman s'approcha pour l'aider à s'asseoir sur un banc.

Marta était toujours agenouillée sur le sol détrempé devant sa fille.

— Je t'aime par-dessus tout, ne l'oublie jamais, sanglota-t-elle.

— Ça ne fait plus mal, dit Erica avec un faible sourire.

Marta plaqua sa main sur sa bouche pour essayer de contrôler ses sanglots.

— Ne sois pas triste, murmura Erica.

— Je ne suis pas triste, nous sommes ensemble, nous serons toujours ensemble. Papa est là aussi, nous sommes ensemble.

Erica avait les yeux mi-clos, son regard était somnolent. Dante s'approcha de Jasmine, et cacha son visage contre elle.

— Je ne veux pas, chuchota-t-il.

— Je sais.

Pedro se leva de nouveau, prit appui contre le mur, haleta le nom de sa fille, puis resta là, immobile.

Marta caressait la joue d'Erica. Elle s'efforçait de rendre sa voix douce et claire.

— Ma fille, tu es si courageuse, si gentille, tu es la meilleure fille du monde...

Erica esquissa un sourire, puis elle expira et trouva la paix. Marta s'effondra. Elle tenait la tête de sa fille des deux mains, et des sanglots rauques lui échappèrent.

Pedro s'approcha lentement. Jasmine l'entendit dire qu'Erica respirait encore, qu'il voyait qu'elle respirait.

— Il faut l'aider, souffla-t-il d'une voix à peine audible. Il faut lui faire un pansement compressif...

Il se tut, essuya les larmes de ses joues et murmura encore une fois qu'elle respirait.

Jasmine regarda Erica, qui reposait tel un coquillage dans les bras de sa mère, fermée et blanche.

Ses longs cils jetaient leur ombre sur ses joues.

L'eau s'assombrit. Tout ce qui brillait se fit terne et gris. Marta était secouée de pleurs. Dante se blottit dans les bras de Jasmine.

— Elle n'avait rien fait, dit-il. Elle était gentille, c'est tout.

Deux femmes apparurent dans le couloir. Elles faisaient partie de la corporation qui accompagnait les nouveaux arrivants à l'établissement de bains. Jasmine avait entendu dire qu'on les appelait des sages-femmes, elle pouvait comprendre pourquoi.

Toutes deux s'arrêtèrent et s'adressèrent à voix basse à Marta, secouée de sanglots.

— Qu'est-ce qu'elles disent? demanda Pedro.

— Je crois qu'elles promettent de s'occuper de notre fille.

Marta enleva son crucifix en or qu'elle passa autour du cou d'Erica, puis elle caressa une dernière fois la main délicate de sa fille.

72

L'eau formait une pellicule limpide autour de leurs pieds et envoyait des reflets noirs sur les murs. Les femmes enveloppèrent la dépouille d'Erica d'un linge blanc, et l'emportèrent. Marta changea brusquement d'avis en voyant sa fille disparaître, et tenta de les arrêter : elle voulait peigner ses cheveux une dernière fois, mais Jasmine la retint. Elle chuchota contre son front qu'Erica était parfaite.

— Mais ses cheveux étaient mal arrangés, pleura Marta.

— Elle était belle. Tu l'avais faite si belle.

— C'est vrai qu'elle était belle, acquiesça-t-elle en essuyant ses larmes.

Tous les cinq pénétrèrent plus avant dans l'établissement de bains. Jasmine savait qu'ils n'avaient pas beaucoup de temps pour trouver un lieu sûr avant que Wu Wang et ses hommes arrivent. Dante ne voulait plus marcher, elle le portait sur sa hanche droite. Il s'agrippait à elle et soufflait son haleine chaude contre son bras. Elle sentit la peine qui émanait de son petit corps silencieux.

Ils longèrent un couloir bordé de cabines, traversèrent une rigole et aboutirent à un bassin plus profond.

Pedro poussait un gémissement de douleur à chaque pas. Marta et Grossman le soutenaient, chacun d'un côté. Le visage de Marta était étrangement désemparé. De temps en temps, les sanglots la submergeaient telle une houle.

— Où est Erica ? demanda Pedro en s'arrêtant net et en regardant autour de lui. Marta ? Elle a pris le bus ?

Marta lui répondit en portugais, et il hocha la tête, confus.

Ils marchèrent dans l'eau du bassin, qui leur arrivait à hauteur de cuisses, jusqu'à ce qu'une rambarde les oblige à bifurquer et à monter un escalier étroit pour emprunter le couloir suivant, lui aussi bordé de cabines. Jasmine jeta un coup d'œil derrière eux, puis s'arrêta. Pour les suivre, Wang serait obligé de passer par le bassin.

Jasmine se dit qu'ils pourraient l'attendre derrière le muret de la rambarde et poster un tireur à l'arc en face.

— Je ne pense pas qu'on trouvera un meilleur endroit que celui-ci, observa-t-elle en posant Dante.

— Qu'en pensez-vous? On s'arrête là? demanda Grossman.

— Je n'ai plus de forces, je ne peux pas aller plus loin, répondit Pedro d'une voix faible. Le jour est à peine levé, ajouta-t-il, nageant en pleine confusion.

— On s'arrête, décida Marta en lui caressant la joue.

— Merci.

— Tu sais, les femmes ont dit qu'elles veilleraient à ce qu'on se retrouve sur le même bateau qu'Erica si on meurt aujourd'hui, affirma Marta avec un sourire incontrôlé.

Jasmine s'éloigna de quelques pas pour les laisser tranquilles. Elle pensa à la crainte qu'ils avaient tous de l'instant où ils disparaîtraient avec les bateaux. Alors que presque tous ceux qui arrivaient ici montaient à bord sans hésiter.

Elle se trouvait à la croisée des chemins : soit Wang la tuait, soit elle revenait à la vie en compagnie de Dante, c'étaient les seules voies qui s'ouvraient à elle.

Marta s'assit sur le banc devant Jasmine, regarda les autres, se pencha en avant et s'humecta les lèvres.

— Je suis désolée, je ne voulais pas dire ce que j'ai dit, j'ai été prise de panique... Mon Dieu, je ne voulais pas...

Elle se tut, et son visage se contracta.

— Ce serait bien que tu dises la vérité maintenant, suggéra Jasmine.

— Laisse-la tranquille, soupira Grossman.

— Je vois bien que ton plan n'a pas fonctionné, poursuivit Jasmine. Mais c'était quoi, l'idée?

— Pardon, pardon, pardon...

Elle se cacha le visage derrière ses mains jusqu'à ce que Jasmine se remette à parler.

— Tu t'es liguée avec Jet pour essayer de nous vendre, Dante et moi. Mais Jet t'a trahie, il nous a vendus, tous.

— Oui, murmura Marta.

— Je ne comprends pas, dit Grossman. Marta ? De quoi elle parle ?

— J'ai essayé d'acheter un visa pour Erica, reconnut-elle, le visage éteint.

— À la triade ? s'offusqua Grossman, stupéfait.

— Il n'y a pas de triade.

— Mais les gangs sont en train de reprendre toute la...

— Ça n'a rien à voir avec la triade. Il n'y a pas de triade ici, il n'y en a jamais eu. Les gangs sont embauchés par le *Corpus juris*, ils nous appartiennent, ils appartiennent au juge. Tout tourne autour de ça : obtenir un visa par la force pour revenir à la vie, avoir une nouvelle chance.

Jasmine comprit le processus et eut des frissons dans le dos.

— Tu voulais acheter un visa pour Erica ? demanda Pedro.

— Je sais que c'est mal. Mais c'était devenu une obsession pour moi, je voulais juste qu'elle puisse revenir à la vie, qu'elle puisse grandir.

— Donc, les gangs qui assassinent les nouveaux arrivants sont engagés par le tribunal, articula Jasmine lentement.

— Oui, chuchota Marta.

— Je n'arrive pas à y croire, s'indigna Grossman.

— Antonia avait raison, reprit Marta d'une voix creuse. C'était... il y a eu une prise de pouvoir. Tout est noyé dans la bureaucratie, mais c'est le *Corpus juris* qui règne sur cette ville.

— Et toi, tu fais partie de ce *Corpus juris*, souligna Jasmine.

— Oui... enfin... Je n'ai pas de pouvoir... parce que c'est une administration terriblement hiérarchisée, avec le juge au sommet, et en dessous les quarante-deux assesseurs, les magistrats en chef, les avocats les plus habiles, et ainsi de suite... Ceux qui sont en haut de l'échelle choisissent les meilleurs visas. Un peu comme un système pyramidal... et même si je ne suis qu'au dernier niveau, je sais que je suis privilégiée

– vu que j'appartiens au *Corpus juris*, je peux participer aux enchères des visas qui n'ont pas trouvé preneur.

Jasmine soupira et essaya de mettre de l'ordre dans ses pensées. Elle ne parvint cependant pas à saisir toute la signification de ces nouvelles informations.

— Mais… cet endroit, il correspond au fameux bord de rivière de la mythologie, c'est ici que tout le monde arrive.

— Puisque les visas peuvent être échangés, ils peuvent aussi être achetés, répondit Marta en se frottant vigoureusement le front. Et si certaines personnes ont plus d'argent et plus de pouvoir que d'autres, il n'y a plus de limites.

— Mais tu es en train de parler d'enfants. D'enfants qui vont continuer à vivre, protesta Jasmine.

— Marta ? fit Pedro.

— Toi, tu devrais pouvoir me comprendre, lança Marta à Jasmine. Tu as suivi ton fils jusque dans la mort pour le récupérer.

— Il le fallait.

— Je t'admire.

La justice a disparu, songea Jasmine. Il ne reste plus que la lutte.

Elle devait se battre pour l'existence de son fils, et pour la sienne.

Ils avaient tous été trompés.

C'était le tribunal qui engageait les gangs, et qui veillait à ce que tous les échanges à l'Office des transports soient validés et que tous les procès civils soient jugés de façon partiale.

Ils ont poussé les gens à avoir peur de la triade, et leur ont fait croire que le tribunal était leur seule protection.

Jasmine baissa les yeux et passa ses doigts dans la chevelure emmêlée de Dante. Bientôt, le jeu serait terminé, et elle pourrait se reposer – d'une façon ou d'une autre.

— Qu'est-ce qu'on va faire maintenant ? demanda Grossman. Wu Wang n'abandonnera jamais. Il ne se rendra que lorsqu'on sera tous morts.

— Jasmine, on t'a vue neutraliser Colette, déclara Marta. Tu savais très bien ce que tu faisais, elle n'avait aucune chance… Tu n'es pas une secrétaire ordinaire…

— Avant d'avoir Dante, je vivais une autre vie.

— Tu penses que tu pourras gagner la partie ?

— Absolument.

— Alors, je ferai tout pour t'aider, déclara Marta.

— Moi aussi, dit Pedro, et il eut soudain l'air plus lucide.

— Général ! s'exclama Grossman.

— Lieutenant, le corrigea Jasmine.

Marta, les yeux écarquillés, hocha la tête et se releva lentement. Tous fixèrent Jasmine, attendant qu'elle prenne les commandes.

— On a un couteau et un arc avec... Combien nous reste-t-il de flèches ?

— Huit, répondit Grossman.

— Est-ce que tu es en état de te servir de l'arc ?

— Non.

— Tu sais comment viser ?

— Oui, mais ma vue n'est plus ce qu'elle était.

— Moi, je me suis essayée au tir à l'arc une fois à une réunion de lancement de projet, dit Marta.

— Ça s'est passé comment ?

— Pas trop mal.

— Tu te sens capable de tirer sur quelqu'un ?

— Oui, répondit-elle laconiquement.

73

Dante pendu à ses basques, Jasmine montra à Marta sa position désignée derrière le garde-fou.

— Ils peuvent arriver en deux groupes ou en binômes de
combat, fit remarquer Jasmine. Mais s'ils arrivent tous les
sept en même temps, tu dois attendre qu'ils se soient avancés
dans le bassin et tirer sur ceux qui sont au centre pour que le
groupe se scinde en deux.

— D'accord.

— Mais il faut que tu sois assez près d'eux. Tu peux te
déplacer le long du garde-fou. Tire à deux ou trois mètres
maximum de distance... et vise le milieu du corps, toujours
le milieu du corps.

— Je n'ai pas l'intention de louper ma cible, répondit Marta
simplement, et ses yeux balayèrent la piscine.

Pour l'instant, le lieu était paisible, créé pour que les gens se
réveillent à la mort sans crainte. L'eau en contrebas envoyait
d'immenses reflets sur les murs. Bientôt, ce serait un bouillon de sang.

— Fais quelques tentatives en courant avec l'arc le long de
la balustrade, essaie de sortir des flèches, lui conseilla Jasmine.

— D'accord.

— Il faut que j'aie le temps de parler avec Grossman avant
qu'ils arrivent.

En s'éloignant, elle vit Marta, épaules basses, chercher sa
respiration pour se redresser aussitôt, le regard vif et acéré.

— Grossman, toi et moi, on utilisera les couteaux, dit Jasmine. Tu vas attendre dans une des cabines de l'autre côté, tu

resteras planqué quand ils passeront, ils ne doivent te découvrir sous aucun prétexte.

— OK.

— C'est seulement lorsque l'un d'eux tentera de battre en retraite que tu entreras en scène… Mais tu attendras qu'il sorte du bassin. Ce sera le moment le plus propice.

Grossman lui lança un regard hésitant. Du sang avait séché sur sa barbe, des éclaboussures constellaient son front et ses vêtements.

— Je dois le poignarder? Ou bien je…

— On sait qu'ils sont plusieurs à être armés d'une machette… Du coup, tu dois tenir le couteau comme ça, pour avoir plus de portée, expliqua-t-elle en lui faisant la démonstration.

— Comme ça?

— Ça s'appelle une prise marteau… Regarde-moi bien! poursuivit Jasmine en s'efforçant de dissimuler le stress qui perçait dans sa voix. Avance la main gauche, cache le couteau, recule quand ils s'approchent du bord, attends qu'ils utilisent leurs mains pour monter… Là, tu fais un pas en avant, tu vises le côté du thorax et tu plantes le couteau.

— Le *Wei Liao Zi* préconise d'attaquer l'ennemi avec la même fougue qu'on utiliserait pour sauver quelqu'un de la noyade, déclara-t-il, les yeux ardents.

C'était comme s'il avait hâte de passer à l'acte, hâte de voir la peur se transformer, une fois qu'il serait confronté à l'inéluctable.

Jasmine connaissait ce regard. Tous ceux qui ont fait la guerre savent que le bien et le mal se confondent. La guerre efface la décence et le sens moral. Tout ce en quoi on croyait est remplacé par une logique peu charitable qui pourrait être née dans cette ville, songea-t-elle.

Elle s'arrêta un instant et observa Grossman s'exercer deux ou trois fois au geste à exécuter. Il était solidement bâti, et possédait une grande envergure. S'il parvient à interpréter correctement la situation, ça fonctionnera, pensa-t-elle avant de l'arrêter.

— Ça me semble très bien. Maintenant, tu vas monter la garde.

— Je suppose qu'il n'y a qu'une porte de ce côté-là ?

— Je n'en sais rien, mais je pense, oui.

Grossman fila à son poste, et se plaça de façon à pouvoir surveiller le couloir.

Le visage grave, Marta prit une flèche, l'ajusta, banda l'arc qui se mit à craquer, et visa la piscine.

— Qu'est-ce qu'ils attendent ? demanda-t-elle nerveusement. Pourquoi ils ne viennent pas ?

— Ils ne vont pas tarder, ne t'inquiète pas, répondit Jasmine à mi-voix.

Elle prit la main de Dante et l'emmena par le couloir jusqu'à la cabine où Pedro se reposait. Le visage de ce dernier était très pâle, il semblait sur le point de s'évanouir.

— Qu'est-ce que je dois faire ? demanda Dante.

— Tu dois te cacher ici avec Pedro.

— Je ne peux pas rester avec toi ?

— Non, ce n'est pas possible.

— D'accord.

— Il ne faut pas faire de bruit jusqu'à ce que je vienne te chercher. Tu sais, les vrais pirates, ils sont super doués pour se cacher sans faire de bruit.

— Je suis trop grand pour jouer aux pirates.

— C'est vrai ?

— Oui, répondit-il en la fixant de ses yeux immenses.

— Qu'est-ce qui se passe ? demanda Pedro d'une voix affaiblie.

— On est presque prêts. Toi, tu t'occupes de Dante.

— On va juste se cacher et…

— Attends, l'interrompit-elle en percevant un cri.

— Qu'est-ce qu'il y a ?

Jasmine tendit l'oreille en regardant Grossman. Il était immobile, fixant le couloir sombre.

— C'était peut-être rien.

— Maman, quand est-ce qu'il faut que je me taise ?

— Bientôt.

Elle se tourna de nouveau vers Pedro.

— La porte du couloir qui donne sur le bassin doit rester ouverte. Mais dès que Wang arrive près du bassin, tu la fermes bruyamment, tu mets le loquet, et tu files dans la cabine… Il faut que Wang croie qu'on fuit par là, il faut qu'il descende dans l'eau.

— Je ne peux pas courir, s'excusa-t-il avec un sourire vide. Je crois que je me suis cassé la cheville pendant le match.

— Tout ce que tu as à faire, c'est rester ici… et quand tu apercevras les hommes de Wang là-bas, tu fermeras la porte, expliqua-t-elle, et elle lui montra comment faire. Tu mets le loquet, et ensuite, tu retournes dans la cabine.

— Je ferme, c'est tout…

— Oui, quand tu les vois. Tu comprends ce que je dis ?

Pedro hocha la tête, s'appuya au bord du banc et essaya de se lever, mais sa jambe blessée céda sous son poids et il s'effondra, se heurtant la nuque dans un halètement de douleur. En l'aidant à se relever, Jasmine lui dit d'oublier l'histoire de la porte, que ça irait quand même. Il trembla de tout son corps, et elle vit que le sang avait imprégné le bandage autour de sa plaie.

— J'essaie encore.

— Non, la porte peut rester ouverte, trancha-t-elle. Veillez juste à vous mettre à l'abri sous le banc dès qu'ils seront là.

— Moi, je peux fermer la porte, proposa Dante.

— Non, je veux que tu restes caché. Ils ne doivent surtout pas te voir, tu comprends ? Surtout pas.

74

Ils avaient tous rejoint leur poste. Grossman s'était placé de l'autre côté de l'eau sombre, il ne quittait pas le couloir des yeux. Jasmine avait mis un genou à terre derrière le garde-fou juste en haut de l'escalier de la piscine. Marta était cachée plus loin avec l'arc. Tout était parfaitement immobile.

Jasmine réalisa soudain le danger que cela représenterait si Ting montrait le dossier de Wu Wang au juge. Ils appartenaient à la même famille. Si Timo avait précisément voulu sauver ce document de l'incendie entre des milliards d'autres, c'est parce qu'il prouvait la vaste supercherie du port.

Elle comprenait à présent que l'acte juridique de Wu Wang ne pouvait pas les aider. Le juge ne l'admettrait jamais en tant que pièce à conviction. Son contenu établissait que la ville avait été gouvernée par la même famille pendant des centaines d'années. Le pouvoir était volé et transmis en héritage. Le tribunal n'était pas présidé par les juristes magistrats les plus habiles et les plus justes, mais par les mêmes personnes qui revenaient encore, encore et encore.

C'était une sorte de réincarnation diabolique. Wu Wang et sa famille grandissante s'étaient rendus immortels en conservant cette position de pouvoir.

En catimini, ils avaient créé des échappatoires à travers une toile d'araignée bureaucratique de règlements, de jurisprudences, de projets de loi et de doctrines. Toutes les strates du *Corpus juris* espéraient obtenir un morceau du gâteau volé.

Hormis un doux clapotis, tout était silencieux autour d'eux. Marta repoussa les cheveux de son visage, et Grossman s'essuya la main sur son pantalon avant de saisir de nouveau le couteau. Il fallait que Wang et ses hommes se lancent à leurs trousses. Marta ferma les yeux et secoua la tête.

La quiétude fut rompue lorsque Grossman désigna le couloir, recula, regarda Jasmine et disparut dans une cabine.

Tout d'abord, il ne se passa rien, puis le couloir devint gris, et une lumière blanche apparut. La lueur vacillante de plusieurs lampes de poche s'approcha.

Une sorte de panique s'empara de Jasmine, la sensation d'être enfermée, un bref désir de fuir l'instant.

Mais elle savait qu'il n'y avait pas d'autres issues.

Son pouls redescendit et son attention fut d'une clarté glaciale.

Trois hommes s'approchaient d'eux.

Soudain, elle vit que Dante avait quitté sa cachette. Son visage se dessina un court instant dans l'ouverture de la porte.

Il me cherche, pensa-t-elle.

Qu'est-ce qu'il fabrique? Il est censé rester sous le banc dans la cabine, se cacher.

Elle serait obligée d'aller le rejoindre.

Mais juste au moment où elle s'apprêtait à se lever, la tête de Dante disparut.

Les hommes munis de lampes de poche surgirent du couloir. C'étaient trois ingénieurs, il en manquait un. Une machette bien aiguisée scintilla.

Dante n'était plus en vue.

Jasmine vit Marta sortir précautionneusement une flèche du carquois.

Un des ingénieurs éclaira les portes du côté où Grossman se cachait. Ils échangèrent quelques mots, s'arrêtèrent, tendirent l'oreille. Elle s'aperçut alors qu'ils étaient tous équipés de machettes. Ils avancèrent lentement jusqu'au bord de la piscine, la balayèrent avec leurs torches. L'un d'eux était d'avis de retourner dans le couloir.

Soudain, la porte derrière laquelle étaient cachés Dante et Pedro claqua, et on entendit le bruit du loquet. Les ingénieurs braquèrent leurs lampes dans cette direction, en parlant tous en même temps. Ils descendirent dans l'eau assez profonde et commencèrent à marcher pour atteindre l'autre bord, où se trouvait Jasmine.

Leurs mouvements formaient de petites vagues qui rebondissaient contre les bords.

L'un d'eux cria en anglais qu'ils allaient la violer, le prénom de Jasmine résonna entre les murs.

Marta ferma les yeux, ses lèvres bougeaient tandis qu'elle priait.

Jasmine fixa la lame de son couteau japonais.

Les trois hommes marchaient vite, braquant le faisceau de leurs lampes sur la porte fermée. Aucun d'eux n'avait remarqué Marta. Debout, elle visait celui du milieu et se déplaçait en silence le long du garde-fou.

Elle banda davantage l'arc, et Jasmine entendit le chant de la corde quand la flèche partit.

L'ingénieur se trouvait à deux mètres et demi, la flèche se ficha dans sa nuque entre deux vertèbres. On aurait dit qu'elle s'enfonçait dans une balle de cuir. Il fit deux pas, puis tomba en avant.

Les deux autres s'interpellèrent en criant, l'eau clapotait autour d'eux et venait frapper les marches à côté de Jasmine.

Elle eut le temps de voir le visage fermé de Marta et ses mains qui tremblaient lorsqu'elle ajusta la flèche suivante. Celle-ci glissa sur la corde et se retrouva de guingois.

Une lampe de poche coula dans l'eau, faisant miroiter le sang quelques secondes, avant de s'éteindre.

Le premier ingénieur monta l'escalier, plié sur lui-même. Jasmine recula légèrement et attendit. La respiration de l'homme était agitée, les gouttes d'eau volaient autour de lui. Je ne veux plus de tuerie, songea-t-elle, sachant très bien pourtant qu'en elle, tout était en place. Elle leva sa main libre. L'ombre de l'homme glissa sur les marches mouillées. Jasmine se dressa sans un bruit, brandit la lame et fit un pas en avant.

La lumière de la lampe de poche la prit par surprise. Malgré l'éblouissement, elle continua sur sa lancée. Elle entraperçut la machette levée, tel un tube au néon bleu. L'ingénieur l'avait vue, et passa à l'attaque. La main gauche libre de Jasmine poursuivit son mouvement ascendant, et la douleur à l'épaule redoubla. Saisissant la veste de l'ingénieur au niveau du pli du coude, elle s'écarta, se retourna à moitié, et le poignarda dans le rein gauche. Son haleine l'atteignit en pleine figure. Il perdit immédiatement toute la force de son bras, qui fut hors d'usage. Jasmine retira le couteau, et le planta une deuxième puis une troisième fois au même endroit. Le sang gicla sur sa main. Elle fit tomber l'homme à la renverse, puis l'envoya d'un coup de pied dans le bassin, après l'avoir débarrassé de la machette. L'eau enveloppa rapidement son corps.

Jasmine recula et vit que Marta avait tiré dans le dos du troisième ingénieur. Celui-ci tentait de rejoindre le bord, la machette à la main. La flèche fichée dans son omoplate droite oscillait à chacun de ses pas. Grossman hésita, puis sortit de sa cabine, le couteau caché près du corps. Il s'arrêta et fixa l'homme d'un regard étincelant. Marta tira de nouveau, et la chemise ensanglantée de l'ingénieur émit un petit bruit de succion lorsque la flèche s'enfonça à seulement dix centimètres sous la première. Il tituba, tenta de se hisser sur la margelle, mais Grossman se rua sur lui en soufflant bruyamment et le poignarda à la poitrine. Il lâcha ensuite le couteau comme s'il s'était brûlé et tomba à la renverse, la tête percutant le sol. Il parvint à se redresser, l'air complètement perdu. L'ingénieur meugla en sortant du bassin. Le sang coulait dans son dos sur sa chemise mouillée. Marta avait ajusté une nouvelle flèche. L'ingénieur était trempé de la tête aux pieds, le sang ruisselait de ses blessures, mais il avait toujours sa machette à la main. Grossman se traîna en arrière et se remit debout. Marta tira, mais la flèche rata sa cible et se perdit parmi les ombres. L'ingénieur toussa du sang, suivit Grossman en ahanant, leva la machette et l'abattit de toutes ses forces. Grossman rejeta la tête en arrière, la lame passa à quelques centimètres de sa bouche. Il se rua sur l'ingénieur, arracha le couteau resté planté dans son thorax et le poignarda de nouveau. Les deux hommes tombèrent ensemble. Jasmine vit une des flèches dans le dos de l'ingénieur se casser, et l'autre lui traverser entièrement le corps.

Jasmine eut juste le temps de se dire que le combat était terminé, lorsqu'elle découvrit un des Hollandais dans le couloir derrière Grossman. Les épaules larges et la tête rasée se découpaient sur le mur. Il resta immobile quelques secondes, puis fit un pas en arrière et se laissa engloutir par les ombres.

75

Il fallait trouver une autre cachette maintenant qu'ils avaient été repérés. L'eau était encore agitée après le combat, de la mousse sanguinolente venait baigner la faïence blanche des parois. L'arc à la main, Marta fixait le bassin. Son visage était hagard, la volonté de tuer et l'énergie sordide qui traverse alors l'âme l'habitaient encore.

Jasmine ramassa la machette, s'approcha de la porte fermée, glissa la longue lame dans la fente et souleva le loquet.

— Dante ?

Il sortit de sous le banc, se leva et vint la rejoindre.

— T'as vu ? J'ai fermé la porte.

— Tu aurais dû faire ce que je t'avais dit de faire, le réprimanda Jasmine.

— Pardon, murmura-t-il, les yeux baissés.

Elle le souleva, le serra fort dans ses bras, mais s'obligea à ne pas le féliciter, à ne pas lui dire que c'était grâce à lui qu'ils s'en étaient sortis. Il devait absolument obéir à ses ordres tant qu'ils se trouvaient sur le playground.

Pedro fit un effort immense pour s'asseoir sur le banc. Il toussa faiblement, et interrogea Jasmine du regard.

— Marta est en vie, lui annonça-t-elle.

Il hocha la tête, l'inclina contre le mur et ferma les yeux. Grossman entra, la machette de l'ingénieur à la main. Hors d'haleine, il essuya sa barbe mouillée. Jasmine enfouit sa tête dans la nuque de Dante pour sentir son odeur et sa chaleur.

Le visage fermé, les lèvres pincées, Marta fit le tour pour ramasser les flèches intactes, rinça le sang, réarrangea les plumes et les remit dans le carquois.

— Il faut qu'on parte, déclara Jasmine.

— Pour aller où? demanda Marta.

— Je ne sais pas, mais il faut absolument qu'on trouve un autre endroit. Ils seront ici dans très peu de temps, j'en suis sûre.

Grossman posa la machette et aida Pedro à se lever. Marta le soutint de l'autre côté. D'une voix quasi inaudible, Pedro répéta que ça irait, il se sentait beaucoup mieux maintenant. Jasmine se mit en marche dans le couloir, Dante toujours dans ses bras, en demandant à ses coéquipiers de la suivre.

— On en a tué trois, dit Marta à Pedro.

— Il n'en reste que quatre, constata Grossman.

Le jeu était plus équitable à présent. Ils avaient réussi à faire peur aux hommes de Wu Wang. C'était bien, c'était nécessaire, même si ça rendrait désormais leurs adversaires bien plus attentifs aux embuscades. Ils seraient sur leurs gardes, ce qui obligerait Jasmine à changer de stratégie. Mais la prudence de l'ennemi aurait aussi pour effet de le ralentir. Et leur offrait un sursis.

— Je peux marcher, déclara Dante.

— Tant mieux.

Jasmine comprit qu'elle l'avait vexé. Il était à ses côtés, mais il ne voulait pas lui tenir la main.

Les portes des cabines étaient fermées. Une rigole remplie d'eau longeait le mur de gauche.

Ils dépassèrent d'étroits couloirs latéraux entre des cloisons en planches mal jointes. Pedro toussa faiblement, l'effort le fit haleter. Son visage était jaune pâle, recouvert de gouttes de sueur. Sa cuisse le faisait sans doute atrocement souffrir. Marta lui parlait en portugais d'une voix apaisante.

Un grondement retentit sous terre, et des ronds se formèrent sur la surface des cuves remplies.

Soudain, tous les sens en éveil, Jasmine ralentit le pas et tendit l'oreille. Elle entendit un murmure et s'arrêta net en serrant l'épaule de Dante.

Une porte devant eux se referma légèrement.

Au loin dans le couloir, elle put deviner un mouvement. Il y avait quelqu'un, un individu tapi sur lui-même qui se retirait. Jasmine fit passer Dante derrière elle. Un autre murmure plus rauque s'éleva tout près. Elle cilla pour mieux voir et, en silence, sortit son couteau. La porte devant elle semblait vibrer. Avec prudence, elle recula de quelques pas au moment où la porte s'ouvrit brusquement. Dante poussa un cri et faillit tomber à la renverse.

Jasmine rangea le couteau. Marta tenta maladroitement de lever l'arc, mais finit par se calmer, en soufflant fort.

Une vieille femme se tenait là. Toute nue, elle semblait effrayée et confuse. Ses bras étaient très minces, elle avait subi une mastectomie bilatérale.

— Où est Doreen ? demanda-t-elle d'une voix faible en danois.

— Je ne sais pas, répondit Jasmine.

— Elle était partie chercher un vase pour les fleurs, murmura la femme. Et maintenant…

— Continuez d'avancer, dit Jasmine à ses compagnons.

— Et maintenant, mes vêtements ont disparu…

— Je vais vous montrer, répliqua Jasmine en faisant entrer la femme dans la cabine. Il y a des habits ici, et du savon si vous voulez vous laver.

— Je crois que je dois me reposer un peu d'abord.

Dante attendait Jasmine, il prit sa main quand elle sortit. Les autres étaient déjà plus loin dans les bains.

Même si Wu Wang et ses hommes progressaient lentement avec beaucoup de vigilance, ils finiraient par les rattraper. Et quand ils auraient flairé leur odeur, Jasmine et ses coéquipiers seraient obligés de fuir. Et s'ils commençaient à fuir, ils n'offriraient plus à l'ennemi un combat, mais une chasse à l'homme.

Elle savait qu'ils feraient mieux de s'arrêter pour se préparer, mais il n'y avait pas d'endroit idéal, seulement des couloirs bordés de cabines et des espaces ouverts occupés par des piscines peu profondes.

La meilleure option à ce stade serait de se cacher dans deux cabines après le bassin suivant. En temps normal, ce serait une erreur stratégique, mais dans la mesure où l'ennemi s'attendait probablement à une nouvelle embuscade, ça pourrait fonctionner. Les hommes de Wu Wang seraient extrêmement prudents en franchissant l'eau, mais quand ils auraient atteint l'autre côté, ils s'imagineraient sans doute en sécurité.

Elle passa devant une cabine ouverte où se tenait un homme obèse. Un petit sourire sceptique errait sur ses lèvres, il secoua la tête face à cette étrange situation.

Des cris distants s'élevèrent, et Jasmine essaya de faire hâter ses compagnons. C'est trop tôt, pensa-t-elle. Ils ne devraient pas nous avoir déjà rattrapés.

Le sang coulait plus abondamment de la cuisse blessée de Pedro.

Le couloir aboutit dans une grande salle occupée par une large piscine dans laquelle pataugeait un homme nu. Il était grand, mince, et bougeait lentement comme dans un état de somnolence.

— On se mettra à couvert dans les cabines de l'autre côté, décida Jasmine en descendant dans l'eau peu profonde.

Elle se mit en marche à grandes enjambées, et tous la suivirent.

Jasmine tenait Dante tout près d'elle. Elle jeta un regard en arrière et frissonna. Elle avait aperçu un bref mouvement dans l'obscurité.

Quelqu'un arrivait en courant dans le couloir.

— Les voilà, ils sont là ! lança-t-elle.

— Derrière nous ! cria Grossman.

76

Ils se démenèrent pour avancer dans la masse d'eau. Des vaguelettes se soulevaient entre eux. Les deux frères hollandais couraient l'un à côté de l'autre, se rapprochant seconde après seconde.

Pourquoi n'avaient-ils pas peur ? Ils étaient pourtant passés par la piscine ensanglantée, ils avaient bien vu le sort des ingénieurs.

— Marta, il faut que tu traverses avec l'arc, cria Jasmine.

— Je m'occupe d'aider Pedro, lui souffla Grossman.

Marta lâcha son mari qui poussa un gémissement, mais Grossman le maintint debout. L'eau moussait autour d'eux. Marta avança en titubant, puis se mit à courir.

— Allez, venez, lança Jasmine, et elle se rua à travers les vagues avec Dante.

Un cri retentit derrière eux. Les hommes de Wang avaient presque atteint le bord du bassin. Marta arriva la première de l'autre côté et monta sur le rebord. La houle reflua sur eux, Jasmine sentit des gouttes sur son visage. Un genou à terre, Marta sortit une flèche du carquois, puis se releva avec l'arc. Jasmine lâcha la machette et souleva Dante sur la margelle, lorsqu'une effroyable détonation éclata.

Elle sentit des éclaboussures chaudes dans le dos.

Le silence revint, mais elle vit Marta hurler. Elle hurlait, mais Jasmine ne percevait qu'un faible bruissement, comme du vent dans le feuillage d'un bouleau. Se hissant sur le bord, elle vit que Pedro avait été touché dans le dos.

Une volée de gros plombs lui avait traversé le torse. Il fit quand même un pas en avant. Autour de lui, l'eau se teintait de rouge.

C'est la fin, pensa-t-elle. Il n'y a pas d'issue.

Grossman bascula dans le bassin avec Pedro, et disparut. Jasmine tira Dante derrière la petite balustrade. Marta chancela, mais parvint à décocher une flèche. Un nouveau coup de feu retentit, les plombs atteignirent le muret devant elle. Elle tomba à la renverse, l'arc lui glissa des mains.

Du mortier et des éclats de faïence pleuvaient sur Jasmine. Grossman fendit la surface dans un ébrouement sonore.

Tout à coup, le couloir fut rempli de gens qui suivaient la cruelle compétition. Le public affluait, pointait du doigt, criait. Tous voulaient voir ce qui s'était passé. Jasmine hurla à Marta de se mettre à l'abri, puis elle entraîna Dante jusqu'à la porte du couloir suivant.

Elle était pratiquement certaine que l'arme était un Benelli M4, un fusil de combat opérant par gaz, qu'utilisaient les Forces spéciales partout dans le monde.

— Continuez d'avancer! rugit-elle.

Elle ne voulait pas que Dante voie son visage, qu'il comprenne que c'était terminé, qu'ils avaient perdu.

Un sifflement aigu retentit dans ses oreilles.

Le Hollandais armé du fusil entra dans la zone où l'eau était plus profonde, suivi des premiers spectateurs. Il visa Jasmine, qui se jeta à terre avec Dante lorsque jaillit la flamme à la bouche du canon. La volée de plombs frappa la porte derrière eux, faisant pleuvoir des fragments de bois. Jasmine entendit l'écho rebondir entre les murs, les cris d'excitation de la foule.

La porte se détacha du chambranle déchiqueté. Jasmine attrapa Dante et s'enfonça dans le couloir, s'écorchant au passage sur le bois éclaté.

Le public se bouscula dans le bassin, tout le monde voulait se rendre au même endroit. Précédant de peu les spectateurs, Marta et Grossman enjambèrent les débris de la porte.

Dante toussa, voulut s'arrêter. Jasmine l'entraîna vers la porte suivante. Constatant que celle-ci ouvrait sur un autre couloir, elle se retourna. Grossman et Marta arrivaient en courant, les spectateurs sur leurs talons.

— Venez, venez, venez, leur cria Jasmine, même si en réalité, elle ne croyait plus à la fuite.

L'ambiance dans le couloir étroit était chaotique. Les gens se poussaient et tombaient dans le noir, certains trébuchaient dans les cabines, d'autres poursuivaient leur progression. Le Hollandais armé cria aux spectateurs de dégager le passage. Il lui était impossible d'avancer, le couloir était bondé. Jasmine vit un drapeau suédois dans la cohue. Une bouteille de *baijiu* éclata en mille morceaux sur le sol.

Grossman et Marta arrivèrent à sa hauteur. Jasmine claqua la porte derrière eux et abattit la grosse barre de fermeture.

Dante continua à tousser, il cracha par terre en marchant. Marta avait le regard perdu dans le vide.

Ils avaient atteint la limite.

Leurs adversaires disposaient d'armes à feu, voilà pourquoi ils n'avaient plus peur.

Le combat était fini.

Ils n'avaient aucune chance, ils devaient juste trouver un moyen digne de déclarer forfait.

— Tu es blessée? demanda Grossman à Jasmine.

Il posa une lourde main sur son bras, mais elle s'éloigna, incapable de croiser son regard. Les larmes lui montèrent aux yeux.

— C'est fini, murmura-t-elle.

— Dis-moi ce qu'il faut faire.

— Je ne sais pas, je n'en sais rien.

— Lieutenant?

— Arrêtez, je ne peux pas vous aider, pleura-t-elle. Vous ne l'avez pas compris? Tout le monde va mourir, tout le monde… Erica et… Mon Dieu, je n'en peux plus, je ne veux pas…

Elle s'affaissa contre le mur, se cacha la figure derrière les mains et pleura bruyamment. Toutes ses forces l'avaient abandonnée. En elle ne restait qu'un désespoir sans fond. Quelque chose avait cédé, comme après le Kosovo quand elle s'était laissée sombrer dans des brumes, quand elle avait abandonné tout espoir.

Elle sentit les mains de Dante qui tentait de lui caresser la tête. Si elle restait ici, ils la tueraient, c'était inéluctable. Ce serait peut-être suffisant pour Wang ? Elle savait pertinemment que non, qu'il n'y avait plus rien à faire. L'heure était venue de capituler.

— Maman ?

— On peut s'en sortir si on se cache, dit Grossman.

— Eh bien, faites-le ! s'écria Jasmine. Cachez-vous ! Je ne veux pas le savoir.

On tambourina à la porte. Grossman se mit à genoux pour tenter de la relever.

— Je sais qu'il n'y a pas de règles, déclara-t-il. Mais des armes à feu… les armes à feu sont interdites aux civils. Ce n'est pas juste. Pas vrai ? Ce n'est pas censé se passer comme ça. Ça ôte toute crédibilité au playground.

— Maman, qu'est-ce qu'on va faire ? demanda Dante, bouleversé.

— Va avec Grossman, je vous suivrai, mentit-elle.

— Je ne pense pas que le juge pourra défendre Wu Wang s'il apprend ce qui est en train de se passer. Les armes à feu ne sont pas autorisées dans cette ville.

La porte était sur le point de céder, la barre craquait sous la pression de la foule. Dante tira sur sa main, mais Jasmine fut incapable de se relever.

— On pourra retourner cette irrégularité contre Wu Wang, poursuivit Grossman. Si on parvient à gagner la place pour dire la vérité au peuple.

— Ça ne marchera pas, gémit Jasmine.

— Il sera obligé de nous écouter s'il y a des spectateurs.

— Il peut faire semblant de ne pas nous croire, rétorqua-t-elle.

— On a des témoins, il sera forcé de considérer ce qu'on dit… Et de toute façon, Wang et ses hommes nous suivront, le public pourra constater les faits par lui-même.

— Lieutenant ! lança Dante.

— Oui, répondit Jasmine, surprise.

Il la tira par le bras, et elle fut bien obligée de se relever et le regarder dans les yeux.

— D'accord, chuchota-t-elle, et elle essuya les larmes sur ses joues.

Ils se mirent en marche dans le couloir. Grossman aidait Marta à avancer. Des visages confondus les regardèrent depuis les cabines, des morts qui venaient de se réveiller. Ils les dépassèrent telles des ombres, franchirent un seuil et s'approchèrent d'une porte au bout du couloir.

— Comment on va regagner la place ? demanda Jasmine en soulevant Dante dans ses bras. On ne sait même pas si on va dans la bonne direction.

— On va suivre l'eau. Tu as remarqué les petits conduits latéraux ?

— Ils sont partout.

— Cet endroit s'appelle les sources… Mais en réalité, c'est une seule source qui remplit tous les bassins, les uns après les autres.

Une déflagration se fit entendre derrière eux, le panneau explosa. Dante hurla. Jasmine courut vers la sortie suivante. Une nouvelle détonation, un crépitement, puis les cris du public. Grossman atteignit la porte, essaya de l'ouvrir, la serrure était faussée. Les gens jaillirent dans le couloir. Jasmine posa Dante par terre, tira sur la poignée, fit un pas en arrière et donna un coup de pied dans la porte, qui résista.

— Maman ! Ils arrivent !

77

Des appels et des hurlements alcoolisés s'élevèrent, de plus en plus forts, telle une vague déferlante. Le public affluait dans le couloir. Les deux Hollandais se retrouvaient mêlés à la foule. Grossman se débattait avec la poignée. La saisissant des deux mains, il tira vers le haut de toutes ses forces et l'arracha. Le pêne et les caches dégringolèrent, et il tituba en arrière. Jasmine s'engagea avec Dante, puis constata que Marta restait figée sur place, comme absente.

— Marta ?

Faute de réaction, Grossman l'entraîna par la porte. Ils coururent devant des alignements de cabines, enjambèrent une cuvette et dépassèrent un couloir étroit.

— Arrêtez-vous ! s'exclama Jasmine. Une rigole ! C'est une rigole !

Ils bifurquèrent dans le passage latéral, un canal rempli d'eau, où ils furent obligés d'avancer en file indienne, Grossman et Marta en tête. Dante galopait devant Jasmine, puis trébucha et se cogna le genou. Elle le releva, et il se remit à courir.

— On n'ira pas plus loin, haleta Grossman.

Jasmine arriva à sa hauteur. Marta respirait fort, elle s'assit par terre. Le passage menait au bord d'une piscine de forme allongée, sorte de réservoir pour l'arrivée des flots. On n'entendait que le clapotis paisible de la rigole.

— Il doit y avoir une entrée au fond, dit Grossman.

— Je vais plonger, proposa Jasmine. Je vais voir si...

Elle se tut lorsque les premiers spectateurs passèrent vingt mètres plus loin dans le couloir principal. Ils filaient tels des éclairs devant l'étroite ouverture.

— Ils ne vont pas tarder à nous trouver, chuchota Grossman.

— Il faut qu'on descende dans le bassin.

Elle souleva Dante par-dessus la bordure et se laissa glisser avec lui dans l'eau tiède. Grossman aida Marta. Celle-ci opposa une résistance apathique, mais le suivit malgré tout. Le réservoir était tellement profond que Jasmine ne touchait pas le fond. Dante savait nager, mais il restait accroché à elle. Ses vêtements lui collaient au corps. À travers les interstices du déversoir de la rigole, elle avait une vue dégagée sur le grand couloir. Les spectateurs se bousculaient plus loin, leurs voix résonnaient. Quelqu'un cria en espagnol. Une femme regarda dans leur direction, puis elle reçut un coup dans le dos qui la fit tomber à genoux dans la rigole. Elle se releva et disparut.

Jasmine sentit la pression d'un courant ininterrompu contre ses jambes. Il venait de la paroi au fond. Il y avait forcément une arrivée d'eau.

Ils restèrent accrochés au bord pendant que le flot de spectateurs qui passaient dans le couloir diminuait. À voix basse, Grossman raconta que la source originelle jaillissait de la montagne du côté de la place. C'est là que les premiers morts étaient arrivés, bien avant que la place existe. C'est là qu'avait été construit le premier établissement de bains quand les gens avaient commencé à s'attarder dans le port.

Il devait être possible de regagner les parties les plus anciennes près de la place en remontant à contre-courant.

Ça peut marcher, songea Jasmine. Grossman n'avait pas tort : il était peut-être possible de neutraliser Wu Wang s'ils réussissaient à rejoindre le juge et à révéler devant tous l'existence du fusil de combat.

De nombreuses personnes avaient vu le Hollandais tirer sur Pedro, songea Jasmine. Ils pourraient témoigner en notre faveur, nous apporter leur soutien.

L'acte juridique de Wu Wang ne leur était d'aucun secours, mais les spectateurs feraient entendre leurs voix même si le juge essayait de les faire taire.

Un revirement de situation était peut-être envisageable. Le peuple avait envie de croire que le playground était juste.

— Je plonge maintenant, dit-elle.

— Attends, chuchota Grossman. Laisse-les passer d'abord.

Elle suivit son regard à travers les interstices du déversoir, et vit un mouvement dans le grand couloir. Les hommes de Wang passèrent devant la rigole latérale en échangeant quelques mots, puis disparurent.

Après quelques battements prudents des jambes, Jasmine eut une réminiscence de Dante aux îles Canaries. C'était aux vacances de Pâques. Il l'attendait à la piscine de l'hôtel devant le bassin réservé aux enfants, un crocodile gonflable dans ses bras.

L'image s'effaça lorsqu'une silhouette apparut à l'entrée de la rigole. C'était le quatrième ingénieur, le plus âgé, qui était de retour. Il se tenait dans l'ouverture, guettant dans l'obscurité. Théoriquement, il ne pouvait pas les voir. Plus loin, l'un des deux Hollandais l'appelait, mais il fonça quand même droit sur eux dans le boyau étroit. Ils restèrent immobiles, suspendus au bord du réservoir, les visages dépassant à peine de la surface. Des tourbillons profonds essayaient de happer leurs jambes. Restant agrippée d'une seule main, Jasmine vérifia de l'autre que son couteau était toujours glissé dans sa ceinture. Dante était cramponné à elle, les yeux fermés.

L'ingénieur s'arrêta à mi-chemin, scrutant dans leur direction. Il jeta un regard en arrière, puis continua à avancer.

Sans un bruit, ils se déplacèrent le long du bord jusqu'à la limite du bassin. À environ deux mètres de profondeur, l'arrivée d'eau était recouverte d'une grille mal fixée. Jasmine entrevit l'ondulation provenant de l'ouverture.

Dans le couloir, Wang et les deux Hollandais attendaient l'ingénieur. L'un d'eux l'appela de nouveau, mais il ne répondit pas. Il poursuivit sa progression vers eux et se pencha sur le côté pour regarder par-dessus la bordure.

Le courant vrilla la surface de l'eau. Dans la rigole, le doux clapotis se poursuivit. L'ingénieur stoppa net, leur tourna le dos et retourna auprès des siens. Il était impossible d'entendre ce qu'ils se disaient, mais il ne fallut que quelques secondes avant que le Hollandais équipé du fusil se dirige sur eux à grandes enjambées. L'ingénieur avait deviné leur présence. Ils étaient démasqués.

— Il faut qu'on plonge, chuchota Jasmine. Dante, tu es prêt ? Prends une profonde inspiration. On y va...

Chacun comprit ce qui était en jeu. S'ils ne parvenaient pas à franchir la grille, la partie était finie.

Ils plongèrent aussi profondément que possible. Jasmine tenait Dante par une main et tira sur la grille de l'autre. Le bord inférieur s'était détaché, et elle s'escrima à l'ouvrir davantage pour qu'ils puissent passer.

Des tourbillons dispersèrent de vieux débris. Elle vit les joues rondes de Dante, les petites bulles d'air qui recouvraient son visage, ses cheveux qui ondoyaient au-dessus de sa tête.

Traînant Marta par le bras, Grossman arriva près de la grille.

Au-dessus d'eux, la surface ressemblait à un drap argenté.

Un coup de feu claqua, une gerbe de plombs frappa l'eau, des centaines de petits grains qui ralentirent avec une lenteur élastique, un essaim de bulles blanches.

Un nuage de sang s'élargit autour des jambes de Grossman. La tête de Jasmine était prête à éclater. Il fallait qu'elle remonte respirer très bientôt. Ses oreilles bourdonnaient, ses poumons luttèrent pour prendre une inspiration. Elle secoua la grille des deux mains et, en s'arc-boutant sur ses jambes, elle parvint à l'ouvrir un peu. Dante essaya de l'aider. L'effort avait consommé tout son oxygène. Elle tira encore une fois, et le métal tressaillit lorsque le coin inférieur céda.

Un nouveau coup de feu retentit. Elle sentit dans son corps la vibration des masses d'eau. Il fallait qu'elle tienne. Juste quelques secondes. Des fragments épars vinrent tournoyer devant son visage. Elle emmena Dante plus en profondeur, le tint par la taille et le poussa progressivement par l'ouverture derrière la grille. Elle lui donna de la vitesse, et le vit filer avant de se glisser elle-même par le trou. L'ouverture était légèrement trop petite, le couteau dans sa ceinture se coinça dans le bord inférieur de la grille. Elle poussa le cadre vers le haut avec des mains tremblantes, ses muscles avaient perdu pratiquement toutes leurs forces. Des éclairs passèrent devant ses yeux, ses poumons brûlaient, elle était à court d'oxygène. Ses jambes étaient aspirées vers le haut. Elle s'égratigna le ventre, et de petites gouttes de sang se répandirent comme de l'encre de Chine. Refoulant la panique, Jasmine s'efforça de rester sereine pour user de ses dernières forces et parvenir à se dégager. Le couteau se détacha et s'enfonça lentement dans les profondeurs. Elle réussit enfin à passer, et se propulsa en avant en battant des jambes.

78

Les poumons prêts à éclater, Jasmine nagea vigoureusement vers le haut. Des perles grises tourbillonnaient devant ses yeux. Elle aperçut les jambes frétillantes de Dante au-dessus d'elle. Il avait déjà la tête hors de l'eau. Elle émit une respiration rauque lorsqu'elle fendit la surface et inspira profondément. Sa gorge était en feu. Grossman jaillit à côté d'elle. Il s'ébroua, et remonta Marta. Celle-ci avait bu la tasse. Elle toussa et cracha, puis se mit à geindre.

Jasmine tira Dante contre elle, lui tapota les joues et le regarda dans les yeux.

— Je n'abandonne jamais, lui chuchota-t-elle.

Il sourit, et elle dut prendre sur elle pour ne pas fondre en larmes. Elle essuya son visage en se disant qu'il fallait qu'elle tienne le coup encore un petit moment. Elle avait au moins son fils, pour un petit moment encore.

Le conduit aux parois rugueuses décrivait une courbe. Le ruissellement sombre brillait comme de la soie tendue.

— On va continuer à remonter le courant, dit Jasmine.

Marta cracha des glaires aqueuses et fut prise d'un autre accès de toux. Jasmine commença à nager avec Dante sur le dos. Il se cramponnait à elle, immobile.

Après une centaine de mètres, elle sentit l'acide lactique s'accumuler dans les muscles de ses bras et s'efforça d'accentuer le mouvement des jambes pour avancer. Derrière elle, Grossman priait Marta d'y mettre du sien.

Une fois le virage passé, voyant de petites vaguelettes se

former sur le léger courant, Jasmine comprit qu'il y aurait bientôt moins de fond.

Elle continua à nager, puis se mit à marcher dès qu'elle eut pied. L'effort était douloureux, mais elle ne s'arrêta que lorsque l'eau lui arriva à la taille. Ses vêtements détrempés lui collaient au corps.

Portant Dante sur la hanche, elle se retourna. Grossman et Marta vinrent les rejoindre.

— Tu crois qu'on est dans le bon passage ? demanda Jasmine à Grossman.

— Toute l'eau provient du même endroit, haleta-t-il.

— Tu as été touché à la jambe.

— Même pas mal, répondit-il en jetant un coup d'œil derrière lui.

— Comment Wang a-t-il pu se procurer un fusil de chasse ?

— Il existe un marché noir, on en trouve toujours, mais les prix sont astronomiques, personne n'a autant d'argent...

— Viens, dit Jasmine à Marta en lui donnant la main.

Cette dernière ne réagit pas, même lorsque Grossman écarta les cheveux mouillés de son visage.

— Tu viens ? lui chuchota Grossman.

— Je voulais seulement aider ma fille, murmura-t-elle.

— Bien sûr, la rassura Jasmine. Mais ils t'ont trompée.

— J'appartiens au *Corpus juris.*

— Mais tu n'appartiens pas à la famille du juge, alors que tous les... tu m'écoutes ? Tous les visas semblent leur être réservés.

Marta ouvrit les yeux et regarda ses mains.

— Wu Wang devait recevoir...

— Parce qu'il est de la famille du juge, l'interrompit Jasmine.

— Qu'est-ce qui te fait dire ça ? demanda Grossman.

— Ils ont le même patronyme.

— Non, objecta Marta, sceptique.

— Aujourd'hui, il s'appelle Wu Wang, il s'est emparé de beaucoup de visas au fil du temps, mais au départ, il s'appelait Zhou...

— C'est Antonia qui raconte ça ?

— C'est écrit dans l'acte juridique de Wu Wang qui était conservé aux Archives du tribunal.

Secouant la tête, Marta prit la main de Jasmine, et ensemble, elles se mirent en marche. Dante lui tenait l'autre main. Il se laissa flotter à son côté, puis commença à nager.

Jasmine pensa au système social détruit, à la triade comme ennemi fictif pour dissimuler que le *Corpus juris* avait lui-même créé les gangs criminels.

Elle regarda Dante, et ne put s'empêcher de sourire. Cette fierté stupéfaite devant son propre enfant! Elle s'enclenchait comme un mécanisme ancestral. Il l'avait déjà devancée de dix mètres, la tête sous l'eau, il nageait comme un têtard, en se servant surtout de ses jambes. Elle songea au fait qu'il les avait sauvés en claquant la porte, incitant ainsi les hommes de Wang à descendre dans le bassin.

Elle savait qu'elle allait bientôt le perdre, c'était peut-être pour ça qu'elle le voyait si nettement, submergé d'amour et de souvenirs.

Ils remontèrent le courant, suivirent les méandres du couloir. Leurs vêtements trempés les freinaient, alourdissaient leurs jambes, les retenaient. Des passages plus étroits surgissaient sans arrêt, ramifications qui conduisaient les flots dans les différentes parties de l'établissement de bains. Certaines jonctions étaient pourvues de grilles contre lesquelles s'étaient accumulés de vieilles briques de jus de fruits, des tampons hygiéniques, des coquilles d'œufs, des chaussures abîmées, des sacs en plastique.

Devant eux, Dante s'était arrêté et fixait le virage suivant. Moins profonde, l'eau se fendait autour de ses hanches. Lorsqu'ils arrivèrent à son niveau, un spectacle grandiose s'offrit à eux.

Le couloir rugueux s'élargissait en une vaste grotte transformée en bains magnifiques aux murs jaunes et aux boiseries dorées finement sculptées. Au fond, un vieil homme avançait d'un pas lent, les yeux mi-clos. Sa peau pâle était constellée de taches de vieillesse.

Ils montèrent des marches d'escalier polies par d'innombrables allées et venues, et débouchèrent sur un sol recouvert d'un carrelage bleu cobalt. L'eau leur arrivait aux genoux.

D'autres gens avançaient dans l'eau, eux aussi les yeux à moitié fermés. Ils se déplaçaient avec une sorte de langueur, comme indifférents à ce qui les entourait.

La lumière était projetée en hauteur, contre les murs où les reflets oscillaient telles des fenêtres d'église liquéfiées.

Partout, ça clapotait, gargouillait, dégouttait.

Les femmes que tout le monde appelait des sages-femmes aidaient les nouveaux arrivants à s'y retrouver. Elles leur indiquaient des bancs et installaient des paravents pour qu'ils puissent se réveiller paisiblement. Un homme de haute stature ne semblait pas comprendre qu'on voulait l'aider. Il se dégagea et s'allongea sur le sol mouillé.

Au milieu du vieil établissement, un bassin plus petit avait la forme d'une fleur de lotus épanouie.

Marta lâcha la main de Jasmine et longea l'enfilade de bancs pour se diriger vers des portes plus loin. Sa peau se voyait à travers le chemisier plaqué sur son dos.

Jasmine savait qu'il n'en était rien, mais la fatigue et la peine firent surgir d'étranges fabulations comme si tout était déjà fini, comme si la justice avait gagné. Ting avait montré l'acte juridique de Wu Wang au peuple, le juge était destitué, et le playground interrompu.

Ils traversèrent un vestibule et se retrouvèrent devant une nouvelle porte close, immense, à doubles vantaux. De l'air frais filtrait entre les deux battants. Ils étaient de retour à leur point de départ.

La fin approche, songea Jasmine en se tournant vers Dante, Marta et Grossman. Tous la fixèrent. Le regard de Marta était vide, Grossman hocha la tête. Dante paraissait ne plus avoir peur. Jasmine aurait tellement voulu que Ting soit avec eux.

Le sol trembla sous leurs pieds, de petits cailloux se détachèrent de la voûte maçonnée du portail. Dehors, des sifflets retentirent, quelqu'un posa une question en allemand. Des applaudissements lointains éclatèrent.

— Nous ignorons tout de la situation sur la place, dit Jasmine. Mais nous n'avons pas le choix, il faut aller tout droit à la table du juge et lui exposer ce que nous savons.

79

Ils ouvrirent les portes et débouchèrent sur la place bondée de monde. Les gens semblaient former une seule masse, un océan de plomb. Plusieurs milliers de spectateurs, tous immobiles, attendaient la suite de la compétition.

Il faisait sombre comme en pleine nuit, et pourtant, des nuances plus grises ressortaient sur le noir. De minces filets de fumée montaient des foyers allumés. Jasmine aperçut le terminal de cabotage avec le mur pignon manquant, et la façade de l'Office des transports.

Tout autour de la place, on devinait l'Inspection disciplinaire et les autres édifices officiels, tels des colosses découpés dans une carrière de pierre.

Sans rien dire, ils s'enfoncèrent parmi la foule. Personne ne les avait encore remarqués. Ils passèrent devant une vieille femme qui, d'une chiquenaude, jeta son mégot de cigarette en laissant la fumée s'échapper de ses narines.

Un preneur de paris habillé en joueur de cricket avec un emblème des Rajasthan Royals distribuait des tickets à des personnes rassemblées autour de lui.

Le sol tremblait et grondait comme si des voies de circulation souterraines étaient ouvertes à la dynamite.

Certains avaient allumé des lampes, ou partageaient de simples repas dans l'attente de la poursuite du jeu. Trois hommes ivres se faisaient passer une grande bouteille en plastique au contenu incolore.

Ici, le temps n'avait aucune importance. Tout le monde patientait avant le combat final. Puisque de toute façon, ils ne dormaient pas, autant rester là, sur la place, jusqu'à ce que quelqu'un brise la monotonie.

Le sol émit de nouveau un grondement sourd.

Une fille maigre aux vêtements trop petits, aux cheveux tressés et aux sourcils fournis proposait des allumettes à la vente. Elle avait réussi à dénicher un carton de milliers de boîtes faisant la publicité pour une agence d'avocats à New York. Au passage de Jasmine et de Dante, elle s'arrêta et fit un signe hésitant de la main.

Ils contournèrent un groupe d'hommes qui se disputaient.

Un vieillard mangeait une galette de riz, la main courbée sous son menton.

Des gardes postés partout éloignaient les gens de la longue table des magistrats et du poteau de fer. Ils aperçurent Jasmine et lui firent signe d'avancer avec ses compagnons.

Une grosse femme qui avait rassemblé des joueurs autour d'elle jeta trois cartes sur une table revêtue de velours. Un jeune homme éclatait de rire à chaque carte qu'elle jetait. Autour de son cou, à côté du visa assombri, un petit papillon en argent scintillait au bout d'une mince chaîne.

Le cœur de Jasmine se mit à battre plus fort quand elle vit le juge. Elle le devina d'abord entre les spectateurs, puis, en arrivant plus près, elle constata qu'il occupait la même place qu'auparavant.

Une femme les reconnut et se mit à parler d'une voix aiguë, gesticulant et tirant sur la manche de son voisin.

Le juge était assis au milieu de la longue table avec vingt et un assesseurs de chaque côté de lui. Il mangeait du poulet rôti et des nouilles sur une assiette en carton.

La réaction du public se répandit telle une onde de choc lorsque les gardes les firent entrer sur la zone dégagée.

Dépassant le fauteuil au tissu fleuri qui n'avait pas bougé, Jasmine traversa les pavés avec Dante à ses côtés, suivie de Grossman et Marta. Le juge posa ses baguettes chinoises et la regarda. Elle était trempée et sale, les muscles de ses bras étaient gonflés de sang, ses cheveux roux pendaient en désordre de part et d'autre de son visage.

— La belle *Hong fa* a-t-elle pris un bain ? lui demanda-t-il quand elle s'arrêta devant lui.

— Il faut que vous stoppiez ce jeu tout de suite. Wu Wang utilise des armes à feu, ils ont un fusil de chasse, un Benelli semi-automatique.

— Je l'ignorais.

— C'est la vérité, gémit Grossman qui vint la rejoindre. Nous l'avons vu, il y a des témoins.

— Ils ont tiré dans le dos de Pedro Cristiano dos Santos, dit Jasmine.

Les assesseurs se mirent à parler à bâtons rompus, le public s'agita, la cohue reprit et une fébrilité commença à se répandre sur la place. Les gens en train de manger se levèrent pour essayer de voir ce qui se passait, se bousculèrent pour tenter de s'approcher.

— Vous savez qu'il n'existe pas de règles sur le playground, déclara le juge en reprenant ses baguettes.

— C'est vrai, mais les armes à feu sont interdites à tout le monde sauf aux gardes, rétorqua Jasmine en s'efforçant de paraître catégorique.

— Oui, répondit-il, avant de porter les nouilles à sa bouche et de les aspirer entre ses lèvres.

Du côté du terminal, le public applaudit. Certains lancèrent des cris et se mirent à taper en cadence dans leurs mains.

— Comment pouvons-nous nous défendre contre un fusil de chasse ? demanda Jasmine, en espérant qu'il ne percevrait pas le désespoir dans sa voix.

— Ça sera sans doute difficile.

— Allez, on s'en va, dit Grossman en la tirant par le bras.

— Mais les armes à feu sont interdites, poursuivit-elle sans plus se soucier de sa voix. Vous devez arrêter Wu Wang, il vous a menti, à vous, aux assesseurs et...

Une forte détonation retentit. Les spectateurs poussèrent des cris. Les yeux du juge s'écarquillèrent. Jasmine se retourna en tirant Dante à l'abri derrière elle. Les remous du public vibrèrent comme une pluie soudaine.

Marta se tenait dix mètres plus loin, la main sur son cou. Du sang jaillit entre ses doigts. On l'avait visée par-derrière, et elle était touchée à la gorge. Vu la quantité de sang qui giclait, Jasmine comprit que la carotide était touchée.

Le Hollandais au fusil surgit dans son dos. Le public qui se trouvait en ligne de mire s'enfuit, pris de panique.

— Non! cria Jasmine.

Marta repéra l'homme, et tenta de lui échapper. Une vague de beuglement traversa le public. Les gardes laissèrent passer Wu Wang et l'autre Hollandais. Marta s'éloigna en chancelant, le sang éclaboussa son chemisier mouillé, ses yeux étaient remplis de terreur. Le Hollandais au fusil la suivit à grandes enjambées. Il plaqua la bouche de son arme contre sa nuque et pressa la détente. Le crâne de Marta partit en avant, et son visage disparut dans une cascade de sang. Elle tomba de tout son long sur le sol, immobile.

— Faites quelque chose! hurla Jasmine au juge.

Celui-ci ne répondit pas, se contenta de se lever pour mieux voir, et renversa au passage une bouteille de bière dont le contenu se répandit sur la table. Les applaudissements hésitants s'éteignirent. Tout en se déplaçant en arrière, Jasmine chercha sur le sol un instrument quelconque pouvant lui servir d'arme. L'odeur de poudre se mêlait au faible vent.

Sans se presser, Wu Wang s'assit dans le fauteuil fleuri. Le visa lisse de Dante pendait autour de son cou par-dessus sa cravate froissée. Le Hollandais, à côté de lui, une cigarette glissée entre les lèvres, tenait une machette massive.

Grossman essaya de se réfugier parmi les spectateurs. Il cria et leur lança des jurons, mais les gens refusèrent de lui ouvrir un passage.

Les paupières de Wang étaient lourdes sur son regard doux. Il desserra un peu sa cravate avant de faire un geste guindé en direction de Grossman.

— Je vous en prie, attendez! lança Jasmine. Ne faites pas ça, ce n'est pas nécessaire, c'est fini, nous nous rendons.

Wang la regarda, cligna ses yeux humides, puis termina son geste à l'attention de Grossman.

— Nous nous rendons, répéta-t-elle, et elle sortit avec précaution de sa poche arrière la lame de rasoir qu'elle avait prise chez Antonia.

Le Hollandais tourna le fusil vers Grossman et lui tira dans la poitrine. Le sang gicla d'entre ses omoplates. Grossman tituba en arrière, et le Hollandais tira encore une fois. Le mouvement de recul se répercuta à travers ses épaules puissantes. Grossman atterrit lourdement par terre, et le public se remit à hurler. Grossman resta immobile, sur le dos, les jambes secouées de spasmes. Une flaque de sang noirâtre s'élargit sous son corps.

— Dante, dit Jasmine. Va te placer devant le juge!

Le visage de Wang était couvert de sueur. Il défit le dernier bouton de sa veste marron. Jasmine s'avança vers lui, la lame de rasoir dissimulée dans la main. Le Hollandais la regarda et jeta sa cigarette sur le sol.

— Arrêtez-vous! ordonna Wang.

— Tu as peur d'une femme sans arme? cria-t-elle, en continuant à avancer.

Il secoua la tête, mais quelques spectateurs se moquaient déjà de lui. Sa réplique était reprise dans différentes langues, et le rire se propagea parmi le public.

— Eh bien, tu devrais, ajouta-t-elle à voix basse sans s'arrêter.

Le Hollandais qui tenait le fusil se déplaça sur le côté pour pouvoir lui tirer dessus sans toucher Wang. Les gens s'écartèrent précipitamment. Il s'approcha beaucoup trop près, et visa bas. Elle savait qu'il ne pouvait pas rater sa cible.

Il posa le doigt sur la détente. Elle s'arrêta et leva une main en signe d'apaisement. Elle n'était qu'à trois mètres de lui. Son cœur battait trop vite. Wang prononça quelques paroles en chinois, et le public derrière elle commença à crier.

— Je lui ai donné l'ordre de tirer si vous ne vous arrêtez pas, dit Wang.

— J'aimerais juste te montrer quelque chose, déclara-t-elle, et elle se remit en marche.

Il pointa son doigt sur elle, mais elle ne s'arrêta pas. Une voix insensée dans sa tête lui affirmait qu'ils n'oseraient pas tirer, juste au moment où une détonation puissante lui vrilla les tympans. Une secousse involontaire agita son corps, puis elle se retourna en cherchant son souffle.

Le Hollandais fit un drôle de pas de côté. Le fusil lui échappa des mains, tomba par terre et se brisa en plusieurs morceaux.

Le canon paraissait plié, et le piston d'emprunt de gaz roula sur le sol.

L'homme se gratta le cou, puis frotta sa chemise, et ses doigts devinrent rouges de sang. Son frère cria son nom et voulut courir à ses côtés, mais Wang l'arrêta.

Jasmine tourna la tête. Ting était dans la foule derrière elle. Il avait du mal à avancer dans le tumulte. Les gens hurlaient. Il prit un coup sur la bouche, mais força quand même le passage. Les gardes le laissèrent s'approcher jusqu'à elle en titubant. Il tenait un pistolet gris argenté à la main, un vieux pistolet militaire.

— Tu le veux ? demanda-t-il le souffle court, et il lui tendit l'arme.

80

Jasmine lâcha la lame de rasoir et saisit le pistolet. Le canon était encore chaud. Elle s'écarta rapidement et vit le Hollandais blessé tomber à genoux. Il se pencha en avant, en appui sur ses mains. Le sang coulait de l'orifice d'entrée de la balle. Son frère se dégagea de la main de Wang et se précipita vers eux, la machette à la main.

— Il ne reste que deux cartouches, cria Ting.

— C'est largement suffisant, répondit Jasmine, et elle leva le pistolet.

Le Hollandais ouvrit la bouche au moment où elle appuya sur la détente. Le coup partit. Elle perçut le chatouillis de la poudre sur sa main et le recul dans l'épaule. Un nuage de sang apparut au-dessus de la tête de l'homme. La balle était entrée un peu au-dessus de son œil gauche. Il leva le visage vers le ciel au moment où ses jambes se dérobèrent sous lui.

Le public hurla et poussa les gardes vers l'avant.

Wu Wang restait assis dans son fauteuil fleuri. Jasmine se dit qu'il ne lui restait plus qu'une cartouche.

En jetant un coup d'œil à l'arme dans sa main, elle comprit immédiatement qu'elle avait dû coûter une fortune. Elle se sentit transie jusqu'à la moelle quand elle réalisa comment Ting avait pu se la procurer.

Il n'avait plus son visa autour du cou.

L'évidence la frappa avec une telle force qu'elle chancela. Pas besoin de le regarder une deuxième fois, ça ne pouvait être que ça. Ting avait échangé son visa contre un vieux pistolet militaire pour leur donner une chance de s'en sortir.

Wang se tourna vers le public, pointa son doigt sur un groupe d'hommes au premier rang et leur cria quelque chose. Ting, de son côté, avait pris Dante dans ses bras. Suivant l'exemple du juge, tous les assesseurs s'étaient levés.

— Qu'est-ce qu'il dit?

— Il offre cent mille dollars à celui qui t'arrêtera, répondit Ting. À celui qui te capturera et…

La voix de Ting fut engloutie par les hurlements du public. Jasmine se dirigea vers Wang. Veillant à conserver une distance prudente avec les spectateurs, elle regardait autour d'elle pour vérifier que personne ne se glissait derrière son dos. Wang cria de nouveau et se tourna de l'autre côté, mais personne ne bougea.

Elle s'arrêta à cinq mètres de lui, leva le pistolet et s'apprêtait à le sommer de reconnaître ses mensonges face au juge et au public, lorsqu'elle entendit Dante crier.

Elle pivota et vit le vieil ingénieur, un couteau à la main. Ting tenait toujours Dante dans ses bras, mais son visage parut étrangement fermé, presque enflé. Il venait d'être poignardé dans le dos, près du rein gauche.

Un des gardes trébucha en arrière. Le public profita de la brèche ouverte pour s'élancer. Une femme fut poussée en avant, un homme tomba, les gens l'enjambèrent.

Ting posa Dante, regarda Jasmine et s'effondra sur le sol où il resta allongé sur le côté.

Le visage de l'ingénieur, moucheté de taches de vieillesse, était tendu lorsqu'il empoigna les cheveux de Dante et le tira en arrière.

Jasmine pointa le pistolet vers lui et eut juste le temps d'aligner le guidon avec son cœur lorsqu'une femme du public surgit devant lui.

Le sang battant dans les oreilles, elle lâcha la détente. Les gens se dispersèrent en panique. Elle aperçut l'ingénieur entre deux hommes.

Il se pencha en avant et disparut de la ligne de mire. Elle se précipita sur lui, vit que Dante cherchait à se dégager.

Une jeune femme aux cheveux recouverts d'un foulard bordeaux lui barrait le passage. Jasmine continua à avancer, posa le doigt sur la détente et visa le visage de la femme qui la regardait droit dans les yeux. L'arme était lourde, et l'épaule de Jasmine se mit à trembler.

Des flocons de suie volaient dans les airs.

Une femme entre deux âges tira violemment la plus jeune sur le côté, et Jasmine put enfin voir la tête de l'ingénieur devant le guidon tremblant. Elle s'arrêta et soutint son bras avec l'autre main. Le visage s'esquiva, elle le suivit et le guidon descendit dans l'encoche de mire. Un homme barbu tomba à la renverse droit dans la ligne de tir, mais elle pressa quand même la détente, sentit l'effet de recul et vit la balle pénétrer dans le front de l'ingénieur. Le sang gicla à l'arrière de sa tête. Le barbu heurta le sol et roula sur lui-même.

Dante se libéra et courut vers elle.

Wu Wang se leva de son fauteuil et ramassa la machette. Il ne restait plus que Jasmine et lui.

— Occupe-toi de Ting, dit Jasmine à Dante.

Les gens se retirèrent lorsque Wang se dirigea sur elle. Il arborait toujours son sourire tranquille, mais une solitude aride dévorait à présent ses yeux luisants. Jasmine alla à sa rencontre. Elle leva le pistolet en espérant que Ting n'avait pas compté la cartouche dans la chambre.

Wang s'arrêta et ferma le bouton du haut de sa veste fripée. Jasmine l'interpella :

— Avoue que le procès était arrangé.

— Le pistolet est vide. Je le vois dans vos yeux.

Jasmine visa son front, la racine du nez, et pressa la détente. Il y eut un cliquetis, la culasse partit en avant, mais le percuteur ne rencontra pas de cartouche.

Il n'y avait plus de munitions.

Elle se déplaça sur le côté, Wang la suivit. Le visa de Dante balançait autour de son cou.

— J'ai adoré votre fils dès que je l'ai vu, dit-il, l'air rêveur.

Le public criait de plus en plus fort. Des preneurs de paris pressés circulaient parmi les gens pour avoir le temps de récolter toutes les mises.

Dante était agenouillé devant Ting, il lui tenait la main.

Jasmine alla se positionner derrière le poteau en fer qui marquait le centre absolu de la place.

— Si tu reconnais devant toutes les personnes ici présentes que tu as volé plein de visas, cria-t-elle, et si tu te dis prêt à subir ta peine, je t'épargnerai.

— Vous m'épargnerez, répéta-t-il en tournant et retournant la machette.

— Sinon, je promets de te couper la tête.

— Essayez toujours.

— Tu vas m'attaquer par un coup de machette. Moi, je vais reculer. Tu vas attaquer de nouveau, mais tu es trop lent, alors je te défoncerai le larynx avec le pistolet et…

Il avança un pied et leva la machette pour la frapper, mais elle contourna le poteau.

— Je te casserai le bras au niveau de l'épaule et…

— Fermez-là !

Il arriva devant le poteau, l'obligeant à abandonner cette protection relative. La sueur coulait dans sa barbe grise naissante.

— Je t'aurai prévenu, chuchota-t-elle.

Jasmine le vit frapper, eut le temps d'esquiver l'attaque, puis reprit place face à lui. Le visa argenté autour du cou de Wang se balançait de droite à gauche. La sensation intense et familière du combat rapproché – comme de respirer de l'ammoniaque – la pénétra quand elle avança d'un pas.

Wang chargea de nouveau en modifiant son angle de frappe. Jasmine recula vivement sa tête quand le grand coutelas passa devant son visage.

Elle manqua de tomber, fit un grand moulinet du bras et retrouva l'équilibre.

Son adversaire se déplaça à une vitesse inattendue, le public hurla. L'arme à la main, il fit plusieurs feintes. Une goutte de sueur tomba du bout de son nez.

D'un geste souple, Jasmine s'écarta sur la gauche pour l'obliger à la suivre. Elle devait absolument étudier davantage ses réactions et le schéma de ses mouvements.

Bourré d'adrénaline, Wang bougeait de façon imprévisible. Il rejeta sa tête en arrière pour repousser les cheveux de son visage, fit un petit bond en avant sans frapper, puis passa à l'attaque.

La pointe de la lame toucha l'avant-bras gauche de Jasmine, superficiellement certes, mais elle entendit Dante pousser un cri.

Elle recula, trébucha, mais parvint à rester debout, en perdant cependant de la vitesse.

Wang répéta la même feinte, mais au lieu de l'éviter, Jasmine fondit sur lui et le frappa à la gorge avec le pistolet. Si le coup n'était pas très pur, il en était d'autant plus puissant. Il chancela en brandissant la machette. Jasmine le coupa dans son élan, l'attrapa par le poignet et lui assena un coup de crosse sur le nez. Il tomba sur un genou, essaya de se libérer, mais elle lui tordit le bras. Un claquement retentit lorsque son épaule se déboîta. La machette se retrouva par terre.

Elle cogna encore une fois son visage ensanglanté. Il s'affaissa sur la hanche, une jambe repliée sous le corps.

Balançant le pistolet, Jasmine le prit par les cheveux et ramassa la machette. Du sang glaireux pendait de la bouche de Wang.

— Il reconnaît qu'il a essayé de voler le visa de votre fils, brailla le juge. Il sera traduit en justice et...

Elle entendit ses paroles, mais abattit quand même la machette sur la nuque de Wang, puis frappa encore, à travers les vertèbres. Il s'effondra, la tête retenue uniquement par les tendons et les muscles du cou. Saisissant de nouveau les cheveux de Wang, Jasmine acheva de le décapiter en tranchant les tissus avec la lame acérée.

Sans hésiter, elle se pencha et récupéra le visa de Dante sur le cadavre, puis elle se tourna vers le public et brandit la tête à bout de bras. Elle était lourde, et le sang coulait à flots.

Toute la place demeurait silencieuse, figée.

Lentement, elle s'approcha du juge et posa la tête de Wang sur la table devant lui en disant :

— N'oubliez pas que je peux revenir.

Le jeu était enfin terminé.

81

Jasmine maintenait Ting en position semi-assise tandis qu'une femme avec des traces de tatouages au henné sur les mains pansait la plaie dans son dos. L'air très concentré, elle l'effleurait doucement de ses doigts fins. Dante était accroupi sur le sol à côté d'eux, il trifouillait les fentes entre les pavés.

— Demande-lui si c'est grave, dit Jasmine.

Ting prit quelques profondes inspirations avant de se tourner vers la femme. Il lui parla en chinois. Elle rougit et répondit avec un grand sourire.

— Qu'est-ce qu'elle a dit?

— Que c'est une simple égratignure, répondit-il en prenant une mine désinvolte.

— Je sais que tu lui as demandé autre chose.

Il sourit, mais poussa un gémissement sourd quand les deux femmes l'allongèrent. Sa respiration était difficile, il ferma les yeux.

— Tu pourras récupérer ton visa? demanda Jasmine en touchant sa joue.

— J'ai caché les papiers de Wu Wang… Pardon, mais je ne pouvais pas les montrer au juge.

— Je sais.

— Ils font partie de la même famille, chuchota-t-il, et il attrapa sa main.

— Je sais…

— Pardon.

— Tu nous as sauvés… Sans toi, nous n'aurions jamais…

Elle se tut en voyant ses yeux partir à la dérive, de plus en plus mats.

— Est-ce que tu pourras récupérer ton visa ? répéta-t-elle.

— Jasmine, dit-il, et il s'efforça de focaliser son regard sur elle. Il ne valait pas grand-chose, tu es bien placée pour le savoir. J'en ai tiré un bon prix puisqu'il était relativement récent...

— Je veux que tu essaies de le récupérer, insista-t-elle.

— Pars maintenant. Va au terminal avec...

— On va y aller.

— Ce n'est pas franchement des vacances d'être ton interprète, mais...

— Écoute-moi !

— Je suis heureux d'avoir pu t'aider.

— Je veux que tu rachètes ton visa.

Son entêtement le fit sourire.

— Pourquoi ?

— Je ne sais pas, murmura-t-elle, et elle posa son front contre le sien, qui était chaud, se retenant de pleurer. Il est peut-être obligatoire sur les bateaux... Ou pour ce qui vient après les bateaux.

Il toussa, ferma les paupières un instant, puis fixa de nouveau ses yeux luisants sur elle.

— Vous deviez venir chez moi. J'avais l'intention de cuisiner des pâtes à l'italienne... et de vous préparer la chambre d'amis.

— Je ne veux pas dormir dans la chambre d'amis, je veux dormir avec toi, répondit Jasmine.

— Tu as l'intention de me séduire ?

— Sur le sol en verre, avec la mer en dessous.

— C'était ça, l'idée, convint-il en souriant, et son regard était très fatigué.

— Je m'en doutais.

Il leva une main faible et lui caressa les cheveux.

— Tu brilles, souffla-t-il.

Jasmine ouvrit la bouche pour lui dire qu'elle l'aimait, lorsqu'elle vit des aides-soignants de l'établissement de bains arriver avec une civière. Les spectateurs leur ouvrirent courtoisement un passage. Elle défit sa boucle d'oreille avec la perle, la posa dans la main moite de Ting, se pencha en avant et l'embrassa sur la bouche.

— Je reviendrai, dit-elle. Tu sais que je reviendrai.

— Viens au chantier naval, murmura-t-il dans son oreille. Je t'attendrai.

— Je reviendrai, pour toi.

Les aides-soignants le soulevèrent sur la civière. Le sang avait traversé le bandage. Son jeune corps avait l'air si fragile. Ses paupières luisaient de transpiration. Dante s'approcha, prit sa main et la tapota gentiment.

— Au revoir, Ting.

— Je te souhaite une longue vie, Dante.

Un courant d'air éparpilla sur la place de petites particules de suie en provenance du bâtiment des archives incendié. Elles descendirent lentement du ciel noir.

Tenant Dante par la main, Jasmine regarda Ting se faire emporter sur la civière grinçante. Elle était incapable de se détourner, elle le suivit du regard jusqu'à ce qu'il disparaisse. Elle pensa à Marta, à Pedro, à Erica, à Grossman, elle pensa à Hongli et à son épouse âgée.

La cendre des épais dossiers pleuvait sur la place, sur le public qui, sans bouger un cil, assistait au dernier acte du spectacle.

Elle serra la main de Dante, et eut la certitude qu'il avait compris que c'était fini.

— On rentre maintenant, lui dit-elle.

Les gens s'écartèrent de leur chemin quand ils se dirigèrent vers le terminal. Quelqu'un tendit la main pour toucher les cheveux de Jasmine. Un petit homme l'observa avec un grand sérieux. Il joignit ses pouces et forma un papillon avec ses mains devant son cœur.

Dante marchait à côté de Jasmine. Le seul bruit perceptible était le bruissement du public lorsqu'il se fendait devant eux comme les eaux d'une mer.

82

Tout était complètement silencieux, mais un éclair de chaleur jaillit, tel un phare lointain dans la nuit. Elle sentit une sorte de dilatation dans sa poitrine, eut l'impression qu'on la poussait violemment dans le dos, puis une détonation claqua dans son thorax, et son cœur se mit à battre vite et fort.

Jasmine inspira de l'air glacé et sentit une de ses jambes tressauter.

Au loin, quelqu'un cria qu'ils avaient un pouls. On aurait dit une voix enfermée dans un bocal en verre.

Jasmine frissonna de tout son corps et ouvrit la bouche pour happer davantage d'oxygène. Ses oreilles tonnaient, son cœur s'emballait. Elle s'aperçut qu'elle était étendue sur un lit.

Sa respiration se fit haletante. Elle essaya de distinguer quelque chose, mais la lumière l'aveuglait, et la pièce se déroba en dessins éclatés.

— Elle respire, ça se présente bien, le cœur se comporte bien…

À travers les larmes, elle aperçut les visages de Diana et de Mark. Du sang chaud se mit à circuler dans son corps refroidi.

— Jasmine, tu m'entends ? demanda Diana, et elle appuya une compresse dans le creux de son coude.

Elle n'était pas complètement réveillée. Le muscle d'une cuisse frémit, mais elle était incapable de bouger ou de répondre.

Diana contrôla sa fréquence cardiaque, sa pression artérielle et sa respiration.

Jasmine pensa à la ville portuaire et au playground, à l'épouvantable victoire. Elle pensa à Dante et à elle-même traversant la place main dans la main. Ils avaient été des héros à cet instant-là. Les gens les avaient accompagnés au terminal, avaient cherché à les toucher et avaient surveillé chacun de leurs pas jusqu'au départ.

Ils ne s'étaient occupés de rien, l'administration n'avait posé aucune question. Jasmine était simplement restée assise dans le terminal, Dante sur ses genoux, à parler de la vie.

Le dazibao indiquant le nom de Dante avait été le premier affiché, mais elle avait été autorisée à l'accompagner tout le long jusqu'à la femme et à la jeune fille. Elle lui avait expliqué ce qui allait se passer pendant qu'elles le déshabilleraient et le laveraient. Ses paupières s'étaient alourdies, il semblait de plus en plus fatigué, puis il avait cessé de se retourner vers elle. Elle n'avait pu s'empêcher de pleurer en le voyant disparaître par la mince porte coulissante.

Diana examina ses pupilles à l'aide d'une lampe stylo. Jasmine détourna le visage, et soudain, elle vit clair. Une cheville en plastique rouge était fichée dans le mur. Jasmine était allongée sur le lit dans la salle d'observation. Ses orteils et ses doigts picotaient, son cœur battait toujours vite à cause de l'injection d'adrénaline et de gluconate de calcium.

— Tu nous as fait peur cette fois, chuchota Diana.

— Ton cœur s'est arrêté cinq minutes, annonça Mark.

De petits grains de poussière lumineux flottaient autour du visage de sa sœur. Elle avait les traits tirés, tendus par le stress.

Jasmine se redressa, et son champ de vision se rétrécit en un mince tube avant de lentement s'élargir de nouveau.

— Doucement, dit Diana.

Jasmine avait l'impression que quelqu'un se tenait debout sur sa cage thoracique. Elle toussa et inspira une merveilleuse goulée d'air.

— Dante? chuchota-t-elle.

Elle fut obligée de fermer les yeux un instant, et n'entendit pas leur réponse. Ses oreilles bourdonnaient, et un mal de tête carabiné lui provoqua des nausées. Mark l'aida à se mettre debout. Elle vit que son visage était baigné de larmes. Il la tint fermement par la taille et l'accompagna jusqu'à la fenêtre, où elle appuya le front contre le verre frais.

La salle d'opération n'avait pas bougé, l'équipe médicale était toujours à l'œuvre sous le scialytique, personne ne semblait pressé. Entre les chirurgiens et les infirmières, elle aperçut le corps immobile de Dante sous le tissu vert. La pièce paraissait trop tranquille.

Une ride profonde s'était creusée sur le front du chirurgien, son visage semblait triste et fatigué. Les instruments brillants envoyaient de petits reflets dansants au plafond. Jasmine faillit s'effondrer lorsque les sons dans la pièce où elle se trouvait parvinrent à ses tympans, comme une énorme expiration bruyante.

— Regarde-le, lui dit Mark d'une voix cassée.

Une infirmière dont la poitrine était éclaboussée de sang prit une pince de Péan des mains du chirurgien. Ses doigts gantés de latex étaient rouges. La lourde haleine de Jasmine recouvrit la fenêtre de buée.

— Je ne vois rien, souffla-t-elle en essuyant la vitre avec la main.

L'infirmière qui gérait le drainage se déplaça, dégageant la vue sur la table d'opération.

Dans l'ouverture sanguinolente du thorax, Jasmine aperçut le cœur de Dante. Il avait retrouvé sa place et battait, avec de petites contractions régulières. Sur l'appareil à droite, elle vit les courbes sinusoïdales parfaites du rythme cardiaque.

— Il est vivant ? demanda-t-elle en avalant sa salive.

— Tout s'est bien passé, répondit Diana en essuyant les larmes sur ses joues. Ça se présente très bien.

— Il vit…

— Regarde-le, répéta Mark. Regarde-le.

Le cœur de Dante battait régulièrement. Une ligne rouge évoluait sur le moniteur à un rythme familier à tous.

— Je te l'avais bien dit qu'il fallait faire confiance aux médecins, souligna Diana. Je te l'avais dit, tu n'as pas eu besoin de le sauver, ça s'est bien passé quand même.

Jasmine regarda de nouveau par la fenêtre, et vit le petit muscle battre. Les contractions faisaient gondoler le cœur, comptant le temps jusqu'à l'éternité.

— Son cœur bat, se contenta-t-elle de dire.

— Oui, prononça Mark, qui se mit à rire en s'essuyant les yeux.

— Jasmine, tu comprends que je ne peux plus te faire d'injection – n'est-ce pas ? Regarde-le. Il n'y avait aucune raison de s'inquiéter, tu le comprends maintenant ?

La voix de Diana se brisa, et elle resta silencieuse, les paupières baissées et les lèvres serrées. Une mèche de cheveux roux était collée sur son front en sueur.

— Tu aurais pu mourir pour rien, chuchota-t-elle quand elle parvint à contrôler sa voix.

— C'est vrai…

— Tu nous as fait un peu peur quand tu ne t'es pas réveillée, dit Mark, et il passa la main sur sa bouche tremblante.

— Pardon.

Les yeux de Mark étaient rouges. Il n'était pas rasé, et son visage de gamin n'était plus que l'ombre triste d'un homme usé, entre deux âges. Pour la première fois depuis des années, Jasmine le vit tel qu'il était. Il avait vieilli, et c'était beau. Les années passées avaient déposé leurs marques.

— Je te l'avais dit, qu'il s'en sortirait, répéta Diana en la serrant dans ses bras.

83

L'air était pur, et la journée d'hiver scintillait de cristaux de glace lorsque Jasmine quitta Stockholm pour aller chercher Dante. Ils étaient sortis ensemble de l'hôpital Karolinska trois jours avant Noël. La nouvelle année était arrivée, et Jasmine envisageait de reprendre son emploi au ministère de la Défense en février.

Les enceintes de la voiture diffusaient les *Gymnopédies* d'Erik Satie. Une lumière éblouissante planait au-dessus de la neige. Au bord de la route, les arbres formaient un tunnel blanc comme du sucre.

Quand Jasmine réalisa qu'elle s'approchait du lieu de l'accident qui les avait tous tués, une bouffée d'affolement lui noua l'estomac.

Elle ralentit et s'efforça de rester calme, de se dire qu'elle était en vie. De temps en temps, il était nécessaire de se rappeler tout ce qui était arrivé. Elle aurait besoin de beaucoup de temps pour réellement comprendre qu'elle était revenue à la vie avec Dante.

Elle s'était promis de ne plus jamais parler du port, quand bien même cela la plongerait dans la solitude. Dante n'en avait probablement emporté aucun souvenir. Elle était contente de le voir jouer avec ses copains et regarder ses émissions de télé préférées. Il avait l'air d'aller bien, et elle ne tenait pas vraiment à ce qu'il se rappelle la personne qu'elle avait été obligée de devenir sur le playground.

Sur la route enneigée, elle repensa à l'accident et aux obsèques de sa mère. Dante avait tenu sa main pendant toute la cérémonie. Le pasteur avait parlé du repos paisible de la tombe et du jour du jugement dernier où tous seraient ressuscités.

Jasmine s'était mordu les lèvres, et avait baissé la tête.

Les jours précédant le réveillon de Noël étaient les plus courts de l'année, la période où la nuit et le froid pesaient le plus. L'atmosphère du cimetière lui avait rappelé la ville portuaire. Puis les nuages s'étaient dispersés, laissant apparaître le soleil dans un ciel bleu et dégagé.

Sa mère lui manquait énormément. Plusieurs fois par jour, il lui arrivait encore de se dire qu'elle allait l'appeler pour bavarder un moment.

Un fourgon la doubla et dérapa un peu en roulant sur le filet de neige entre les voies. Le cœur galopant, Jasmine freina. La neige s'envola du toit de l'utilitaire et vint frapper son pare-brise.

Mark vivait à nouveau seul, et Dante avait passé le week-end chez lui. Jasmine s'y rendait pour discuter du lendemain et récupérer son fils.

Du fait de leur discorde concernant la garde de Dante, Mark et elle avaient enclenché un processus qu'ils ne savaient plus ni gérer ni arrêter. Lui avait invoqué l'instabilité psychique de Jasmine pour obtenir l'autorité parentale exclusive, et l'avocat de Jasmine avait déniché d'anciennes condamnations de Mark pour culture de cannabis et détention illégale d'armes. Tout indiquait que l'administration sociale les jugerait l'un et l'autre inaptes au rôle de tuteur légal. Dans ce cas, Dante serait placé en famille d'accueil, et il serait extrêmement difficile de récupérer un jour l'autorité parentale.

Même si Mark ne rejetait pas la faute sur Mia, il était clair que c'était elle qui l'avait persuadé de réclamer la garde de Dante. Jasmine avait réagi par la panique et avait dépensé beaucoup d'argent en vue d'exhumer les égarements passés de Mark et de le diffamer à son tour.

Tous les deux étaient allés trop loin dans le litige.

Aujourd'hui, ils étaient d'accord pour coopérer de toutes les manières possibles afin que Dante reste dans leur vie.

Jasmine et Mark étaient convoqués au tribunal lundi.

Jasmine savait que le service social avait déposé une proposition de jugement au tribunal deux semaines plus tôt. Elle était fondée sur un changement relativement récent de la loi, stipulant que la volonté de l'enfant ne représentait pas toujours son bien puisqu'elle était en général dirigée par la loyauté et un sens aigu de ce qui est juste.

Les services sociaux avaient ordonné une enquête sur elle reposant sur un certain nombre de critères de risque. En répondant aux questions du fonctionnaire chargé de l'affaire, elle avait soudain réalisé ce que le psychologue Gabriel Popov avait fait.

Après sa crise de délire psychotique à l'école maternelle, Jasmine avait été déclarée guérie. Elle était en bonne santé, mais Gabriel Popov avait rompu le secret professionnel pour l'obliger à retourner se faire soigner en milieu fermé.

Il soutenait qu'elle avait réussi à tromper le tribunal administratif, et qu'elle était toujours psychotique en faisant une fixation sur un royaume des morts chinois. Jasmine avait démenti, bien sûr, tout en comprenant que sa parole ne pesait pas lourd face à celle d'un psychologue.

Encore un virage, et elle arriverait sur le lieu de l'accident. Le hurlement des pneus contre la neige dure et tassée diminua. Les branches des sapins gênaient la vue. De l'accident, Jasmine ne gardait que des fragments de souvenirs : la lumière des phares, la perle dans le creux de sa main, le choc violent et le sang partout.

Un poids lourd s'approchait derrière elle, et elle accéléra de nouveau. La route décrivait une courbe douce, les arbres cachaient le soleil. Elle vit alors le carrefour où la collision s'était produite. La barrière, le fossé, les buissons en contrebas. Tout était recouvert de neige. Un lièvre détala et disparut. Rien ici ne rappelait l'accident.

Elle observa dans le rétroviseur le fossé où elle se trouvait quand son cœur s'était arrêté, mais l'endroit n'avait conservé aucune trace d'elle.

Sa vie aurait pu paraître jonchée de morts, mais elle n'avait pas cette impression. Sa vie, c'était ici et maintenant, parmi les vivants, ces petites étincelles qui traversaient l'obscurité infinie.

Un jour, ils disparaîtraient à bord des bateaux, mais en attendant, ils étaient ensemble. Et c'était plus important, beaucoup plus important.

Dans la ville portuaire, le temps était presque suspendu. Ceux qui s'y trouvaient avaient encore en eux une ombre de vie. Ils ne s'étaient pas éteints, n'avaient pas encore intégré l'univers et l'éternité.

Jasmine avait séjourné cinq fois de l'autre côté. Elle comprenait maintenant en quoi consistait la grande différence. La vie résidait dans la fugacité de l'instant, dans le vieillissement.

Le temps et la vie étaient inséparables. Sans le temps, pas de vie.

84

Jasmine engagea lentement la voiture entre les grilles ouvertes. Elle vit Mark et Dante en train de faire un bonhomme de neige tellement grand que c'en était ridicule. Elle ne put s'empêcher de sourire. C'était typique de Mark de toujours exagérer. Dante était bien emmitouflé dans une combinaison d'hiver, ses joues rougies par le froid. Mark avait mis des cache-oreilles, et les cheveux gris sur sa tête étaient tout ébouriffés.

Ils avaient l'air heureux.

Elle roula sur la neige grinçante jusqu'à la maison, s'arrêta et serra le frein à main.

Elle avait oublié que Mark avait autant vieilli, mais se dit que ça lui allait bien, ça lui donnait un air mature, au moins en surface.

Il ne faut pas avoir peur du temps, songea-t-elle, il faut l'aimer, l'étreindre. C'est le passage du temps qui confirme la vie en nous. Tant qu'on vieillit, on est en vie. Le temps ne nous approche pas de la mort – il nous en tient éloignés.

Pourquoi l'homme a-t-il perdu cette notion ?

Nous adorons voir nos enfants grandir, évoluer, apprendre des choses nouvelles. Les saisons passent, et c'est merveilleux de savoir que le soleil suit son cours.

Elle descendit de la voiture et s'approcha d'eux. La partie inférieure du bonhomme de neige mesurait presque deux mètres de haut, et la boule intermédiaire qu'ils étaient en train de rouler arrivait à la hauteur de la poitrine de Mark.

— Comment allez-vous faire pour monter la tête ? lança-t-elle en montrant la troisième boule en attente.

— Salut, fit Mark.

— Avec une pelle mécanique, répondit Dante. Papa va louer une pelle mécanique !

— J'ai fait son sac, mais le jean est dans la machine, dit Mark, et il tapota ses gants pour faire partir la neige.

— Alors, on n'a pas le temps de manger le dessert ? demanda Dante en la regardant, inquiet.

— Si vous me laissez goûter, si.

— C'est juste une tarte aux pommes que je vais réchauffer, s'excusa Mark.

— On a le temps, l'assura Jasmine.

Ils tapèrent des pieds sur le perron avant d'entrer. Jasmine n'était pas revenue depuis qu'elle avait quitté Mark.

Elle avait adoré cette maison dès le premier instant. Elle ressemblait à la maison des ours dans le conte de Boucle d'or. De magnifiques parquets, des cheminées dans toutes les pièces, et un escalier en bois verni qui serpentait sur trois niveaux.

Le chat vint se frotter à ses jambes en ronronnant. Le petit grelot qu'il avait autour du cou pour avertir les oiseaux du jardin tinta légèrement.

Jasmine regarda l'heure : il était beaucoup trop tôt pour appeler Diana.

Pendant que la tarte réchauffait au four, Dante monta dans sa chambre finir la construction d'une station spatiale en Lego.

— Il faut qu'on discute de ce qu'on dira demain, dit-elle.

— Si Dante se retrouve dans une famille d'accueil, on va se bagarrer pour avoir un droit de visite, on n'abandonnera jamais…

— Il va vivre avec nous, l'interrompit-elle.

— Tu sais que je ferais n'importe quoi pour que tu gagnes, répliqua Mark d'une voix troublée. N'importe quoi…

— Parle-leur du Kosovo. Dis-leur que j'ai développé un stress post-traumatique lié à la guerre, que j'ai confondu des événements, que je parlais en fait du Nouvel An que nous avions fêté… Insiste bien sur le fait que tu ne m'as jamais entendu parler de ça plus tard.

— À vos ordres, lieutenant.

— Je crois que ça va bien se passer… L'évaluation des services sociaux repose entièrement sur les observations de Gabriel Popov… Il prétend que je suis toujours psychotique.

— Je n'ai pas vraiment compris ce qui s'est passé.

Elle s'assit à la table dans la véranda chauffée et contempla le bras de mer recouvert de glace. Le chat sauta sur ses genoux, s'y installa et se mit à ronronner.

— C'était après l'accident… J'aurais dû être guérie, mais j'ai parlé de la ville portuaire… On m'avait donné des calmants, maman était morte, j'étais seule, j'avais besoin de parler avec quelqu'un… et il m'a dit qu'il était tenu au secret professionnel.

— Qu'est-ce que tu vas faire demain ?

— Je vais tout nier en bloc, rétorqua-t-elle simplement en regardant l'heure de nouveau.

— Ce sera ta parole contre la sienne.

— À moins que Popov ne modifie sa déclaration, répliqua-t-elle.

— Pourquoi il ferait ça ?

Dante descendit quand la minuterie sonna, il sortit des assiettes et des cuillères. Mark apporta la tarte aux pommes, et Dante alla chercher la crème anglaise qu'il posa sur la table, près de sa place.

— Tu sais, ce n'est pas moi qui ai fait la tarte, déclara Mark.

— Mais il l'a réchauffée au four, expliqua Dante.

— Quel exploit ! s'exclama Jasmine.

— N'est-ce pas, répondit Mark en souriant, et les rides d'expression autour de ses yeux se creusèrent.

Mark aida Dante à se servir avant de passer le moule en alu à Jasmine. Un parfum acidulé de pomme, sucre et cannelle vint lui chatouiller le nez.

— Mon cœur, il est grand comme ça, déclara Dante en exhibant son poing.

— Tu te rappelles quelque chose de l'opération ? demanda Jasmine.

— Seulement que je n'arrivais pas à respirer et qu'ils devaient enlever le sang.

Jasmine hocha la tête, émue par son visage paisible, ses petites taches de rousseur autour du nez et ses yeux vifs et brillants. Soudain, elle se sentit obligée de lui poser la question :

— Tu sais qu'ils t'ont endormi parce que tu n'arrêtais pas de saigner. Tu as fait des rêves à ce moment-là ?

— Je ne crois pas, répondit-il en inondant sa part de tarte de crème anglaise.

— Moi, j'ai rêvé d'un tas de choses bizarres qui n'existaient pas pour de vrai.

— Quelles choses ?

Les minces vitres de la véranda étaient couvertes de buée, et de légers flocons de neige s'envolèrent du toit, poussés par le vent.

— J'ai rêvé que je me battais pour te sauver. Et j'ai rêvé d'un homme que j'aimais énormément… Il s'appelait Ting.

— Ting, sourit Dante en continuant à manger.

De temps en temps, elle rendait visite à Ting à l'hôpital de Danderyd. Ils n'avaient pas réussi à redémarrer son cœur après l'overdose. Son sang était oxygéné en permanence, le dioxyde de carbone était éliminé. Son état était irréversible, mais la décision de le débrancher restait entravée par un point technique : sa mère, qui devait donner son accord, ne voulait même pas entendre parler de lui.

Ting avait exactement la même apparence que dans le port : il était aussi beau, malgré les traits affaissés et les sondes et tuyaux qui passaient dans son nez et dans sa bouche.

— Dante, tu m'aides à débarrasser ? suggéra Mark en se levant de table.

— D'accord.

— Merci, elle était bonne, cette tarte, le complimenta Jasmine.

Autour des vieux arbres fruitiers du verger, le crépuscule d'hiver tomba, teintant de bleu la mer, le ciel et les terres enneigées.

Pendant que le père et le fils débarrassaient la table, Jasmine alla dans la chambre de Dante chercher son sac. Le chat la suivit dans l'escalier, le grelot tinta gaiement. Jasmine s'assit sur le bord du lit et ferma les yeux un moment. Elle prit son téléphone, l'inquiétude souleva une légère nausée au creux de son estomac. Elle hésita quelques secondes avant d'appeler Diana.

Les sonneries retentirent à l'autre bout du fil, longues et angoissantes, jusqu'à ce qu'elle entende un petit clic, puis la voix de sa sœur.

— Je suis sur le chemin du retour, raconta Diana.

— Bien, dit Jasmine avec circonspection.

Le vacarme de la voiture de Diana envahit la chambre de Dante. Par la fenêtre, dans le crépuscule, Jasmine vit les trois parties du bonhomme de neige. Les branches du bouleau alourdies par la neige perdaient lentement leur halo bleu.

— Jasmine, d'après moi, tu as été malade, poursuivit Diana d'une voix tremblante. Et ce n'est pas étonnant, vu ce que tu as vécu…

La connexion fut brouillée une seconde, après une sorte de mugissement dans la voiture. Lorsque la liaison fut rétablie, sa voix était entrecoupée de crépitements.

— Je n'ai pas compris comment tu avais appris que Gabriel Popov avait été hospitalisé à Ersta… mais peu importe, tu avais raison, il a été soigné pour schizophrénie.

— Tu as trouvé quelque chose sur… sa psychose ? demanda Jasmine, et elle essaya de ravaler la boule dans sa gorge.

— Je t'apporte une copie de son dossier, je n'ai lu qu'une partie pour l'instant, mais tout y est… J'ai été obligée de prendre un Valium avant de monter dans la voiture.

Il faisait presque nuit maintenant, mais en s'approchant de la vitre, Jasmine put distinguer la tête du bonhomme de neige, par terre.

— Il y a été soigné bien avant que tu sois blessée au Kosovo, poursuivit Diana comme si elle faisait un énorme effort pour prononcer les mots. Après… après une opération cardiaque, il a été pris en charge selon la loi sur les soins psychiatriques sous contrainte. On lui a administré des psychotropes, et il a été traité par électrochocs…

Diana marmonna quelque chose, il y eut des raclements sur la ligne, puis le vacarme de la voiture se tut.

— Qu'est-ce que tu fais ?

— Rien, j'ai dû m'arrêter au bord de la route, mes mains tremblent trop, expliqua Diana en respirant profondément. Au plus fort de sa psychose, avant que le traitement ait pu agir... Gabriel disait que le royaume des morts était une ville portuaire chinoise... Il s'estimait grandement redevable à une puissante famille qui y vivait... Il y a un tas de descriptions dans le dossier, des copies d'enregistrements... Il parlait d'enfilades de bateaux, de ruelles avec des lanternes en papier rouges, de jeux de table, de troc de visas...

— C'est bien, chuchota Jasmine.

— Je... j'ai beaucoup de mal à digérer tout ça, c'est de la folie, confessa Diana, des sanglots dans la voix. Mais je commence à comprendre ce que tu as réellement fait pour Dante.

Jasmine resta immobile à écouter la respiration indignée de sa sœur. Ce fut un grand soulagement de savoir que Diana la croyait enfin, mais surtout, Gabriel Popov ne pouvait plus prétendre désormais qu'elle était psychotique parce qu'elle avait parlé d'une ville portuaire chinoise. Elle était sûre qu'il se rétracterait dès qu'elle lui aurait montré le dossier. Elle le forcerait à trouver un moyen d'expliquer au tribunal administratif qu'il s'agissait d'un malentendu. Elle conserverait l'autorité parentale de Dante.

— Tu utiliseras ce dossier uniquement pour stopper Gabriel Popov, assena Diana, d'une voix aussi apaisée que possible. Après ça, tu ne parleras plus jamais de ce port...

— Je ne veux même plus y penser... pas avant qu'il soit temps de mourir à nouveau.

Une fois la conversation avec Diana terminée, la main de Jasmine qui tenait le téléphone retomba lentement.

Jasmine se releva, regarda par la fenêtre et constata que l'obscurité était maintenant totale. Elle ne distinguait plus le bonhomme de neige.

Seulement le reflet de son propre visage.

Et pourtant, le monde existait là dehors.

Le grelot du chat tinta, et Jasmine pensa à Shiva, le dieu hindou qui rythme la destruction et la création du monde avec sa danse cosmique, un grelot attaché autour du mollet.

DERNIERS TITRES PARUS

TELLURIA

roman traduit du russe par Anne Coldefy-Faucard

Après l'implosion de l'Europe, provoquée par les wahhabites et les talibans, et le démantèlement de la Russie par les séparatistes, un Nouveau Moyen Âge s'est instauré sur un territoire immense qui va de l'Atlantique à l'Oural puis au Pacifique. Les réserves de gaz et de pétrole sont épuisées et les Chinois ont débarqué sur Mars. C'est une ère de grande confusion, le Temps des Troubles. De la Russie actuelle ne subsiste que la Moscovie, orthodoxe et communiste, alors que partout ailleurs ont surgi de petits royaumes, principautés, tels les États-Unis de l'Oural, la République stalinienne socialiste soviétique (devenue un parc à thèmes pour nostalgiques du stalinisme)... et Tellurie, dans l'Altaï, dont le président est un Français.

La nature, peuplée de centaures et autres créatures horrifiques de tout poil, semble elle-même avoir perdu tout repère. L'insécurité règne partout, avec son cortège d'horreurs, de viols, de massacres... Comme dans les Temps anciens, l'énergie de chacun pourrait se mobiliser dans une quête du Graal, de l'Absolu. Au lieu de cela, tous se dirigent vers la république de Tellurie pour y acquérir le tellure, ce métal plus fort que toutes les drogues car il est capable de procurer le Bonheur.

Puisant le grotesque à la source de Rabelais, Swift et Gogol, jouant de tous les registres langagiers, s'inscrivant enfin dans la tradition illustrée par le *Nous* de Zamiatine et le *1984* d'Orwell, Vladimir Sorokine développe une fantasy allégorique sur l'avenir de l'Europe et de la Russie. Roman d'avertissement, *Telluria* trace les effroyables contours d'un futur annoncé.

NOUS

roman traduit du russe par Hélène Henry

Quelques années après la révolution, Evgueni Zamiatine, auteur reconnu et familier des milieux d'avant-garde, écrit *Nous*, un roman d'anticipation. Traduit à l'étranger et circulant sous le manteau dans son pays, il ne sera jamais édité en russe du vivant de Zamiatine. Pire, cet "infect pamphlet contre le socialisme" sera la principale pièce à conviction de sa mise à l'écart, de sa "mort littéraire".

Nous se présente comme le journal tenu par D-503, le constructeur de l'Intégrale, un vaisseau spatial dont la mission est de convertir les civilisations extraterrestres au "bienheureux joug de la raison", au "bonheur mathématiquement infaillible" que l'État Unitaire prétend avoir découvert. Six siècles après notre époque, le monde civilisé s'est en effet organisé en un "État Unitaire" sous la férule d'un "Bienfaiteur". Les hommes – des "Numéros" – habitent une cité de verre où tout est régulé, particulièrement l'activité sexuelle, et ils paient de leur vie le moindre écart à cet ordre établi contre lequel, malgré tout, une poignée de dissidents va s'insurger.

En 1920, quand Zamiatine écrit *Nous*, la fièvre révolutionnaire est retombée, l'élan déjà s'est brisé, confisqué par d'"aimables fonctionnaires". Anti-utopie prophétique qui anticipe toutes les glaciations du XXᵉ siècle, *Nous* se lit comme un long poème sur le retour nécessaire des révolutions. Cette nouvelle traduction vise à faire entendre, dans les mots, cet appel tragique : on a toujours raison de se révolter.

LA GLACE ET LE SEL

roman traduit de l'espagnol (Mexique) par Sébastien Rutés

Le *Déméter* entre dans le port de Whitby en pleine tempête. À bord du navire sans équipage, le capitaine gît, sans vie, attaché au gouvernail tandis que, dans la cale, dorment de mystérieuses caisses pleines de terre. C'est ainsi que Dracula, dans le roman de Bram Stoker, arrive à Londres. À partir des quelques lignes retrouvées dans la poche du capitaine, José Luis Zárate reconstruit la tragédie de la traversée.

La brûlure du soleil, la morsure du sel, la promiscuité exacerbent les sensations. Le capitaine, rongé de désir, rêve de goûter à la peau et au corps de ses hommes. Le vampire boit leur sang, mais le désir est une soif que rien n'étanche. Du pont à la cale, des appétits refoulés à la jouissance sans entraves, José Luis Zárate revisite brillamment la figure du vampire, cette insatiable machine désirante.

OUVRAGE RÉALISÉ
PAR NORD COMPO
ACHEVÉ D'IMPRIMER
SUR ROTO-PAGE
EN AVRIL 2017
PAR L'IMPRIMERIE FLOCH
À MAYENNE
POUR LE COMPTE DES ÉDITIONS
ACTES SUD
LE MÉJAN
PLACE NINA-BERBEROVA
13200 ARLES

DÉPÔT LÉGAL
1re ÉDITION : MAI 2017
N° impr. : 91069
(Imprimé en France)